D1502017

RH

Du même auteur

Numéro Quatre
Flammarion Québec, 2011

Le pouvoir des Six
Flammarion Québec, 2012

LA
RÉVOLTE
DES NEUF

Catalogage avant publication de Bibliothèque et Archives nationales
du Québec et Bibliothèque et Archives Canada

Lore, Pittacus
    La révolte des Neuf
    Traduction de : The rise of Nine.
    Pour les jeunes adultes.
    ISBN 978-2-89077-458-2
    I. Prémonville, Marie de, 1973-   . II. Titre.
PS3612.O73R5714 2013   813'.6   C2013-940113-X

COUVERTURE
Photo : Adam Weiss/Getty Images
Conception graphique : Atelier lapin blanc

INTÉRIEUR
Composition : Nord Compo

Titre original : *The Rise of Nine*
Éditeur original : Harper (HarperCollins Publishers)
© Pittacus Lore, 2012

Traduction en langue française :
© Éditions J'ai lu, 2013

Édition canadienne :
© Flammarion Québec, 2013

Tous droits réservés
ISBN 978-2-89077-458-2
Dépôt légal BAnQ : 2ᵉ trimestre 2013

Imprimé au Canada
www.flammarion.qc.ca

PITTACUS LORE

LA RÉVOLTE DES NEUF

Traduit de l'anglais (États-Unis)
par Marie de Prémonville

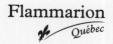

Flammarion
Québec

LES ÉVÉNEMENTS RELATÉS DANS CET OUVRAGE SONT RÉELS.

LES NOMS DE PERSONNES ET DE LIEUX
ONT ÉTÉ CHANGÉS AFIN DE PROTÉGER
LES LORICS QUI DEMEURENT CACHÉS.

IL EXISTE D'AUTRES CIVILISATIONS QUE LA VÔTRE.

CERTAINES D'ENTRE ELLES ONT POUR BUT
ULTIME DE VOUS EXTERMINER.

CHAPITRE UN

6A. C'est une blague ou quoi ? Je fixe ma carte d'embarquement, sur laquelle mon numéro de siège est écrit en gros, en me demandant si Crayton l'a fait exprès. C'est peut-être une coïncidence, mais vu la manière dont se sont déroulées les choses, ces derniers temps, je ne crois plus trop aux coïncidences. Je ne serais pas surprise de voir Marina assise derrière moi, dans la rangée sept, et Ella un peu plus loin, rangée dix. Mais non, les deux filles s'installent à côté de moi sans un mot et se mettent elles aussi à inspecter tous les passagers qui montent à bord. Quand on est pourchassé, on est constamment sur ses gardes. Qui sait quand les Mogadoriens apparaîtront.

Crayton embarquera en dernier, après avoir vérifié minutieusement qui se trouve dans cet avion, et s'être assuré que nous sommes en parfaite sécurité.

Je relève le store du hublot et regarde l'équipe au sol s'activer sous la carlingue. Au loin se dessinent les contours flous de Barcelone.

À côté de moi, je vois le genou de Marina tressauter nerveusement. Après la bataille contre une armée de Mogadoriens, hier au lac, la mort de sa Cêpane et la découverte de son coffre, voilà qu'elle quitte pour la première fois en onze ans la ville où elle a passé son enfance. Pas étonnant qu'elle soit tendue.

« Tout va bien ? » Mes cheveux blonds me tombent dans les yeux, et je ne me suis toujours pas faite à la couleur. J'avais déjà oublié que je les avais teints ce matin. Et ce n'est que l'un des nombreux changements qui ont bouleversé nos vies ces quarante-huit dernières heures.

« Tout a l'air normal, me chuchote Marina, sans quitter du regard l'allée centrale bondée de voyageurs. D'après ce que je vois, on est en sûreté.

— Bien. Mais ce n'était pas le sens de ma question. » Je pose doucement mon pied sur le sien et son genou s'immobilise. Elle m'adresse un petit sourire d'excuses et s'absorbe de nouveau dans l'observation des passagers qui embarquent. Quelques secondes plus tard, son genou se remet à tressauter. Je secoue la tête, impuissante.

Je suis désolée pour elle. Elle a passé des années enfermée dans un orphelinat au milieu de nulle part, avec une Cêpane qui refusait de l'entraîner – Adelina avait perdu de vue la raison première de notre présence sur Terre. Je fais de mon mieux pour aider Marina, pour lui rendre tout ce qu'elle n'a pas eu. Je peux l'entraîner, lui apprendre à maîtriser sa force et à développer ses Dons. Mais, avant toute chose, j'essaie de lui montrer qu'elle ne risque rien à me faire confiance.

Les Mogadoriens paieront pour ce qu'ils ont fait. Pour nous avoir pris tant d'êtres chers, aussi bien sur Terre que sur Lorien. C'est ma mission de les exterminer tous jusqu'au dernier, j'en fais une affaire personnelle, et je m'assurerai que Marina soit vengée, elle aussi. Non seulement elle a perdu son meilleur ami, Héctor, dans la bataille du lac, mais tout comme moi elle a vu tuer sa Cêpane sous ses yeux. Il nous faudra porter cette image jusqu'à la fin de nos jours.

« Comment ça se passe, en bas ? » me demande Ella en se penchant par-dessus Marina.

Je me concentre de nouveau sur la piste. Les hommes au sol commencent à ranger leur équipement et se livrent aux réglages de dernière minute. « Jusqu'ici, tout va bien. »

Je suis placée juste au-dessus de l'aile, ce qui me rassure. Plus d'une fois j'ai dû faire appel à mes Dons pour sortir un pilote de l'embarras. Un jour, au-dessus du sud du Mexique, je me suis servie de la télékinésie pour déporter l'avion d'une douzaine de degrés sur la droite, quelques secondes à peine avant qu'il percute une montagne. L'année dernière, en enveloppant l'appareil d'un nuage étanche d'air froid, j'ai tiré cent vingt-quatre passagers indemnes d'un violent orage qui frappait le Kansas ; nous avons traversé la tempête comme une balle dans un ballon de baudruche.

Quand l'équipe au sol passe à l'avion suivant, je suis le regard d'Ella vers la tête de l'appareil – nous sommes toutes deux impatientes de voir Crayton arriver. Alors on saura que tout va bien, du moins pour le moment. Tous les sièges sont occupés, sauf celui derrière Ella. Mais où est-il ? Je scrute l'aile en quête du moindre détail inhabituel.

Je me penche en avant pour glisser mon sac à dos sous le siège ; il est pratiquement vide et se plie sans difficulté. C'est Crayton qui me l'a acheté à l'aéroport. Il dit que toutes les trois, il faut qu'on ressemble le plus possible à des adolescentes lambda, à des élèves en voyage scolaire. Pour faire plus vrai, Ella a même un manuel de biologie sur les genoux.

« Six ? » À côté de moi, Marina joue fiévreusement avec la boucle de sa ceinture.

« Ouais ?

— Tu as déjà pris l'avion, pas vrai ? »

Marina n'a qu'un an de plus que moi, mais avec son regard grave et pensif et sa nouvelle coupe sophistiquée qui lui tombe aux épaules, elle passerait facilement pour une adulte. Néanmoins, pour l'instant, elle se ronge les ongles et remonte les genoux contre sa poitrine comme une enfant apeurée.

« Oui. Ce n'est pas si terrible. Une fois qu'on arrive à se détendre, c'est même assez génial. »

Assise là en attendant le décollage, je me mets à penser à ma propre Cêpane, Katarina. Pourtant je n'ai jamais pris l'avion avec elle. Mais quand j'avais neuf ans, nous avions passé un sale quart d'heure avec un Mogadorien, dans une ruelle de Cleveland, dont nous étions ressorties sous le choc et recouvertes d'une épaisse couche de cendre noire. Après ça, Katarina nous avait fait déménager au sud de la Californie, dans une petite maison en ruine à un étage, près de la plage, à deux pas de l'aéroport de Los Angeles. À toute heure, des centaines d'avions décollaient ou atterrissaient en rugissant au-dessus de nos têtes, interrompant les cours que me donnait Katarina ou le peu de temps libre que je passais avec ma seule amie, une fille maigre qui habitait juste à côté et qui s'appelait Ashley.

J'avais vécu sous ces engins pendant sept mois ; c'étaient eux qui me réveillaient le matin en faisant gronder leurs moteurs juste au-dessus de mon lit, au lever du jour. La nuit, ils étaient comme des fantômes menaçants qui me disaient de rester éveillée, prête à bondir à tout instant de mon lit pour foncer dans la voiture. Comme Katarina ne me laissait pas m'aventurer loin de la maison, j'avais aussi les avions en fond sonore tous les après-midi.

Un jour, au goûter, alors que les vibrations d'un énorme Boeing secouaient la limonade dans nos gobelets en plastique, Ashley s'était tournée vers moi. « Avec ma mère, on va voir mes grands-parents, le mois prochain. J'ai trop hâte ! Tu as déjà pris l'avion ? » Ashley parlait sans arrêt des endroits où elle allait et de tout ce qu'elle faisait avec sa famille. Elle savait pertinemment que Katarina et moi ne bougions jamais de chez nous, et elle aimait bien crâner.

« Pas vraiment, avais-je répondu.

— Comment ça, pas vraiment ? Ou c'est oui, ou c'est non. Allez, avoue : tu ne l'as jamais fait. »

Je sens encore le rouge me monter aux joues. Elle avait tapé juste. J'avais fini par reconnaître que non. Je rêvais de lui rétorquer que j'avais connu beaucoup plus gros, beaucoup plus impressionnant qu'un minable petit avion. Je voulais qu'elle sache que j'étais venue sur Terre à bord d'un vaisseau en provenance d'une autre planète du nom de Lorien, sur une distance de plus de cent cinquante millions de kilomètres. Je m'étais toutefois retenue, parce que je savais que tout ça devait demeurer secret.

Ashley m'avait ri au nez et, sans même me dire au revoir, elle était retournée chez elle attendre que son père rentre du travail.

« Pourquoi on n'a jamais pris l'avion ? » avais-je demandé à Katarina le soir même, tandis qu'elle inspectait les environs à la fenêtre de ma chambre, en écartant à peine les stores.

« Six, avait-elle répondu, avant de se reprendre. Je veux dire : Veronica, c'est beaucoup trop dangereux, pour nous. On serait prisonnières en plein ciel. Qu'est-ce qu'il arriverait, si on se rendait compte à plusieurs milliers de mètres d'altitude que les Mogs sont dans le même appareil ? »

Je savais exactement ce qui se passerait. J'imaginais déjà le chaos, et les passagers qui hurlaient et se réfugiaient sous leurs sièges, en voyant débouler dans l'allée centrale des soldats extraterrestres de trois mètres de haut armés d'épées. Pour autant, ça ne m'empêchait pas de vouloir à tout prix vivre normalement, comme des humains, et pouvoir faire une chose aussi bête que prendre l'avion. Depuis mon arrivée sur Terre, j'avais toujours été privée de tout ce à quoi les gamins de mon âge avaient droit. On ne restait jamais assez longtemps nulle part pour que je rencontre d'autres gosses, sans même parler de me faire des amis – Ashley était la première que Katarina avait autorisée à venir chez nous. Parfois, comme en Californie, je n'allais même pas à l'école, car Katarina pensait que c'était moins risqué ainsi.

Bien sûr, je savais pourquoi toutes ces mesures étaient nécessaires. En général, ça ne me dérangeait pas. Mais Katarina avait bien vu que les airs supérieurs que se donnait Ashley me tapaient sur les nerfs. Mon silence dans les jours qui avaient suivi l'avait sans doute affectée car, à ma plus grande joie, elle nous avait acheté deux billets aller et retour pour Denver – peu m'importait la destination, elle savait que ce qui comptait pour moi, c'était de vivre cette expérience.

Je m'étais précipitée pour prévenir Ashley.

Cependant, au moment du départ, à l'entrée de l'aéroport, Katarina avait hésité. Elle semblait nerveuse. Elle passait sans cesse la main dans ses cheveux noirs coiffés à la garçonne. Elle les avait teints et coupés la veille au soir, juste avant de se confectionner un nouveau passeport. Une famille de cinq personnes nous avait dépassées sur le trottoir, traînant toutes derrière elles de lourds bagages, et à ma gauche une mère en larmes disait au revoir à ses deux petites filles. J'aurais donné cher pour me joindre à eux, pour avoir un rôle à jouer dans cette scène du quotidien. Tandis que je trépignais à ses côtés, Katarina observait scrupuleusement tous ceux qui nous entouraient.

14

« Non, avait-elle finalement décrété. On ne part pas. Je suis désolée, Veronica, mais ça n'en vaut pas la peine. »

Nous avions passé le trajet du retour sans un mot, dans le vacarme des moteurs qui hurlaient au-dessus de nous et semblaient se payer ma tête. Une fois dans notre rue, quand nous étions descendues de voiture, j'avais aperçu Ashley, assise sur le perron devant chez elle. Elle m'avait jaugée du regard et ses lèvres avaient articulé le mot « menteuse ». L'humiliation était insoutenable.

Mais après tout, c'est ce que j'étais, une menteuse. Quelle ironie. Je n'avais fait que mentir, depuis que j'étais sur Terre. Sur mon nom, mes origines, l'endroit où se trouvait mon père, les raisons pour lesquelles je ne pouvais pas rester dormir chez une camarade de classe – le mensonge, je ne connaissais que ça, et il nous maintenait en vie. Pourtant, quand Ashley m'avait traitée de menteuse, la *seule* fois où je disais la vérité à quelqu'un, je m'étais retrouvée dans une colère indicible. Je m'étais ruée dans ma chambre, j'avais claqué la porte et donné un grand coup de poing dans le mur.

À ma grande surprise, je l'avais traversé comme une feuille de papier.

Katarina avait rouvert la porte à la volée, armée d'un couteau de cuisine, prête à frapper. Elle avait cru que les Mogs attaquaient la maison. En voyant ce que j'avais infligé au mur, elle avait compris que quelque chose avait changé. Elle avait baissé son couteau avec un sourire. « Aujourd'hui, tu ne seras pas montée à bord d'un avion, mais ce sera ton premier jour d'entraînement. »

Sept ans plus tard, assise à côté de Marina et d'Ella, j'entends encore la voix de Katarina. « On serait prisonnières en plein ciel. » Désormais, cependant, je suis parée à cette éventualité, beaucoup plus que nous ne l'étions à l'époque, ma Cêpane et moi.

Depuis, j'ai pris des dizaines de vols, et tout s'est toujours bien passé. Néanmoins, c'est la première fois que je le fais sans me servir de mon Don d'invisibilité pour me glisser à bord. Je sais que je suis bien plus forte aujourd'hui, et je progresse chaque jour. Si une bande de soldats mog me fonçaient dessus depuis le bout de l'avion, ils n'auraient plus affaire à une gamine sans défense. Je sais de quoi je suis capable ; je suis moi aussi un soldat, à présent, une guerrière. Quelqu'un qu'on craint, pas qu'on traque.

Marina se redresse dans son siège et laisse échapper un long soupir. D'une voix presque inaudible, elle me glisse : « J'ai peur. Je voudrais qu'on soit déjà en l'air.

— Tout va bien se passer », je la rassure.

Elle me sourit, et j'en fais autant. Hier, sur le champ de bataille, elle a prouvé qu'elle était une alliée précieuse, dotée de pouvoirs impressionnants. Elle sait respirer sous l'eau, voit dans le noir et est capable de soigner les malades et les blessés. Comme tous les Gardanes, elle maîtrise aussi la télékinésie. Et du fait de notre proximité – je suis Numéro Six, et elle Numéro Sept –, nous sommes aussi unies par un lien particulier. Tant que le Sortilège agissait, les Mogadoriens devaient nous tuer dans l'ordre, et il aurait donc fallu qu'ils passent d'abord par moi, avant d'atteindre Marina – et jamais ils ne m'auraient eue.

Ella est tranquillement assise de l'autre côté de Marina. Tout en attendant Crayton, elle ouvre le manuel de biologie posé sur ses genoux et elle fixe les pages. Alors que je me penche vers elle pour lui dire qu'elle pousse un peu loin son rôle d'élève modèle, je remarque qu'elle n'est pas du tout en train de lire. Elle essaie de faire tourner les pages par la force de son esprit, de déclencher la télékinésie, mais rien ne se passe.

Ella est ce que Crayton appelle un Aeternus, ce qui signifie qu'elle est née avec le pouvoir de changer d'âge comme bon lui semble. Elle est toutefois encore jeune, et ses autres Dons ne se sont pas déclarés. Ils apparaîtront en temps voulu et pas avant, quels que soient son impatience et son désir de précipiter les choses.

Ella est venue sur Terre à bord d'un second vaisseau, dont j'ignorais l'existence jusqu'à ce que John Smith, Numéro Quatre, m'apprenne qu'il l'avait vu dans ses visions. Ella n'était qu'un bébé, à l'époque, et a donc presque douze ans. Crayton dit être son Cêpane non officiel, puisque le temps a manqué pour qu'il soit explicitement nommé à cette fonction. Comme chacun de nos Cêpanes envers son Gardane, il a le devoir d'aider Ella à déployer ses Dons. Il nous a raconté qu'à bord de leur vaisseau se trouvait également un petit troupeau de Chimæra, des animaux loric capables de changer de forme et de se battre à nos côtés.

Je suis heureuse qu'elle soit avec nous. Après la mort de Numéro Un, Numéro Deux et Numéro Trois, nous n'étions plus que six. Avec Ella, nos troupes remontent à sept. Un chiffre porte-bonheur – à condition de croire à la chance, ce qui n'est pas mon cas. Moi, je crois à la force.

Une mallette noire à la main, Crayton finit par se glisser au milieu de la foule qui encombre l'allée centrale. Il porte des lunettes et un costume marron qui a l'air trop grand pour lui. Sous son menton carré, son col de chemise est orné d'un nœud papillon bleu. Il est censé être notre professeur.

« Bonjour, les filles, lance-t-il en s'arrêtant à notre hauteur.

— Bonjour, monsieur Collins, répond Ella.

17

— L'avion est plein à craquer », enchaîne Marina, ce qui est notre code pour annoncer qu'elle n'a vu monter personne de suspect.

Pour l'informer qu'au sol aussi, tout semble normal, j'ajoute : « Je vais essayer de dormir. »

Crayton hoche la tête et prend place juste derrière Ella. Puis il se penche entre les deux filles pour passer les consignes. « Faites bon usage de ce vol. Étudiez bien. » Ce qui signifie : Ne baissez pas la garde.

Lorsque je l'ai rencontré, je ne savais pas bien quoi penser de Crayton. Il est sévère et soupe au lait, mais il a du cœur et une connaissance incroyable du monde et des événements actuels. Officiel ou non, il prend très au sérieux son rôle de Cêpane. Il se dit prêt à mourir pour n'importe lequel d'entre nous. Il fera tout pour vaincre les Mogadoriens et pour nous venger. Et je le crois sur toute la ligne.

Pourtant, c'est à contrecœur que j'ai embarqué à bord de ce vol à destination de l'Inde. Ce que je voulais, c'était retourner le plus vite possible aux États-Unis, pour retrouver John et Sam. Mais hier, alors que depuis le barrage surplombant le lac nous observions le carnage en contrebas, Crayton nous a annoncé que Setrákus Ra, le puissant chef mogadorien, serait bientôt sur Terre, si ce n'était déjà le cas. Et que son arrivée était le signe que les Mogadoriens avaient compris que nous représentions une menace pour eux – et qu'il fallait s'attendre par conséquent à ce qu'ils passent à la vitesse supérieure, dans leur campagne d'extermination. Setrákus Ra est plus ou moins invincible. Seul Pittacus Lore, le plus puissant de tous les Anciens de Lorien, aurait été capable de le vaincre. Cette nouvelle nous a horrifiées. Quelles chances nous restait-il, s'il était réellement invincible ? C'est Marina qui a posé la question, et la réponse de Cray-

18

ton nous a littéralement sidérées – et apparemment, tous les Cêpanes avaient reçu cette information avant notre départ de Lorien. L'un des Gardanes – l'un d'entre nous – est censé posséder les mêmes pouvoirs que Pittacus Lore. L'un de nous est appelé à devenir aussi puissant qu'il l'a été, et capable de battre Setrákus Ra. Il nous reste juste à espérer qu'il ne s'agisse ni de Numéro Un, ni de Numéro Deux ou de Numéro Trois, mais de l'un des survivants. Dans ce cas, nous aurons peut-être une chance. Il n'y aurait qu'à attendre de voir lequel c'est, et à prier pour que ses Dons se déclarent au plus vite.

Crayton croit l'avoir trouvé – le Gardane doué des mêmes pouvoirs que Pittacus Lore.

« J'ai lu des articles au sujet d'un garçon en Inde doté de capacités extraordinaires, nous avait-il révélé. Il vit très en altitude, dans l'Himalaya. Certains prétendent qu'il est la réincarnation du dieu hindou Vishnu. D'autres que c'est un imposteur extraterrestre capable de changer de forme.

— Comme moi, Papa ? » avait alors demandé Ella. Leur relation père-fille m'a surprise. Je n'ai pas pu m'empêcher de ressentir une pointe de jalousie – de lui envier d'avoir encore son Cêpane auprès d'elle, un guide vers qui se tourner.

« Lui ne change pas d'âge, Ella. Il se transforme en animal, en d'autres êtres aussi. Plus je lis de choses sur lui, plus je suis persuadé qu'il s'agit d'un Gardane, et sans doute celui doué de tous les Dons, le seul à pouvoir affronter et terrasser Setrákus Ra. Nous devons le trouver le plus vite possible. »

Je n'ai aucune envie de me mettre à courir pour rien, en ce moment. Je sais où se trouve John, ou du moins où il est censé être. J'entends la voix de Katarina, qui m'ordonne de suivre mon instinct, à savoir rentrer en contact avec John, avant d'envisager quoi que ce soit d'autre. C'est la solution la moins risquée. En tout cas, c'est moins dangereux que de traverser la planète sur un coup de tête de Crayton, tout ça à cause de rumeurs sur Internet.

« Ça pourrait bien être un piège, j'avais suggéré. Et si toutes ces histoires étaient de la pure invention, simplement pour nous pousser à… exactement ce qu'on est en train de faire ?

— Je comprends ton inquiétude, Six, mais fais-moi confiance, je suis le maître absolu des fausses rumeurs sur le Net. Ce n'est *pas* un piège. Il y a bien trop de sources différentes qui désignent ce garçon en Inde. Il ne fuit pas. Il ne se cache pas. Il *est*, tout simplement, et il a l'air extrêmement puissant. S'il est bien l'un d'entre vous, alors nous devons le rejoindre avant les Mogadoriens. Nous irons en Amérique retrouver Numéro Quatre aussitôt après ce voyage. »

Marina m'avait lancé un regard. Elle avait au moins autant envie que moi d'aller chercher John – elle avait suivi ses exploits en ligne et elle avait eu l'intuition qu'il s'agissait de l'un de nous, ce que je lui avais confirmé. « C'est promis ? » avait-elle demandé à Crayton. Il avait hoché la tête.

La voix du commandant de bord vient interrompre ma rêverie. Nous sommes sur le point de décoller. Je dois me retenir de rediriger l'avion tout droit sur la Virginie-Occidentale. Vers John et Sam. Je n'arrête pas de voir en pensée des images de John, prisonnier d'une cellule. Jamais je n'aurais dû lui parler de la base mogadorienne dans la montagne. Mais il voulait récupérer son coffre, pas moyen de le convaincre de l'abandonner en route.

L'appareil roule sur la piste et Marina m'agrippe le poignet. « Je voudrais tellement qu'Héctor soit là. Il trouve-

20

rait quelque chose d'intelligent à dire et je me sentirais tout de suite mieux.

— Tout va bien, répond Ella en lui prenant l'autre main. Tu nous as, nous.

— Et je promets de chercher quelque chose d'intelligent à dire, je renchéris.

— Merci », lâche-t-elle dans un souffle qui ressemble à un hoquet. Je sens ses ongles se planter dans ma peau, mais je ne bronche pas. Je lui adresse un sourire d'encouragement, et une minute plus tard nous avons quitté le sol.

CHAPITRE DEUX

Depuis deux jours, je passe mon temps à reprendre conscience et à m'évanouir de nouveau, secoué de nausées peuplées d'hallucinations. Neuf m'avait prévenu, mais les effets du champ magnétique autour de la montagne des Mogadoriens durent bien plus que ce qu'il m'avait dit, et l'impact est à la fois mental et physique. Toutes les deux ou trois minutes, mes muscles se contractent dans un spasme douloureux.

J'essaie de détourner mon esprit de ce calvaire en parcourant du regard la minuscule chambre dans laquelle je me trouve, dans cette maison abandonnée qui tombe en ruine. Neuf n'aurait pas pu choisir cachette plus répugnante. Je ne peux même pas faire confiance à ce que je vois – soudain, les motifs du papier peint jaune s'animent et défilent comme une colonie de fourmis sur les auréoles moisies. Le plafond craquelé semble respirer, se soulevant et se rabaissant à un rythme effréné. Un énorme trou orne le mur séparant la chambre du salon, comme si quelqu'un l'avait attaqué à la masse. Des canettes de bière écrabouillées jonchent le sol, et les plinthes ont été réduites en lambeaux par les animaux. J'entends des bruits et des frottements tout autour de la maison, mais je suis bien trop faible pour m'en inquiéter. La nuit dernière, je me suis réveillé avec un cafard sur la joue ; j'ai à peine eu la force de le chasser de la main.

« Hé, Quatre ? m'appelle une voix par le trou dans le mur. Tu te réveilles, ou quoi ? C'est l'heure de déjeuner, et ta bouffe va être froide. »

Je me hisse tant bien que mal sur mes pieds. En passant la porte de ce qui était jadis le salon, je sens ma tête tourner et je m'écroule sur la moquette grise crasseuse. Je sais que Neuf est là, mais je n'arrive pas à garder les yeux ouverts assez longtemps pour distinguer sa silhouette. Tout ce dont je rêve, c'est de poser la tête sur les genoux de Sarah. Ou ceux de Six. L'une ou l'autre. J'ai les idées embrumées.

Quelque chose de tiède me touche l'épaule. Je roule sur le dos et j'aperçois Neuf assis au plafond juste au-dessus de ma tête, ses longs cheveux noirs pendant comme un lustre. Il est en train de ronger je ne sais quoi et il a les mains poisseuses.

« Rappelle-moi où on est ? » Un rayon de soleil s'introduit par la fenêtre et m'éblouit. Je ferme les paupières. J'ai encore besoin de sommeil. Ou de n'importe quoi qui puisse m'éclaircir les idées et me permette de retrouver mes forces. Je cherche à tâtons mon pendentif bleu dans le vague espoir d'y puiser de l'énergie, mais il reste froid contre ma poitrine.

« Dans le nord de la Virginie-Occidentale, me glisse Neuf entre deux bouchées. On est tombés en panne d'essence, ça te revient ?

— Pas vraiment, j'avoue dans un murmure. Où est Bernie Kosar ?

— Dehors. Il est *sans arrêt* en patrouille. C'est un chouette animal, que tu as là. Dis-moi un peu, Quatre : comment ça se fait que, de tous les Gardanes, ce soit *toi* qui en aies hérité ? »

23

Je rampe dans un coin de la pièce pour m'adosser au mur. « BK était déjà avec moi, sur Lorien. À l'époque, il s'appelait Hardley. J'imagine qu'Henri s'est dit que ce serait sympa de l'avoir avec nous pendant le voyage. »

Neuf envoie un os minuscule en travers du plafond. « Moi aussi j'avais des Chimæra, quand j'étais gamin. Je ne me souviens pas de leurs noms, mais je les revois en train de galoper dans la maison et de déchiqueter les meubles. Ils sont morts pendant la guerre, en protégeant ma famille. » Il reste silencieux quelques secondes, la mâchoire serrée. C'est la première fois qu'il laisse tomber le masque de gros dur, et ça fait du bien à voir, même si ça ne dure pas. « Du moins, c'est ce que mon Cêpane m'a raconté. »

Je remarque brusquement que je suis pieds nus. « Comment il s'appelait ? Ton Cêpane ?

— Sandor. » Il se relève au plafond, et je vois qu'il porte mes chaussures. « Ça fait bizarre de prononcer son nom à haute voix. Je ne me rappelle même pas quand c'était, la dernière fois. Certains jours, je n'arrive pas à me souvenir de son visage. » Il ferme les yeux. « Mais c'est comme ça, on dirait bien, ajoute-t-il d'une voix endurcie. Peu importe. Ils étaient faits pour y passer. »

Sa dernière remarque me percute comme une onde de choc. « Henri n'était pas *fait pour y passer*, et Sandor non plus. Aucun Loric n'avait à être sacrifié. Et d'abord, rends-moi mes chaussures ! »

D'un coup de pied, il les envoie voler au milieu du plancher, puis prend tout son temps pour traverser le plafond, puis le mur du fond. « D'accord, d'accord. Je sais bien qu'il valait mieux que ça, vieux. Mais parfois c'est plus facile d'envisager les choses sous cet angle, tu piges ? La vérité, c'est que Sandor était génial, comme Cêpane. »

Il atteint le sol et se plante devant moi. J'avais oublié qu'il était aussi gigantesque, et intimidant. Il me met sous le nez ce qu'il est en train de manger. « Tu en veux, oui ou non ? Parce que je suis en train de tout liquider. »

À la simple vision de ce qu'il a dans la main, je sens mon estomac se tordre. « Qu'est-ce que c'est ?

— Du lapin au barbecue. Un régal, 100 % naturel. »

Je n'ose pas ouvrir la bouche pour répondre, de peur d'être malade. Sans un mot, je retourne en titubant dans la chambre, sous les éclats de rire de Neuf. La porte est tellement voilée qu'elle est presque impossible à fermer, mais je l'encastre comme je peux dans l'embrasure. Puis je roule mon sweat-shirt en boule pour m'en faire un oreiller et je m'allonge par terre en me demandant comment j'ai atterri là, dans ces conditions. Sans Henri. Sans Sam. C'est mon meilleur ami, et je n'arrive pas à croire qu'on ait pu l'abandonner en route. Sam est un grand soutien, pour moi – il vient de passer ces derniers mois en cavale avec moi, à combattre mon ennemi –, il est attentionné et loyal. Tout ce que Neuf n'est pas. Lui est irresponsable, arrogant, égoïste, et carrément grossier. Je suis hanté par l'image de Sam, prisonnier de la grotte des Mogs, la crosse de son fusil lui secouant l'épaule tandis qu'il fait feu sur une dizaine de soldats qui lui foncent dessus. Je n'ai pas pu le rejoindre. Je n'ai pas pu le sauver. J'aurais dû me battre plus fort, courir plus vite. Ignorer Neuf et retourner chercher Sam. C'est ce que lui aurait fait pour moi. L'immense culpabilité qui m'assaille me paralyse, et je finis par sombrer dans le sommeil.

*

Il fait noir. Je ne suis plus dans une maison dans les montagnes avec Neuf. Je ne ressens plus les effets douloureux du champ de force. J'ai enfin les idées claires, même si je ne sais pas où je me trouve, ni comment je suis arrivé là. Lorsque j'appelle à l'aide, mes lèvres bougent, pourtant je n'entends pas le son de ma voix. Les mains tendues devant moi, j'avance à tâtons. Soudain, le Lumen éclaire mes paumes. Une lueur faible qui croît et forme bientôt deux puissants faisceaux.

« John. » Un murmure rauque.

Je fouette l'obscurité de mes mains, sans que le Lumen révèle autre chose que les ténèbres, tout autour de moi. Je suis en train de pénétrer dans une vision. Je tourne mes paumes vers le sol afin d'éclairer mes pas, et me dirige vers la voix. Elle répète mon nom dans un souffle enroué – on dirait quelqu'un de jeune, et rempli de terreur. Puis j'entends une seconde voix, hargneuse et saccadée, qui aboie des ordres.

Les sons se précisent peu à peu. Je reconnais les intonations de Sam, mon ami perdu, et de Setrákus Ra, mon ennemi juré. Je sais que je me rapproche de la base mogadorienne. Je vois le champ magnétique bleu, véritable instrument de torture. Pour une raison qui m'échappe, je sais que cette fois-ci il n'aura aucun effet sur moi, et je n'hésite pas à le traverser. Alors que je pénètre à l'intérieur de la montagne et m'engage dans le labyrinthe des tunnels, ce ne sont pas mes propres hurlements que j'entends, mais ceux de Sam, les cris qu'on lui arrache sous la torture. J'aperçois les décombres calcinés de notre récente bataille, lorsque j'ai envoyé une boule de lave verte dans les réservoirs de la base au pied de la montagne, créant une colonne de feu destructrice qui s'est engouffrée dans ce dédale.

J'avance dans l'immense salle taillée dans la roche, avec ses corniches en spirale sur les parois. J'emprunte l'arche de pierre sur laquelle Sam et moi nous sommes aventurés il y a si peu de temps, protégés par l'invisibilité. Je dépasse des bifurcations et d'autres tunnels, le tout sous les hurlements effroyables de mon meilleur ami.

Je sais parfaitement où je vais. Le sol en pente me conduit dans la large pièce jalonnée de geôles.

C'est là qu'ils sont. Immense et atroce à regarder, Setrákus Ra se tient au milieu de la salle. Puis je vois Sam, suspendu dans une petite cage sphérique à côté du monstre. Je me trouve dans sa salle de torture privée. Sam a les bras et les jambes en croix, retenus par des fers et des chaînes. Transporté par tout un réseau de tuyaux, du liquide en ébullition s'écoule au goutte-à-goutte sur diverses parties de son corps. En dessous de la cage, une flaque de sang séché macule le sol.

Je m'immobilise à trois mètres d'eux. Sentant ma présence, Setrákus Ra fait volte-face, faisant osciller autour de son cou massif les trois pendentifs des autres Gardanes loric qu'il a tués. La cicatrice qui lui barre la gorge pulse d'une énergie maléfique.

« Nous nous retrouvons enfin », gronde-t-il.

J'essaie de répondre, mais je suis comme muet. Les yeux bleus de Sam se tournent vers moi, je suis cependant incapable de déterminer s'ils me voient ou pas.

Le liquide bouillant se remet à goutter, lui brûlant les poignets, le torse, les genoux et les pieds. Une coulée épaisse se déverse sur ses joues et dégouline le long de son cou. Cette vision insupportable me redonne enfin ma voix.

« Relâche-le ! » je hurle à pleins poumons.

Le regard de Setrákus Ra se durcit. Les pendentifs se mettent à briller, et le mien en fait autant. Contre ma peau, la Loralite bleue est chaude, et soudain, elle s'enflamme, laissant mon Don prendre le relais. Je commande au feu de ramper sur mes épaules.

« Je le libérerai, annonce la créature, si tu reviens dans cette montagne m'affronter. »

Je jette un regard en direction de Sam et constate qu'il a perdu sa bataille contre la douleur et a sombré dans l'inconscience, le menton contre la poitrine.

Setrákus Ra désigne le corps supplicié de mon ami. « À toi de décider. Si tu ne viens pas, je le tuerai, puis j'exterminerai tous les autres. Si tu viens, je les laisserai tous sains et saufs. »

J'entends une voix hurler mon nom, et vociférer que je dois bouger. Neuf. Je me redresse en sursaut, le souffle coupé, et mes paupières s'ouvrent brusquement. J'ai le corps recouvert d'une fine couche de sueur. Je fixe le trou dans le mur et il me faut plusieurs secondes pour me rappeler où je suis.

« Mec ! Debout ! braille Neuf de l'autre côté de la porte. On a des tonnes de trucs à faire ! »

Je me hisse sur les genoux. Je cherche mon pendentif à tâtons et le serre de toutes mes forces pour essayer de chasser les cris de Sam de mon esprit. La porte de la chambre s'ouvre à la volée. Dans l'embrasure, Neuf s'essuie la bouche du revers de la main. « Sérieux, vieux. Emballe ton bordel. Il faut qu'on se tire d'ici. »

CHAPITRE TROIS

À la sortie de l'aéroport de New Delhi, l'atmosphère étouffante nous saisit à la gorge. Nous suivons le trottoir, Crayton avec le coffre de Marina sous le bras. Sur les grands axes bondés, des voitures nous frôlent dans le vacarme des Klaxon. Nous sommes tous les quatre aux aguets, à l'affût de tout signe suspect, de la moindre indication que nous pourrions être suivis. Nous atteignons un carrefour et nous retrouvons cernés de tous côtés. Des femmes nous bousculent en passant, d'énormes paniers en équilibre sur la tête ; des hommes chargés de seaux d'eau en balancier sur leurs épaules sombres nous crient de dégager le passage. Les odeurs, le bruit, la proximité physique de ce monde en pleine ébullition pourraient bien nous submerger. Il faut veiller à rester vigilants.

De l'autre côté de la rue, nous apercevons un marché bruyant qui semble s'étendre sur des kilomètres. Des enfants s'agglutinent autour de nous pour essayer de nous vendre toutes sortes de bibelots, amulettes en bois sculpté ou bijoux en ivoire, et nous déclinons poliment. Je suis sidérée par l'ordre qui régit ce chaos, et heureuse de voir toute cette vie quotidienne trépidante, si loin de notre guerre.

« Où on va, maintenant ? » demande Marina en haussant la voix pour se faire entendre dans le brouhaha ambiant.

Crayton scrute la foule qui traverse la rue. « À présent qu'on est loin des aéroports et de leurs caméras, j'imagine qu'on peut chercher un… » Un taxi s'immobilise dans un sursaut pile devant nous, faisant voler la poussière sous ses pneus, et le chauffeur se penche pour ouvrir la portière côté passager. « … taxi, termine Crayton.

— Je vous en prie. Où puis-je vous emmener ? » demande le chauffeur. Il est jeune, a l'air nerveux, comme si c'était sa première journée dans le métier. Ou bien Marina se sent elle aussi à cran, ou bien elle est impatiente de quitter la foule, car d'un bond elle s'engouffre à l'arrière et s'installe au bout de la banquette.

Crayton donne une adresse au chauffeur et s'encastre tant bien que mal à l'avant. Ella et moi nous entassons près de Marina.

Avec un hochement de tête, l'homme démarre en trombe, nous plaquant tous contre le dossier en moleskine craquelée. New Delhi se transforme en un tourbillon de couleurs vives et de sons fugaces. Nous slalomons entre les voitures et les pousse-pousse, les chèvres et les vaches. Le chauffeur prend les virages tellement serré que je m'étonne qu'on ne se retrouve pas sur deux roues. Tous les trois mètres, nous évitons de justesse des piétons ; c'est alors que je décide de ne pas trop regarder la route. Nous sommes projetées en tous sens comme du linge dans une machine à laver, et ce n'est qu'en nous accrochant les unes aux autres ou à tout ce qui nous tombe sous la main que nous réussissons à ne pas nous étaler sur le plancher sale.

Soudain, le véhicule bondit sur le trottoir et fonce sur l'accotement pour contourner un embouteillage. C'est de la folie pure, mais je dois bien avouer que j'adore ça. Toutes ces années passées à courir, à me cacher et à me battre m'ont rendue accro à l'adrénaline. Marina plante les ongles dans l'appuie-tête devant elle, refusant de regarder par la vitre, tandis qu'Ella au contraire se penche en travers d'elle pour ne pas en rater une miette.

Sans prévenir, le chauffeur fait bifurquer la voiture dans une route qui court derrière une longue file de hangars. La rue est flanquée de dizaines d'hommes armés de kalachnikov, et le type au volant leur adresse des signes de tête au passage. Crayton me lance un regard par-dessus son épaule. L'inquiétude que je lis sur ses traits me serre l'estomac et je me rends soudain compte qu'à part nous, il n'y a plus un seul véhicule sur cette route.

« Où est-ce que vous nous emmenez ? demande-t-il d'un ton autoritaire. Nous allons au sud, et vous vous dirigez plein nord. » Marina redresse brusquement la tête et Ella et elle se tournent vers moi avec un regard interrogateur.

C'est alors que la voiture s'immobilise en faisant crisser les pneus et que le chauffeur ouvre sa portière pour sauter en marche, atterrissant en roulant sur la chaussée. Une douzaine de fourgonnettes et de camions bâchés nous encerclent ; tous sont marqués d'un sigle badigeonné à la peinture rouge que je n'arrive pas à distinguer clairement. Des hommes en civil en bondissent, mitraillettes parées.

Je sens l'adrénaline déferler dans mes veines, comme toujours avant un combat. Je me tourne vers Marina ; elle paraît terrifiée, je sais toutefois qu'elle me suivra. Je veille à garder mon calme. « Prêtes, les amies ? Marina ? Ella ? » Elles acquiescent toutes deux d'un signe de tête.

Crayton lève la main pour nous retenir. « Attendez ! Regarde les camions, Six. Les portières !

— Quoi ? crie Ella. Qu'est-ce qu'elles ont, les portières ? »

Les hommes s'approchent en criant, et l'urgence est claire dans leurs voix. Je suis trop accaparée par le danger imminent pour écouter ce que raconte Crayton. Lorsque des types armés menacent de s'en prendre à moi ou à ceux que j'aime, ma priorité, c'est de le leur faire regretter.

Marina se penche contre la vitre. « Six, regarde ! On dirait des chiffres… »

Au moment où la portière de Marina s'ouvre à la volée, je finis par apercevoir ce qui les fascine tant : les traînées rouges représentent toutes le chiffre huit.

« Dehors ! hurle l'homme planté à côté de la voiture.

— Obéissez, nous glisse Crayton dans un souffle, la voix calme. Pour l'instant, on fait ce qu'ils disent. »

Nous sortons prudemment du taxi, les mains en l'air et éberlués par ces inscriptions couleur de sang qui nous cernent. Nous sommes visiblement trop lents à leur goût, car l'un des hommes se penche pour pousser Ella d'un geste impatient. Elle perd l'équilibre et trébuche. Je ne peux pas m'en empêcher. Je me fiche qu'ils soient peut-être du côté de Numéro Huit : on ne jette pas une enfant de onze ans par terre. Par la force de l'esprit, je soulève le coupable en l'air et le fais atterrir sur le toit d'un hangar. Ses comparses se mettent alors à paniquer et à hurler en agitant leurs armes en tous sens.

Crayton m'attrape le bras. « Essayons de découvrir ce qu'ils font ici, et s'ils savent où se trouve Numéro Huit. En cas de besoin, nous répliquerons comme il se doit. » Furieuse, je dégage mon bras mais hoche la tête. Il a raison – avant toute chose, il faut comprendre ce que ces types nous veulent. Et autant le faire avant qu'ils ne soient plus en état de s'expliquer.

Un grand barbu portant un béret rouge surgit de l'un des camions bâchés et s'avance tranquillement vers nous. Il arbore un sourire confiant, mais je lis la méfiance dans son regard. Un petit pistolet pointe du holster à son épaule.

« Bonjour à tous les quatre, et bienvenue, nous lance-t-il en anglais, avec un fort accent. Je suis le commandant Grahish Sharma, du groupe rebelle nationaliste Vishnu Huit. Nous venons en amis.

— Dans ce cas, pourquoi toutes ces armes ? lance Crayton.

— Pour vous convaincre de nous accompagner. Nous savons qui vous êtes et jamais nous ne vous attaquerions. Nous serions perdants. Vishnu nous a prévenus que vous étiez tous aussi puissants que lui.

— Comment nous avez-vous trouvés ? rétorque Crayton. Et qui est Vishnu ?

— Vishnu est l'essence de toute vie, qui se manifeste en toute chose, le maître du passé, du présent et de l'avenir, le Dieu suprême, et le Protecteur de l'Univers. Il nous a dit que vous seriez quatre en tout, trois jeunes filles et un homme. Il m'a demandé de vous transmettre un message.

— Et il dit quoi, ce message ? » je demande.

Le commandant Sharma se racle la gorge et arbore un sourire. « Le voici : "Je suis Numéro Huit. Bienvenue en Inde. S'il vous plaît, venez me voir dès que possible." »

CHAPITRE QUATRE

Le ciel est gris et lourd, et la forêt sombre et glaciale. La plupart des arbres sont dénudés et l'humus est tapissé de feuilles mortes. Neuf marche en tête, scrutant les alentours en quête de gibier. « Tu sais, ce lapin avait meilleur goût que je ne l'imaginais. » Il sort de sa poche un petit morceau de ficelle et attache ses cheveux noirs et hirsutes en queue de cheval. « Je peux t'en refaire, ce soir, si ça t'intéresse.

— Je préfère trouver autre chose. »

Visiblement, il est surpris que je fasse le délicat. « La chair fraîche te fait peur ? Tu as intérêt à manger, si tu veux retrouver tes forces, vu que nos pierres guérisseuses font que dalle, contre ton truc. Je vais te dire, tes haut-le-cœur, là, c'est vraiment la galère. Le temps file, mec. Il faut que tu te rétablisses vite, histoire qu'on se barre d'ici. »

À l'épuisement que me cause le simple fait de marcher, je mesure combien mon corps est affecté. On n'est qu'à quelques centaines de mètres de notre cabane en ruine et je suis déjà éreinté. Je n'ai qu'une envie, c'est d'y retourner pour me coucher. Cependant, je sais aussi que si je ne me bouge pas, je n'ai aucune chance de retrouver mes facultés.

« Hé, Neuf, je vais te raconter le rêve que j'ai fait tout à l'heure. »

Il renifle d'un air dégoûté. « Un rêve ? Non merci, mec. Enfin, sauf s'il y avait des filles. Dans ce cas-là, tu peux tout me raconter. Dans les détails.

— J'ai vu Setrákus Ra. Je lui ai parlé. » Neuf ralentit, sans s'arrêter de marcher. « Il m'a proposé un marché.

— Ah ouais ? Et quel genre de marché ?

— Si je revenais l'affronter, il a dit qu'il laisserait la vie sauve à tout le monde, y compris Sam. »

Il grogne de nouveau. « C'est un tas de conneries. Les Mogadoriens ne concluent pas de marchés. Du moins, pas avec l'intention de respecter leurs engagements. Et ils sont sans aucune pitié.

— Je me disais : Pourquoi ne pas faire comme si j'acceptais ? De toute manière, je dois retourner à la grotte pour chercher Sam. »

Neuf pivote vers moi, le visage totalement indifférent. « Désolé de ruiner tes espoirs, mec, mais Sam est sans doute déjà mort depuis un bail. Les Mogs se fichent pas mal de nous, et encore plus des humains. Ce que je crois, c'est que tu as fait un cauchemar, et je suis désolé que ça t'ait tellement fichu la trouille que tu te sois senti obligé de me saouler à me le raconter. Mais même si tu t'es bel et bien connecté à Setrákus Ra, son marché, c'est un piège, et tu y laisseras ta peau. C'est couru d'avance. Tu y passeras avant de t'être approché à moins de quinze bornes de cet endroit. Je te le garantis. » Il me tourne le dos et accélère l'allure.

« Sam n'est pas mort ! je riposte, sentant la colère me gagner, et aussi une force que je n'ai plus éprouvée depuis des jours. Et ce rêve était bien réel. Setrákus Ra était en train de le torturer ! Je le voyais se faire brûler vif par un liquide qui lui coulait sur la peau ! Je ne vais pas rester planté là à laisser faire ça. »

Il éclate de rire, sans sarcasme cette fois. Pas franchement rassurant, bien que nettement plus aimable. « Regarde les choses en face, Quatre. Tu es trop faible pour courir, et tu veux affronter l'être le plus puissant de la galaxie. Je sais que je vais te paraître sans cœur, mais Sam est un *humain*, mec. C'est impossible de les sauver tous, alors arrête de perdre ton temps et ton énergie. Parce que tes réserves ne sont pas illimitées. »

Dans mes paumes, le Lumen s'allume. J'arrive de nouveau à le contrôler, ce qui indique une amélioration. J'espère que c'est le signe que les effets du champ de force se dissipent. « Écoute, Sam est mon meilleur ami, Neuf. Je veux que tu comprennes bien ça et que tu gardes pour toi tes réflexions sur mon *énergie*, c'est clair ?

— Non, c'est toi qui vas m'écouter, réplique Neuf d'un ton catégorique. On ne joue pas, là. C'est la guerre, mec – la *guerre*. Et tu ne peux pas faire passer tes sentiments pour Sam avant tout le reste, si ça met les autres en danger. Je ne te laisserai pas nous abandonner tous pour aller affronter Setrákus Ra, sous prétexte que tu le fais pour Sam. On va attendre que tu ailles mieux, en espérant que ça ne prenne pas des lustres, et alors on ira retrouver les autres, et on s'entraînera jusqu'à ce qu'on soit prêts. Si ça ne te plaît pas, alors il va falloir que tu me passes sur le corps pour sortir d'ici. Et ça fait des années que je ne demande qu'à me battre, tu peux me croire, alors, vraiment, fais-toi plaisir. Je serais ravi de m'exercer un peu. »

Il lève les mains et vise quelque chose dans les arbres. Une seconde plus tard, j'entends un petit cri.

« Je l'ai eu », se félicite Neuf avec un sourire, visiblement fier de ses talents de chasseur par la télékinésie. Je le suis, refusant de baisser les bras.

« Est-ce qu'il y a quelqu'un pour qui tu serais prêt à mourir ? Quelqu'un que tu ferais tout pour aider, au péril de ta vie ?

36

— C'est ce que je fais, pour Lorien, répond-il en m'adressant un regard noir, pour bien m'obliger à l'écouter. Je mourrais pour Lorien, ou pour n'importe quel Loric. Et si je meurs – je dis bien « si » –, j'ai la ferme intention que ce soit en écrabouillant la tête de deux Mogs entre mes mains, et une autre sous chaque pied. Je n'ai pas hâte de voir ton symbole me cramer la cheville, alors grandis un peu, sois moins naïf et essaie de ne pas penser qu'à toi, pour changer. »

Ses paroles font mal. Je sais qu'Henri serait d'accord avec lui, pourtant pas question de faire une nouvelle fois faux bond à Sam. Je ne sais pas si c'est l'arrogance de Neuf, l'urgence de la vision que j'ai eue, ou simplement l'air frais et la marche, mais pour la première fois depuis des jours j'ai l'impression de retrouver un peu de lucidité et de détermination.

« Sam m'a sauvé la peau plus d'une fois, et son père était là pour nous accueillir, quand notre vaisseau a atterri sur Terre. Son père est peut-être même mort pour nous, pour Lorien. Tu leur dois à tous les deux de retourner dans cette fichue grotte avec moi. Aujourd'hui.

— Compte là-dessus. »

Je fais un pas vers lui, et il n'hésite pas une seconde. Il m'empoigne et m'envoie voler contre un arbre. Je me remets sur pied et m'apprête à lui faire regretter son geste quand nous entendons des brindilles craquer, derrière nous. Neuf fait volte-face. Je m'aplatis contre le tronc et allume faiblement mes paumes pour me tenir prêt à éblouir quiconque nous menace. J'espère soudain ne pas avoir surestimé mes capacités de rétablissement.

Neuf me lance un regard et chuchote : « Désolé, pour l'arbre. Voyons qui nous suit, et tuons-le avant qu'il ait la même idée. »

Je hoche la tête, et nous nous dirigeons vers l'origine du bruit, un bouquet de pins denses offrant une excellente couverture. Si ça ne tenait qu'à moi, j'attendrais de voir à qui ou à quoi nous avons affaire ; ce n'est toutefois pas la méthode de Neuf. Il arbore un drôle de petit sourire et est visiblement prêt à atomiser tout ce qui se dressera sur son passage. Les pins bruissent de nouveau, et l'une des branches basses se met à bouger. Ce que nous voyons apparaître n'a heureusement rien d'un canon mogadorien ou d'une épée étincelante – c'est la petite truffe noire d'un beagle blanc et fauve qui pointe sous les arbres.

« Bernie Kosar, je lâche, soulagé. Content de te voir, mon vieux. »

Il me rejoint en trottinant et je me baisse pour lui caresser la tête. C'est la seule créature qui ne m'ait pas quitté depuis le début. Bernie Kosar me dit qu'il est heureux de me retrouver debout.

« Il a mis le temps, pas vrai ? » ironise Neuf. J'avais oublié qu'il avait aussi le Don de communiquer avec les animaux. Je sais que c'est immature de ma part, mais ça me dérange de partager cette faculté avec lui. Il est vraiment le Gardane le plus puissant que j'aie rencontré, il a la capacité de transférer ses pouvoirs aux humains, le Don d'anti-gravité, il est ultra-rapide et son ouïe est stupéfiante. Sans parler de la télékinésie, et de tout ce qu'il ne m'a pas encore dit. Mon Lumen me distingue des autres, mais à moins que je ne trouve une source de feu à laquelle l'associer, il m'est pratiquement inutile. Quant à ma faculté de parler aux animaux, j'ai hâte d'en faire vraiment quelque chose, même si je suis certain que Neuf aura une bien meilleure idée avant moi.

Bernie Kosar doit percevoir ma déception, car il me demande si je veux aller me promener avec lui. Seul à seul.

C'est Neuf qui répond à ma place. « Vas-y. De toute manière, BK ne parle que de toi. Quand il ne faisait pas le tour du périmètre, il était dans la chambre à te veiller. »

Je continue à lui caresser la tête. « C'était toi, alors ? »

Bernie Kosar me lèche la main.

« Mon autre meilleur ami. Pour toi aussi, je donnerais ma vie, BK. »

Devant de telles effusions, Neuf laisse échapper un grognement. Je sais qu'on est censés se serrer les coudes, dans cette guerre intergalactique totale, mais parfois je voudrais être seul avec BK. Et Sam. Et Sarah. Et Six. Et Henri. En fait, je prendrais tout le monde sauf Neuf.

« Je vais aller voir un peu ce que j'ai tué, là-bas, histoire d'être sûr qu'on ait quelque chose à se mettre sous la dent pour le dîner, annonce Neuf en s'éloignant. Vous deux, allez faire votre petite balade. À votre retour, il faudra qu'on discute du moyen de rejoindre le reste des Gardanes. Maintenant que tu es en état de marche.

— Et comment tu as l'intention de t'y prendre, exactement ? L'adresse de rendez-vous que m'a donnée Six était dans la poche de Sam. Et pour autant qu'on sache, les Mogs l'ont récupérée et attendent tranquillement que Six se pointe. Raison de plus pour aller chercher Sam, si tu veux mon avis », je riposte d'un ton plein de sous-entendus.

Bernie Kosar acquiesce. On dirait qu'il est aussi impatient que moi de se lancer à la rescousse de Sam.

« On en discutera au dîner. Autour d'un opossum, je dirais. Ou d'un rat musqué. » Il est déjà sous le couvert des arbres, en quête de sa proie.

Bernie Kosar m'enjoint de le suivre et il m'emmène dans les sous-bois, puis me fait descendre au pied d'une haute colline herbue. Après quelques mètres de plat, le sol monte de nouveau en pente raide. Nous nous déplaçons rapidement, et l'exercice me fait un bien fou, à présent que mes forces reviennent. À quelques mètres, deux arbres énormes sont penchés l'un vers l'autre ; j'utilise la télékinésie pour les séparer. BK s'engouffre dans l'espace entre les troncs et je me précipite derrière lui, en me remémorant nos courses effrénées pour aller à l'école, à l'aube, à Paradise. La vie était tellement plus facile, alors, quand je passais mes journées à m'entraîner avec Henri, et mon temps libre avec Sarah. C'était tellement excitant, de découvrir de quoi j'étais capable, en quoi mes pouvoirs pourraient m'aider à remplir notre mission. Même lorsque je me sentais frustré ou effrayé, tout semblait *possible*, et il me suffisait de me concentrer là-dessus. Je ne me rendais pas compte de la chance que j'avais.

Le temps que nous atteignions le sommet, j'ai le dos collant de sueur. J'ai beau aller mieux, je n'ai pas recouvré cent pour cent de mes capacités. De là-haut, le spectacle est extraordinaire, on a une vue panoramique des Appalaches ornées de sapins et nimbées de la clarté déclinante de la fin d'après-midi. On y voit à des kilomètres à la ronde.

« Mon pote, je dois dire que c'est carrément génial, ce coin. C'est ça que tu voulais me montrer ? » je demande à voix haute.

Au loin, en contrebas, sur la gauche, me répond Bernie Kosar par la télépathie. *Tu la vois ?*

Je scrute le paysage. « Au fond de cette grande vallée ? »

Au-delà. Tu vois cette lueur ?

40

Je plisse les yeux et porte le regard encore plus loin. Je distingue un bosquet touffu et le tracé flou et rocailleux du lit d'une rivière. Et c'est alors que je l'aperçois. Tout à fait à gauche, au pied des arbres, une lumière bleue pulse entre les troncs. C'est le champ de force qui entoure le quartier général des Mogs.

À trois kilomètres maximum. Bernie Kosar me dit qu'on peut y retourner sur-le-champ, si c'est ce que je veux. Cette fois-ci, il me suivra à l'intérieur – avec Sam, nous avons désactivé le système de ventilation qui projetait tout autour de la grotte du gaz mortel pour les animaux.

Je fixe l'aura bleue et un frisson me parcourt tout le corps. Sam est là-dedans. Ainsi que Setrákus Ra. « Et Neuf ? »

Bernie Kosar fait deux fois le tour de mes jambes avant de s'asseoir à mes pieds. *Il est fort et rapide, mais tellement imprévisible.*

« Tu l'as amené ici ? Est-ce qu'il sait que nous sommes si près de la base ? »

Bernie Kosar incline la tête de côté comme pour dire oui. Je n'arrive pas à croire que, tout ce temps, Neuf ait été au courant et ne m'ait rien dit. Il a dépassé les bornes. J'en ai terminé avec lui.

« Je retourne à la maison. Je laisserai à Neuf le choix de se joindre à nous mais, quoi qu'il en dise, il est temps pour moi d'affronter Setrákus Ra. »

CHAPITRE CINQ

À bord d'un camion de transport militaire, nous filons sur une route défoncée en faisant des bonds tous les cinq mètres à cause des nids-de-poule. Je vois grossir au loin une chaîne montagneuse gigantesque, ce qui ne me dit pas grand-chose sur notre emplacement. Devant et derrière nous circulent des véhicules remplis d'hommes en uniforme. Mon coffre repose à mes pieds, et Six est assise à mes côtés. Je respire un peu mieux. Depuis la bataille en Espagne, les seuls moments où je me sente relativement en sécurité, c'est quand Six est à proximité.

Jamais je n'aurais cru que les sœurs de Santa Teresa me manqueraient, je dois pourtant bien avouer qu'en cet instant je donnerais n'importe quoi pour être encore au couvent. Pendant des années, je n'ai pensé qu'à échapper à leurs règles et à leurs brimades, et à présent que j'en suis partie, tout ce à quoi j'aspire, c'est à quelque chose de familier, même sous la forme d'une discipline religieuse implacable. Adelina, ma Cêpane, a péri sous mes yeux, assassinée par les Mogadoriens. Mon meilleur ami, mon unique ami, Héctor Ricardo, est mort, lui aussi. La ville et l'orphelinat ont disparu, rayés de la carte par ces monstres. Tous ces deuils sont lourds à porter ; c'est pour moi qu'Adelina et Héctor sont morts, pour me protéger. Mon Dieu, j'espère ne pas être une malédiction pour ceux qui m'aiment. Je déteste l'idée que mon manque d'expérience et d'entraînement puisse encore nuire à quelqu'un.

Je ne veux pas mettre en péril cette mission en Inde par ma simple présence.

Le commandant Sharma finit par se tourner vers nous pour nous informer de la suite des opérations. « Nous en avons pour quelques heures. Mettez-vous à l'aise, je vous en prie. Il y a de l'eau dans la glacière derrière vous, n'hésitez pas à vous servir. N'attirez pas l'attention sur vous ; n'adressez la parole à personne. Pas même un sourire ou un hochement de tête. N'oubliez pas que nous sommes recherchés. »

Crayton acquiesce en silence.

« Alors, qu'est-ce que tu penses de tout ça ? lui demande Six. Tu crois vraiment que Huit est là-haut ?

— Oui. Ça se tient.

— Comment ça ? je demande.

— Pour un Gardane, la montagne, c'est la cachette idéale. Depuis des années, les gens ont peur d'approcher les glaciers au nord de la Chine. Il suffit de raconter qu'on y a vu des extraterrestres pour que les populations locales se tiennent à distance, et les militaires chinois sont dans l'incapacité d'aller vérifier les témoignages, depuis qu'un lac mystérieux a fait son apparition et les empêche de se rendre sur place. Qui sait si c'est vrai ou s'il s'agit de simples rumeurs, mais, quoi qu'il en soit, c'est un lieu parfait pour se cacher.

— D'après toi, il y a d'autres extraterrestres, là-haut, en dehors de Numéro Huit ? s'étonne Ella. Des Mogadoriens, par exemple ? »

Elle m'ôte les mots de la bouche.

« Je ne sais pas qui est là-haut, ni même s'il y a bien quelqu'un, mais on va vite le découvrir », fait remarquer Crayton. Il essuie la sueur sur son front et touche mon coffre du bout des doigts. « En attendant, on ferait bien d'apprendre à se servir de ce qu'il y a là-dedans, afin de

43

nous préparer. Si Marina veut bien avoir la gentillesse de partager ça avec nous.

— Bien sûr », je réponds doucement, en baissant les yeux sur mon coffre. Ce n'est pas que je refuse de partager mon Héritage, juste que je suis gênée de ne pas en savoir grand-chose. Nous étions censées étudier ça ensemble, avec Adelina. C'était son travail de Cêpane, de m'expliquer comment utiliser tous ces objets, parce qu'ils pouvaient me sauver la vie. Ce n'est toutefois jamais arrivé. Après une courte pause, j'ajoute : « Mais je ne vais rien pouvoir vous apprendre. »

Crayton se penche pour me prendre la main et plante son regard solennel mais encourageant dans le mien. « Ce n'est pas grave, que tu ne saches pas. Je te montrerai ce que je pourrai. À présent je ne suis plus seulement le Cêpane d'Ella, mais le vôtre à tous. Et tant que je vivrai, Marina, tu pourras compter sur moi. »

Je hoche la tête et applique ma paume contre le verrou. Depuis qu'Adelina a été tuée, je peux ouvrir mon coffre seule, et voilà un pouvoir dont je me serais bien passée. Six me regarde, et je sais qu'elle comprend exactement ce que je ressens, ayant elle aussi perdu sa Cêpane. Le morceau de métal froid se met à vibrer dans le creux de ma main et, après un déclic, tombe à mes pieds. Le chemin de terre sur lequel nous circulons est criblé de trous et jonché de débris divers, si bien que nous sommes secoués en tous sens, et que ma main tremble lorsque je l'introduis dans le coffre. Je prends garde à ne pas toucher le cristal rougeoyant qui m'a tellement effrayée dans le clocher de l'orphelinat et que j'ai pris pour une grenade loric, ou pire encore. Je porte mon choix sur une paire de lunettes noires.

« Tu sais à quoi elles servent ? »

Crayton les observe quelques secondes, puis me les rend en secouant la tête. « Je n'en suis pas certain, mais peut-être qu'elles te permettent de voir à travers les objets, comme la vision par rayons X. Ou ce sont peut-être des détecteurs thermiques, ce qui est bien pratique pour voir la nuit. Mais il n'y a qu'un moyen de le savoir. »

Je chausse les lunettes et me tourne vers la route. À part que la lumière du soleil est voilée, je ne remarque aucun effet particulier. Je baisse les yeux vers mes mains, qui sont exactement comme d'habitude, et quand je me tourne vers Crayton, aucune auréole thermique n'apparaît sur son visage.

« Alors ? demande Six. Elles font quoi ?

— Je ne sais pas, dis-je en fixant le paysage pelé. Peut-être que ce sont juste des lunettes noires.

— J'en doute, commente Crayton. Elles ont forcément une utilité, comme tout ce que contient ce coffre. Tu la découvriras en temps utile.

— Je peux les voir ? » demande Ella. Je les lui tends.

Elle se les glisse sur le nez, puis se retourne pour regarder la route, à l'arrière. Je me penche de nouveau sur mon coffre.

« Attendez – c'est bizarre. Tout a l'air un peu différent, mais je n'arrive pas à voir pourquoi. Comme s'il y avait un décalage... que tout se passait au ralenti... ou en accé-léré... » Brusquement, elle contemple la route bouche bée, puis se met à hurler : « Une roquette ! Une roquette ! »

Je suis son regard, sans rien voir d'autre que le ciel d'un bleu limpide.

« Où ? » s'écrie Crayton. Ella désigne le ciel. « Sortez du camion ! Il faut qu'on saute, tout de suite !

— Il n'y a rien, là-haut, confirme Six en scrutant l'hori-zon, les paupières plissées. Ella, je crois bien que ces

45

lunettes te jouent des tours, parce que moi je ne vois rien. »

Ella ne veut rien entendre. Les lunettes toujours sur le nez, elle m'escalade pour accéder à la portière et l'ouvre en grand. La route est bordée de cailloux pointus et de buissons desséchés. « Sautez ! Vite ! »

Et c'est alors que nous finissons par l'entendre, ce sifflement caractéristique, et une tache noire apparaît brusquement dans le ciel, exactement là où Ella le disait.

« Dehors ! » braille Crayton.

J'attrape mon coffre ouvert avant de bondir. Mes pieds percutent le sol dur puis se dérobent, et tout, autour de moi, n'est plus qu'un tourbillon bleu et marron, et c'est comme si on me rouait de coups. Le pneu arrière du camion m'érafle le bras et j'ai tout juste le temps de rouler sur le côté pour éviter le véhicule qui nous suit à vive allure. Je me cogne la tête sur un caillou tranchant, et je fais un dernier tonneau avant d'atterrir sur mon coffre ouvert. L'impact me coupe le souffle et tous les objets se répandent au sol. J'entends Ella et Six tousser non loin, mais impossible de distinguer quoi que ce soit dans le nuage de poussière environnant. Une seconde plus tard, la roquette s'écrase juste derrière le camion dont nous venons de sauter. L'explosion est assourdissante et, avec le commandant Sharma toujours au volant, le fourgon culbute en avant et atterrit sur le toit dans une trombe de fumée noire. La Jeep qui le suit à tombeau ouvert n'a pas le temps de bifurquer : elle heurte le bord du cratère creusé par le missile et bascule tête la première dans l'abîme. Deux autres roquettes frappent le convoi. La poussière en suspension dans l'air est si dense que nous ne voyons pas les hélicoptères que nous entendons tourner au-dessus de nos têtes.

46

Je palpe à l'aveuglette le sol tout autour de moi, pour essayer de retrouver tout ce qui s'est renversé de mon coffre. Je sais que je ramasse sans doute autant de terre et de cailloux que de fragments de mon Héritage, mais je décide de faire le tri plus tard.

Je viens tout juste de mettre la main sur le cristal rouge lorsqu'une rafale de mitraillette crépite non loin de moi. « Six, ça va ? » je hurle. Une seconde plus tard, Ella pousse un hurlement.

CHAPITRE SIX

Affolé, j'ouvre les portes de placards et retourne le peu de meubles qui se trouvent dans le bungalow. Brusquement, j'entends quelqu'un rentrer bruyamment, et comme Bernie Kosar ne grogne pas, j'en déduis que c'est Neuf.

« Neuf ! Où tu as planqué mon coffre ?

— Regarde sous l'évier. »

Je vais dans la cuisine. Le linoléum tout gondolé ressemble à un échiquier délabré sur lequel on aurait renversé un litre de café. Sous l'évier, les poignées du rangement sont branlantes et, lorsque je tire dessus, j'entends un déclic.

« Attends, Quatre ! me crie Neuf depuis l'autre pièce. J'ai installé un… »

Les portes du placard s'ouvrent dans une explosion et je suis projeté plusieurs mètres en arrière.

« … piège ! » conclut Neuf.

Une dizaine de pointes acérées me foncent droit dessus. Elles ne sont qu'à quelques centimètres de moi quand je recouvre enfin mes instincts de défense et réussis à les faire dévier par la télékinésie. Les projectiles ricochent à droite et à gauche et vont se planter dans le mur.

Neuf se tient dans l'embrasure de la porte, à se tordre de rire. « Vraiment désolé, mec. J'ai complètement oublié de te parler de mon petit montage. »

Je me relève d'un bond, furieux. Bernie Kosar déboule en dérapant et se met à grogner contre Neuf. Pendant qu'il fait la leçon à cet imbécile, je me concentre et arrache les fléchettes fichées dans le mur, puis je les maintiens en suspension dans l'air, pointées sur Neuf. « Tu n'as pas l'air désolé. »

Je suis à deux doigts de les lui planter en pleine tête, lorsqu'il se sert à son tour de la télékinésie pour les casser en deux, puis en quatre, puis en minuscules morceaux qui s'éparpillent sur le sol.

« Hé, j'ai oublié, c'est tout », répète-t-il en haussant les épaules. Puis il me tourne le dos et repasse dans l'autre pièce. « Bref, ramasse ton coffre et viens par là. Il faut qu'on décolle, alors fais tes valises. »

Avec le Lumen, j'éclaire l'intérieur du placard couvert de moisissure et je glisse précautionneusement la tête sous l'évier. À première vue, l'espace est vide, et j'en déduis que Neuf se moque de moi. Je m'apprête à me relever pour aller lui demander des comptes, lorsque je remarque que le côté gauche du placard s'enfonce plus profond que le droit. À tâtons, je saisis le panneau de contre-plaqué et tire un grand coup. Bingo. J'attrape mon coffre et sors de la cuisine.

Dans le salon, Neuf est en train de fouiller dans le sien, que nous avons récupéré dans la grotte des Mogs. « C'est bon de te revoir, mon vieux pote », annonce-t-il en exhumant une courte tige en argent. Puis il attrape une boule jaune recouverte de petites bosses et qui ressemble à un fruit bizarre. Je m'attends presque à ce qu'il la presse pour en extraire le jus. Il la pose dans sa paume, et, avant que j'aie le temps de lui demander de quoi il s'agit, Neuf la lance violemment contre le sol. Après avoir rebondi d'un mètre sur la moquette, la balle passe du jaune au noir et atteint la taille d'un pamplemousse. Arrivée à hauteur d'épaule, elle explose et envoie voler des pics affûtés comme des lames de rasoir. Je me jette au sol et roule dans la direction de BK, juste à temps pour éviter de me faire empaler.

« T'es dingue ? je hurle. Tu aurais pu me prévenir ! C'est la deuxième fois en moins de cinq minutes que tu es à deux doigts de me tuer ! »

Neuf ne bronche pas lorsque les pics se rétractent brusquement dans la boule, avant qu'elle se love de nouveau au creux de sa paume.

« Eh, tu veux bien te détendre, deux secondes ? » Il approche la boule de son œil, et je ne peux pas m'empêcher de retenir mon souffle. « Je savais que tu ne risquais rien. Je le contrôle par la pensée. Enfin, presque. La plupart du temps, je veux dire.

— *Presque* ? Tu plaisantes, ou quoi ? Je n'ai pas eu l'impression que tu contrôlais grand-chose. Il a fallu que je me plaque au sol, je te signale. »

Neuf éloigne la boule de son visage et prend un petit air dépité. Pas assez désolé, à mon goût. « Disons que, pour l'instant, j'en contrôle la couleur.

— C'est tout ? » Je n'y crois pas. Il hausse les épaules.

Par la télépathie, Bernie Kosar lui dit d'arrêter de faire l'imbécile.

« Hé, je vérifie juste que je me rappelle comment tous ces trucs fonctionnent. Du moins, ceux dont je sais me servir, réplique-t-il en laissant retomber la boule dans son coffre. Au cas où. » Il choisit la poignée de pierres vertes que je l'ai vu utiliser dans la grotte et les lance en l'air. Elles restent suspendues en formant un cercle parfait et aspirent les débris au sol comme un trou noir. Puis elles se mettent à briller d'un éclat blanc et foncent en tournant sur elles-mêmes vers une des fenêtres de derrière. Lorsque Neuf claque les doigts, les débris jaillissent du cercle, réduisant en miettes ce qui restait de la fenêtre.

« Mate un peu ça ! » triomphe Neuf en riant.

J'ouvre mon propre coffre. Selon Neuf, il y a un truc dans nos Héritages qui peut nous aider à retrouver les autres. La première chose que je trouve, c'est la boîte à café bleue qui contient les cendres d'Henri et j'en ai le souffle coupé. Mes souvenirs me transportent instantanément à Paradise, où je me visualise, marchant dans la neige molle avec Sarah pour rejoindre le cadavre d'Henri. J'ai promis à mon Cêpane que je le ramènerais sur Lorien, et j'ai bien l'intention de tenir ma parole.

Je pose délicatement la boîte par terre et saisis le poignard à lame de diamant : une fois de plus, le manche s'allonge et vient s'enrouler parfaitement autour de mon poignet. Je fais pivoter ma main pour contempler la lame. Puis je lâche l'arme pour passer en revue le reste des objets. J'essaie de ne pas m'éterniser sur ceux que je ne maîtrise pas — le talisman en forme d'étoile, les feuilles séchées retenues par un morceau de ficelle, le bracelet ovale rouge vif — et je me tiens à bonne distance du cristal enroulé dans des torchons et enfermé dans un sac en plastique. La dernière fois que je l'ai touché, mon estomac s'est littéralement retourné et une giclée acide m'a brûlé la gorge.

Je repousse aussi le Xitharis qui permet à un Gardane de transférer ses Dons à un autre et ramasse le cristal allongé à surface cireuse, celui qui contient tant de souvenirs. C'est la première chose qu'Henri ait sortie du coffre pour me la montrer. Lorsque le cœur de la pierre s'était mis à tourner comme un nuage de fumée, cela signifiait que mon premier Don s'était manifesté. Ce cristal est à l'origine de tout.

Puis j'aperçois les lunettes du père de Sam et la tablette blanche que Six et moi avons trouvée dans le bureau souterrain de Malcolm Goode, sous le puits. Cela suffit à me ramener à la réalité.

Je lève les yeux vers Neuf. « Peut-être qu'il y a dans nos coffres quelque chose qui peut nous faire traverser le champ de force. De toute manière, je crois qu'il a perdu en puissance. On a peut-être une chance de retourner chercher Sam dès ce soir.

— C'est sûr que ce serait sympa qu'on ait là-dedans un truc qui nous file un coup de main », commente Neuf d'un ton désinvolte, sans quitter des yeux le galet mauve qu'il tient en équilibre sur le dos de sa main, et qui disparaît brusquement.

« C'est quoi, ça ? »

Il retourne la main et le caillou réapparaît au creux de sa paume. « Aucune idée, mais ça ferait un méga-sujet de conversation pour brancher les filles, tu ne trouves pas ? »

Je secoue la tête et me passe le bracelet rouge au poignet. J'ai l'espoir qu'il me propulse en l'air ou bien se mette à tirer des rayons laser, or il se contente de pendre mollement. J'agite le bras au-dessus de ma tête en ordonnant au bracelet de révéler ses pouvoirs, puis en le suppliant. Rien.

« Tu devrais peut-être essayer de le lécher ? plaisante Neuf.

— Je suis prêt à tout », je marmonne, frustré. Je le garde au bras en espérant qu'il finira par se passer quelque chose, n'importe quoi. Tout ce que contient mon coffre me vient des Anciens. Tout a une raison d'être, c'est pourquoi je sais que ce bracelet possède forcément des vertus particulières. Je frôle des doigts le sac en velours dans lequel se trouvent les sept globes reproduisant le système solaire de Lorien. Je l'ouvre et fais glisser les pierres dans ma main pour les montrer à Neuf, en me remémorant le jour où Henri a fait de même avec moi. « C'est ça que tu cherches, pour retrouver les autres ? C'était à Henri. C'est comme ça qu'on a découvert la présence d'un autre Gardane en Espagne.

— Je n'en ai jamais vu. À quoi ça sert ? »

Je souffle doucement sur les cailloux et ils se mettent à briller, revenant à la vie. En les voyant flotter au-dessus de ma paume, Bernie Kosar pousse un jappement. Les pierres sont devenues des planètes qui gravitent autour d'un soleil. Alors que je m'apprête à activer mon Lumen pour revoir Lorien dans toute sa splendeur, éclatante de verdure à la veille de l'offensive mogadorienne, les globes accélèrent brusquement leur rotation en s'illuminant d'eux-mêmes – impossible de les contrôler.

Neuf se rapproche pour mieux voir et nous regardons les planètes entrer une à une en collision avec le Soleil, jusqu'à ce qu'il n'y ait plus en face de nous qu'une seule grosse sphère. Elle pivote sur son axe en diffusant une lumière si éblouissante que nous devons nous protéger les yeux. Puis elle finit par se ternir et sa surface est parcourue de vibrations, et bientôt nous contemplons une réplique parfaite de la Terre.

Neuf est littéralement envoûté. La Terre tourne lentement, et nous apercevons immédiatement deux têtes d'épingle lumineuses qui pulsent, l'une au-dessus de l'autre. Après quelques secondes pour retrouver nos marques, nous constatons qu'elles se trouvent en Virginie-Occidentale, et je sais de quoi il s'agit.

« Nous voilà. »

Le globe continue sa rotation et nous remarquons une autre source qui palpite en Inde ; une quatrième se déplace rapidement vers le nord, en provenance de ce qui semble être le Brésil.

« Quand j'ai montré notre système solaire à Sam et à Six, dans la voiture, il y a quelques jours, il s'est passé la même chose. La Terre est apparue. C'était la première fois.

— Je n'y comprends rien, répond Neuf. Il n'y a que quatre points lumineux, sur ton truc, alors qu'on est censés être encore six en vie.

— Ouais, eh bien je n'en suis pas si sûr. La dernière fois, il y avait un point en Espagne. Puis la sphère s'est mise à vibrer et on a entendu une voix paniquée hurler le nom d'Adelina. On en a déduit que c'était un autre Gardane. C'est après ça que Six a décidé d'aller en Espagne, dans l'espoir de la retrouver. J'imaginais que c'était par ce moyen que tu comptais entrer en contact avec les autres, mais si c'est la première fois que tu vois ça, j'ai dû me tromper. »

Neuf écarquille les yeux. « Attends un peu. Oh, mon Dieu, mec. Je n'en avais jamais vu, mais je crois bien que Sandor m'avait parlé d'un truc de ce genre. Pour être franc, quand on a ouvert mon coffre la première fois, la baguette en argent et le hérisson jaune étaient tellement déments que je n'ai écouté qu'à moitié ce qu'il m'a raconté. Mais maintenant je me rappelle, il m'a dit que certains d'entre nous avaient un cristal rouge – c'est mon cas, et c'est pour ça que j'ai pensé m'en servir pour communiquer avec les autres – et que les autres avaient le système solaire.

— Je ne pige pas. »

Il va chercher une pierre écarlate de la taille d'un briquet, claque le couvercle de son coffre et se tourne vers moi. En regardant le système solaire, je me retrouve bouche bée. L'une des deux pointes bleues en Virginie-Occidentale a disparu de la surface de la sphère.

« Waouh, attends un peu. Rouvre ton coffre, juste pour voir. »

Neuf s'exécute et le deuxième point bleu réapparaît au-dessus du premier.

« OK, maintenant, referme-le. »

Il obéit, et la petite veilleuse s'éteint de nouveau.

« Passionnant, ton petit jeu », soupire Neuf. Soudain, le globe se brouille et la voix de Neuf résonne en vibrant, avec une demi-seconde de retard. « Waouh, qu'est-ce que c'est que ça ? Pourquoi je m'entends en écho ? » De nouveau, la sphère se met à vibrer.

« Passionnant, tu l'as dit. Incroyable, même, je réplique en contemplant le globe. La raison pour laquelle on ne voit pas les six Gardanes sur le globe, c'est parce qu'il ne montre que ceux dont le coffre est ouvert à cet instant précis. Regarde. » Je soulève le couvercle de son coffre.

Neuf lâche un sifflet admiratif. « La classe, Quatre. Très cool. » Une demi-seconde plus tard, sa voix résonne de nouveau dans le globe. Neuf repose son cristal.

« Mais, à en juger par la vitesse à laquelle se déplace celui-là, je fais remarquer en désignant le point en mouvement, il a dû quitter l'Amérique du Sud en avion. Aucun autre moyen de transport ne le ferait bouger si vite.

— Qu'est-ce qu'il ficherait avec son coffre ouvert dans un avion ? C'est stupide.

— Peut-être qu'il ou elle a des ennuis. Peut-être qu'il se cache dans les toilettes de l'appareil pour essayer de comprendre à quoi servent tous ces trucs, comme on est en train de le faire.

— Et il peut nous voir, en ce moment, d'après toi ?

— Aucune idée, mais il peut peut-être nous entendre. Il me semble que si tu gardes le cristal rouge dans la main, ceux d'entre nous qui ont reçu le système solaire peuvent t'entendre.

— Si la moitié d'entre nous a le cristal, et l'autre moitié a le pouvoir de faire tourner cette grosse planète, alors…

— La seule manière pour nous de communiquer serait que deux d'entre nous commencent par faire équipe. Et maintenant qu'on est fourrés ensemble, on devrait peut-être essayer d'entrer en contact avec les autres. Au cas où leurs macrocosmes seraient eux aussi actifs. Peut-être qu'on n'est pas la seule paire à s'être trouvés. »

Neuf s'empare du cristal rouge et le porte à sa bouche comme un micro. « Allô ? Test un, deux, trois. » Il se racle la gorge. « OK, si l'un des Gardanes se trouve actuellement en face d'une boule scintillante, qu'il m'écoute attentivement. Nous sommes Quatre et Neuf, nous sommes réunis et nous voulons retrouver les autres. Nous voulons nous entraîner pour mettre fin à toutes ces conneries et retourner sur Lorien. Et pronto. On ne va pas vous dire où on se trouve exactement, au cas où des Mogs joueraient les mouchards, mais si vous avez votre macrocosme sous les yeux, vous verrez deux points ensemble – eh bien, euh, c'est nous. Alors, euh… » Neuf se tourne vers moi et hausse les épaules. « C'est tout. Bien reçu et tout le bazar. »

Soudain, au contact du bracelet, je ne sens plus la peau de mon poignet. Je secoue la main et des fourmis me parcourent tout le bras. « Attends. Dis que nous sommes sur le point de partir, et qu'ils doivent tous nous rejoindre aux

États-Unis. C'est là que se trouve Setrákus Ra, le chef mogadorien. Dis-leur qu'on part à ses trousses et qu'on va libérer nos amis aussi vite que possible. »

Sous mes yeux, la Terre se met à vibrer et la voix de Neuf tonne de nouveau en écho. « Tout le monde doit venir en Amérique au plus vite. Setrákus Ra a montré sa sale face de rat dans le coin et on a bien l'intention de la lui éclater très bientôt. On enverra un autre message demain. Restez en ligne. »

Neuf lâche le cristal rouge dans son coffre d'un air satisfait qui m'exaspère, puis prend une mine gênée en constatant qu'il vient de parler à une grosse boule. Je fronce les sourcils. Mon bras droit est totalement glacé, et je suis sur le point de retirer ce fichu bijou lorsque la Terre vibre de nouveau. Nous entendons le vacarme d'une explosion, puis une voix que je reconnais. Celle de la fille que Six est allée chercher en Espagne. Elle hurle, paniquée. « Six ! Est-ce que ça va ? »

Un cri et deux autres explosions secouent les contours brouillés de la sphère. Je me précipite pour attraper le cristal rouge de Neuf, dans l'espoir de pouvoir communiquer avec elle.

« Six ! » Si je savais comment faire, je serais capable de sauter à l'intérieur de cette boule. « C'est moi, John ! Tu m'entends ? »

Pas de réponse. Nous percevons le battement assourdi des pales d'un hélicoptère, juste avant que le globe se taise pour de bon et que ses contours redeviennent nets. La pointe lumineuse en Inde a disparu. La boule se contracte et se scinde en sept planètes, qui tombent une à une au sol.

« Ça ne me dit rien qui vaille », commente Neuf en les ramassant, avant de les ranger dans mon coffre et de reprendre son cristal, que je tiens toujours dans ma main glacée.

Six a des ennuis – dans le genre explosions et hélicoptères. Et ça se passe en ce moment même, à des milliers de kilomètres de moi. Comment me rendre en Inde ? Où trouver un avion ?

« Six, c'est la nana qui t'a donné la carte pour retrouver la grotte ? Et qui vous a abandonnés pour filer en Espagne ? demande Neuf.

— C'est bien elle. » Les poings serrés, je ferme mon coffre d'un geste rageur. J'ai la tête qui tourne. Qu'est-ce qui arrive à Six ? Qui est cette autre fille, celle dont j'ai entendu la voix à deux reprises ? Je me rends soudain compte que j'ai de drôles de sensations dans le bras, que j'étais trop absorbé par cette voix pour remarquer avant. J'essaie de retirer le bracelet, et le métal me brûle les doigts. « Il y a un détail qui cloche, avec ce truc. Il se passe quelque chose. »

Neuf ferme à son tour son coffre et se penche pour prendre le bijou. « Quoi ? le bracelet ? » Il l'a à peine touché qu'il retire vivement la main. « La vache ! Il m'a balancé une décharge électrique !

— Qu'est-ce que je fais, alors ? » Je tente de secouer le bras, dans l'espoir de déloger le bracelet.

Bernie Kosar s'approche en trottinant pour renifler le métal, mais s'immobilise à mi-chemin, la truffe pointée vers la porte d'entrée. Il dresse les oreilles et la fourrure de son dos se hérisse en formant une crête.

Il y a quelqu'un, nous dit-il.

Neuf et moi échangeons un regard et reculons doucement vers l'intérieur de la pièce, le plus loin possible de la porte. Nous nous sommes tellement laissé distraire par nos coffres et par cette histoire de voix dans le globe que nous avons baissé la garde et n'avons plus prêté attention à ce qui nous entourait.

Soudain, la porte est arrachée de ses gonds. Des grenades lacrymogènes volent à travers les fenêtres en projetant des éclats de verre à travers la pièce. Je veux me battre, mais la douleur dans mon bras est tellement intense que je suis comme pétrifié, et tombe à genoux.

J'entrevois un éclair vert. Neuf pousse un cri et s'affale à côté de moi. Cette lumière verte, je la connais bien. Elle provient d'un fusil mogadorien.

CHAPITRE SEPT

Les balles fusent et viennent se planter dans la poussière, tout autour de nous. Avec Ella, nous nous mettons à couvert derrière la carcasse renversée d'un des camions. Ça tire de partout, de toutes les directions, de tous les angles. Ella est touchée, mais à cause de la fumée qui nous enveloppe je ne peux pas voir ses plaies. À tâtons, je l'ausculte doucement, jusqu'à ce que je sente le sang chaud et collant sous mes doigts – elle est blessée à la cuisse. Au moindre contact, elle pousse un cri de douleur.

De la voix la plus apaisante dont je sois capable, compte tenu des circonstances, j'essaie de la rassurer. « Ça va aller. Marina peut t'aider. Il faut juste qu'on la trouve. » Je prends Ella dans mes bras et sors prudemment de derrière le fourgon, en faisant écran avec mon propre corps. Je manque de trébucher sur Marina et Crayton, blottis derrière un amas de débris.

« Bougez de là ! Ella est blessée ! Il faut qu'on dégage d'ici !

— Ils sont trop nombreux. Si on tente une sortie maintenant, ils nous tueront. Commençons par soigner Ella. Ensuite, nous répliquerons », ordonne Crayton.

En allongeant Ella près de Marina, je remarque qu'elle porte toujours les lunettes noires. À présent je vois sa blessure, et elle saigne abondamment. Marina applique les mains sur la jambe d'Ella et ferme les paupières. La petite inspire violemment et son souffle devient rapide et saccadé. Voir le Don de Marina à l'œuvre est vraiment stupéfiant. Une nouvelle explosion fait vibrer le sol tout près et une rafale de poussière s'abat sur nous au moment où la plaie d'Ella se rétracte, éjectant la balle. La chair passe du noir au rouge vif, puis la peau recouvre son blanc nacré. Le contour d'un petit os glisse juste sous le derme, et le corps d'Ella se détend peu à peu. Soulagée, je pose la main sur l'épaule de Marina. « C'est incroyable, ce que tu as fait, Marina.

— Merci. C'était pas mal, pas vrai ? » Marina ôte ses mains de la jambe d'Ella, qui se redresse sur les coudes. Crayton la serre contre lui.

Un hélicoptère passe en vrombissant au-dessus de nous et anéantit deux camions d'une rafale de mitrailleuse. Un éclat de métal vient se planter dans le sol pratiquement à mes pieds – un morceau de portière en flammes, avec son chiffre huit rouge pratiquement effacé. Cette vision me remplit de colère. À présent qu'Ella est guérie, je me sens prête à riposter.

« Maintenant, on fonce ! On les écrase ! je hurle à l'intention de Crayton.

— Est-ce que ce sont les Mogadoriens ? » demande Marina en refermant le cadenas de son coffre.

Crayton jette brièvement un regard par-dessus le tas de débris qui nous couvre puis s'aplatit de nouveau au sol pour nous faire un rapport. « Ce ne sont pas les Mogs. Mais ils sont très nombreux, et ils se rapprochent. On peut se battre ici, mais ce serait plus sûr de les attirer dans les montagnes. Qui qu'ils soient, s'ils ne sont pas ici pour nous mais pour combattre le commandant Sharma, je ne vois pas de raison de dévoiler vos pouvoirs. »

Derrière nous, une explosion projette un nouveau nuage de terre dans notre direction et je vois l'hélicoptère dessiner une boucle avant de revenir droit sur nous. Marina et moi échangeons un regard, et je sens bien que nous pensons à la même chose. Impossible d'obéir à Crayton, et de ne pas nous servir de nos Dons, si nous voulons nous en sortir. Elle prend le contrôle de l'engin et inverse sa trajectoire de vol. Les passagers ne comprendront pas ce qui s'est produit, et au moins nous voilà hors d'atteinte. Et peu importe qui se trouve à bord – autant n'exposer personne au danger. Avec Ella, nous poussons un cri de triomphe en voyant l'appareil s'éloigner, et Crayton nous adresse un regard mécontent. Soudain, une silhouette plonge par-dessus le tas de ferraille et atterrit entre nous.

« Dieu merci, vous êtes vivants », lâche le commandant Sharma, et je suis tentée de lui faire la même remarque. Je croyais qu'il avait été tué par la première bombe. Du sang lui dégouline sur la joue à cause d'une profonde entaille à la tempe, et son bras droit pend bizarrement le long de son corps. Je lui lance un regard furieux.

« Je vous considère comme responsable de tout ça. »

Il secoue la tête en réponse. « Ce sont les soldats du Front de Résistance du Seigneur. Ce sont eux que nous tentions d'éviter.

— Qu'est-ce qu'ils veulent ? »

Le commandant Sharma scrute l'horizon, puis finit par me regarder dans les yeux. « Tuer Vishnu. Et détruire tous ses amis. Dont vous. Leurs renforts sont en route. »

Je m'accroupis pour jeter prudemment un œil par-dessus le camion retourné. Une grosse brigade de véhicules lourdement armés s'avance, escortée par plusieurs hélicoptères. De brefs éclairs de lumière clignotent le long du convoi de Jeeps et de fourgons, et bientôt j'entends le sifflement des balles au-dessus de nous.

« Allons leur botter le cul, je propose.

— Impossible de les battre ici, objecte le commandant Sharma en attrapant une mitraillette de sa main valide. Il ne me reste pas plus d'une vingtaine d'hommes. Si on veut avoir une chance de survivre, il faut les entraîner dans les hauteurs.

— Laissez-moi m'occuper de ça, je rétorque.

— Six, attends, s'interpose Crayton en ramassant le coffre de Marina. Il a raison. La montagne nous offrira une meilleure couverture. Tu pourras toujours les anéantir un par un. Mais au moins, ce sera moins visible, ce qui est une bonne chose pour nous. Pas besoin d'ajouter les Mogs à nos ennuis, pour l'instant. »

Je sens la main de Marina sur mon bras. « Crayton a raison. On doit se montrer rusés. N'attirons pas l'attention sur nous, si on peut l'éviter.

— Les Mogs ? » répète le commandant Sharma d'un air perplexe, et je me dis immédiatement qu'à l'avenir il vaudra mieux tenir notre langue, en sa présence.

Avant que l'un de nous ait pu répondre, deux hélicoptères volant bas déboulent, mitrailleuses en action. Ils fauchent plusieurs soldats du commandant Sharma, réduisant leurs armes à un tas de ferraille inutile. Si nous devons fuir, c'est maintenant ou jamais. Avec la télékinésie, je tire un des engins par la queue, le faisant piquer du nez vers le sol. Le pilote se débat furieusement pour redresser l'appareil, qui ressemble à un cheval de rodéo essayant d'éjecter son cavalier. Il tire un grand coup sur le manche, et deux hommes bondissent hors de la cabine. À cette hauteur, ils ne risquent pas de se faire mal. Du moins, pas trop.

Je cherche du regard notre propre convoi de fourgons à l'arrêt, et vois de la fumée sortir d'un pot d'échappement – ce qui signifie que le moteur tourne toujours ! Je me mets à hurler : « On y va ! Maintenant ! »

Tout le monde bondit à découvert et le commandant Sharma ordonne aux quelques hommes qui lui restent de battre en retraite. La brigade se trouve à moins de cent mètres de nous. Nous nous mettons à courir, et je sens une balle me frôler les cheveux. Une autre me déchire l'avant-bras, mais avant que j'aie pu pousser un cri Marina se précipite à mes côtés et, sans ralentir l'allure, pose ses mains glacées sur la blessure. Tous les soldats de Sharma sauf un obéissent à son ordre – le dernier suit son chef et se joint à notre course.

Nous atteignons le SUV et nous engouffrons à bord – nous quatre, plus le commandant et son subalterne. Crayton appuie sur l'accélérateur et file à fond sur la route. De derrière, les balles viennent se ficher dans la carrosserie, faisant voler en éclats le pare-brise arrière, mais en contournant un petit promontoire rocheux nous réussissons à échapper au feu nourri des tirs ennemis.

Cette route n'est pas faite pour la vitesse. Elle est bourrée de nids-de-poule, de rochers et autres débris, et Crayton bataille pour éviter de nous faire basculer par-dessus le bas-côté. Le véhicule déborde d'armes en tous genres. Je m'empare d'une mitraillette et rampe à l'arrière, dans l'attente d'une cible. Marina fait de même, laissant son coffre sous la surveillance d'Ella.

À présent que j'ai une seconde pour faire le point, je sens la colère monter. On pensait que, si Numéro Huit restait caché dans la montagne, on serait en sécurité, indétectables. Au lieu de quoi, on se fait attaquer par sa faute. Il va prendre un de ces savons !

« Où est-ce qu'on va ? hurle Crayton par-dessus son épaule.

— Restez sur cette route, c'est tout », répond le commandant. En regardant derrière moi, j'aperçois à travers le pare-brise la silhouette de la chaîne himalayenne qui se rapproche doucement, avec ses sommets déchiquetés, de plus en plus menaçants. À quelques centaines de mètres devant nous, le désert brun prend fin et une larme de verdure entoure le pied des montagnes comme une main repliée.

« Pourquoi ces gars veulent-ils tuer Numéro Huit ? je demande au commandant Sharma, tout en m'accrochant à mon arme qui rebondit dans l'encadrement du pare-brise à chaque cahot.

— Le Front de Résistance du Seigneur ne croit pas qu'il soit Vishnu. Ils nous considèrent comme des blasphémateurs, parce que nous acceptons ce garçon dans la montagne comme le Dieu Suprême. Ils veulent tous nous tuer, en son nom.

— Six ! s'écrie brusquement Ella, les lunettes noires toujours sur le nez. Derrière nous ! »

Je me retourne juste à temps pour voir un projectile jaillir de l'hélicoptère. Une sorte de missile, et il fonce droit sur nous. Grâce à la télékinésie, je le dévie de sa trajectoire et l'envoie se planter dans le sable, où il explose. L'engin en lâche alors deux de plus.

« Le moment est venu de faire sortir ces mecs de là ! On s'y met toutes les deux, Marina. » Elle hoche la tête, et, au lieu de diriger les missiles vers le sol, nous leur faisons faire un looping, si bien qu'ils se retrouvent avec l'hélicoptère en ligne de mire. L'air sombre, nous regardons l'engin exploser dans une boule de feu géante. On s'efforce toujours de ne pas faire de victimes ; cela dit, si j'ai le choix entre tuer et me faire tuer, je n'hésite pas une seconde.

« Beau boulot, Six ! applaudit Ella.

— Hip hip hip, et cetera, je réponds avec un sourire sans joie.

— Tu crois qu'ils vont nous laisser tranquilles, maintenant ? demande Marina.

— À mon avis, ce ne sera pas si facile, intervient le commandant.

— Elle possède les mêmes pouvoirs que ce garçon que vous appelez Vishnu, fait remarquer Crayton en me montrant du doigt. Est-ce que ça suffira à les dissuader ? Ou bien, d'après vous, ils vont continuer à se battre contre lui ?

— Ils essaieront de l'éliminer, s'ils réussissent à le trouver. »

Je me tourne vers le militaire. « Combien ils sont, dans ce Front de Résistance du Seigneur ?

— En tout ? Des milliers. Et ils ont de généreux donateurs, qui les aident sur tous les plans.

— D'où les hélicoptères, conclut Crayton.

— Et ils ont pire que ça, ajoute le commandant.

— Dans ce cas, la meilleure tactique, c'est de les distancer, réplique Crayton. Je vais conduire aussi vite que je peux. Si nous devons nous battre, nous nous battrons. Mais j'aimerais mieux éviter cette issue. »

Cinq minutes s'écoulent dans un silence tendu. Avec Marina, nous surveillons la brigade qui nous suit au loin, et dès que nous croisons un débris assez volumineux nous bloquons le passage avec, par la télékinésie. Les arbres hauts qui sont apparus en bord de route forment rapidement une ligne de défense opaque. La voiture s'enfonce dans une vallée extrêmement étroite, avant de se lancer à l'assaut de la montagne. Nous venons d'atteindre les contreforts quand le commandant Sharma ordonne à Crayton de s'arrêter. Je me penche en avant sur mon siège et aperçois des dizaines de petits monticules de terre en travers du chemin.

« Des mines terrestres ?

— Je ne suis pas certain, me répond le commandant. Mais elles n'étaient pas là il y a deux jours.

— Est-ce qu'il y a un autre moyen d'accéder à notre destination ? demande Crayton.

— Non, c'est la seule voie. »

Soudain, nous entendons des pales d'hélicoptères, sans rien voir encore – ils sont cachés par le haut rideau d'arbres. Ce qui signifie qu'eux non plus ne nous voient pas, même s'ils n'ont plus l'air très loin.

« Si on reste ici, on est cuits », je lance, en réfléchissant à toute allure à la stratégie possible.

Crayton ouvre sa portière et descend de voiture, mitraillette à la main. « Très bien, nous y voilà. » Il pointe l'arme en l'air, vers la droite. « Ou bien on monte derrière la ligne d'arbres et on se bat, ou bien on fuit le plus vite possible dans la montagne.

— Pas question que je m'enfuie, je réplique en sortant à mon tour.

— Moi non plus, renchérit Marina, en venant grossir nos rangs.

— Dans ce cas, à vos armes, conclut le commandant, avant de désigner les collines. La moitié d'entre nous va à gauche, pendant que le reste prend position à droite. Je prends ces deux-là avec moi », ordonne-t-il en nous désignant, Ella et moi.

J'échange un regard avec Crayton et nous acquiesçons.

Ella se tourne vers son Cêpane. « Ça ira, sans moi, Papa ?

— Marina fera en sorte que la moindre blessure ne dure pas, la rassure-t-il avec un sourire. Je pense qu'on devrait s'en tirer.

— Je garderai un œil sur lui, Ella, promet Marina.

— Vous êtes certain que c'est la bonne solution, commandant ? s'inquiète le soldat à ses côtés. Je peux aller chercher Vishnu, pour qu'il vienne nous aider.

— Non, le Seigneur Vishnu doit rester en lieu sûr. »

Crayton se tourne vers Ella. « Garde les lunettes. Peut-être que tu pourras être nos yeux, là-haut, au milieu des arbres. Je ne sais toujours pas bien comment elles fonctionnent, mais espérons qu'elles nous seront utiles. »

Je serre Marina dans mes bras et lui chuchote à l'oreille : « Fais confiance à tes pouvoirs.

— Je devrais soigner le commandant Sharma, avant que vous partiez.

— Non, je murmure. Je ne lui fais pas encore assez confiance, et il sera moins dangereux blessé.

— Tu es sûre ?

— Oui, pour le moment. »

Marina hoche la tête. Crayton lui tapote le bras pour la presser de les rejoindre, le jeune soldat et lui. Ils se mettent tous trois à gravir le versant gauche de la vallée et disparaissent derrière un rocher.

Le commandant Sharma, Ella et moi escaladons le versant droit, en évitant soigneusement les bosses. Nous trouvons une position à couvert derrière un énorme amas rocheux et attendons de voir apparaître la brigade.

Je me tourne vers le commandant Sharma. Je me sens un peu coupable de ne pas avoir laissé Marina guérir sa blessure, mais, pour autant que je sache, il pourrait aussi bien être à l'origine de tout ça, et nous tendre un piège très élaboré. « Comment va votre bras ? » je lui chuchote.

Avec un grognement, il s'allonge et pose le canon de son arme en appui sur un caillou plat. Il redresse la tête et m'adresse un sourire entendu. « Je n'ai besoin que d'un seul. »

Du coin de l'œil, je vois un hélicoptère débouler au-dessus de nous, pour sortir presque immédiatement de mon champ visuel. Ou bien Marina s'est chargée de lui, ou bien le pilote n'a pas réussi à pénétrer dans l'épais dais de feuillage de la vallée. Je fixe le ciel entre les arbres, espérant réussir à manipuler les nuages qui enveloppent les pics montagneux, mais le chaud soleil de l'après-midi les a fait évaporer. Sans vent et sans nuages, je n'ai aucun élément à contrôler. Je peux toujours me rendre invisible en cas de besoin, je préfère cependant cacher ça au commandant, pour le moment.

« Qu'est-ce que tu vois ? demande Ella.

— Rien de rien, je chuchote. Commandant, à quelle distance se trouve Numéro Huit ?

— Vishnu, vous voulez dire ? Pas loin. À une demi-journée de marche, je dirais. »

Je m'apprête à lui demander où, exactement – on a besoin de savoir, au cas où il arriverait quelque chose à notre guide et où il nous faudrait poursuivre notre route seuls. Je suis interrompue dans mon projet par l'arrivée d'un pick-up rouillé, qui fonce à travers la vallée, un homme debout sur la plateforme arrière. Même de si loin, je vois qu'il est armé, et très nerveux. Il agite son fusil en tous sens, essayant frénétiquement d'être partout à la fois. Dès que notre SUV apparaît dans sa ligne de mire, le pick-up s'immobilise dans un dérapage et le tireur à l'arrière saute à terre. D'autres véhicules surgissent et se garent derrière le pick-up. Un soldat émerge d'un camion rouge avec un lance-roquettes sur l'épaule. Je saisis l'occasion.

Du bout du pied, je pousse le commandant Sharma pour attirer son attention. « Je reviens tout de suite. »

Sans lui laisser une chance de protester, je détale vers les bois. Dès que je me trouve hors de sa vue, je me rends invisible et pique droit sur la vallée. Le soldat a maintenant notre fourgon dans son réticule mais, avant qu'il puisse appuyer sur la détente, je lui arrache le lance-roquettes des mains et le lui enfonce dans le creux de l'estomac. Il se plie en deux en hurlant et s'écroule. Le conducteur du camion se précipite, pistolet à la main, et je pointe le lance-roquettes sur son visage. L'espace d'une seconde, il se demande visiblement si cet engin qui flotte tout seul va vraiment lui exploser la tête, puis il tourne les talons et détale en courant, les bras tendus en l'air.

Je vise leur tas de ferraille vide et tire. La roquette fuse et une vague de feu jaillit de sous le pick-up, l'envoyant voler à dix mètres du sol. Le véhicule en flammes atterrit violemment en rebondissant, puis roule en avant ; entraîné par son élan, il vient s'écraser à l'arrière de notre SUV dans un grand fracas. Je le vois alors glisser lentement sur la route et escalader un des monticules qui nous ont fait nous arrêter. Et soudain, une série d'explosions fracassantes font vibrer l'air pendant plus de trente secondes, tandis que les soldats affolés font feu à l'aveuglette. Des milliers d'oiseaux s'envolent des arbres alentour, et le claquement de leurs ailes est englouti par le crépitement et les pétarades des munitions. J'avais raison – des mines terrestres. Je contemple notre SUV, qui n'est plus qu'un tas de métal fumant.

À l'évidence, ce n'était qu'un amuse-gueule. Le plat principal – véhicules blindés, chars d'assaut et lance-missiles mobiles – se rapproche de la montagne. J'estime à environ deux mille le nombre des soldats à pied, et cinq ou six hélicoptères de combat planent au-dessus de nos têtes. J'entends un vrombissement, et aperçois derrière moi un lance-missiles en train d'effectuer une rotation, prêt à entrer en action. Les têtes blanches de cinq fusées sont pointées vers la zone où Crayton et Marina se trouvent. Il y a du mouvement dans la ligne d'arbres, et le jeune émissaire du commandant se met à courir en direction de la vallée. Il est sans arme et se dirige droit vers le lance-missiles. Je crois d'abord qu'il a l'intention de se sacrifier pour nous sauver, pourtant personne ne lui tire dessus. Il s'arrête à hauteur du dispositif et pointe le doigt vers un point plus haut sur le versant de la montagne, indiquant clairement où se cachent mes amis. Le tireur relève le nez de l'engin d'un mètre et ajuste le viseur.

Le traître, il est donc dans le camp de ceux qui essaient de nous tuer ! Soudain, je le vois se soulever de terre, projeté en l'air par la télékinésie. Marina a dû le démasquer, elle aussi. Malheureusement, il est peut-être trop tard – il a déjà révélé leur emplacement.

Je rassemble toutes mes forces et les dirige vers le tireur, dans l'espoir de modifier la trajectoire des projectiles dès qu'il les aura lancés. Tandis que je tente de me concentrer, un autre lance-missiles passe en mode opérationnel et pointe sa charge explosive pile dans ma direction. J'ai beau être invisible, ils ont repéré qu'un lance-roquettes a été actionné de là où je me trouve. Mon pouvoir ne me permet d'en maîtriser qu'un seul, et je n'ai pas le temps de m'enfuir. Ce qui signifie que j'ai le choix entre sauver Crayton et Marina, ou bien me sauver moi-même.

Le lance-missiles pointé vers la montagne fait feu. Les fusées jaillissent en hurlant, et foncent vers les collines. J'en prends le contrôle et les dévie vers le sol, où elles explosent à la seconde même où le deuxième engin tire. Je fais volte-face et aperçois les pointes blanches qui piquent droit sur moi. Je n'ai rien le temps de faire, et je vois soudain les missiles remonter en dessinant une boucle et repartir en flèche là d'où ils viennent, vers la brigade. Ils percutent cinq véhicules différents, qui explosent dans une gerbe de feu.

C'est Marina. Elle m'a sauvé la vie. Nous formons une équipe, comme notre destin nous y appelle, et cette pensée me rend plus déterminée que jamais à mettre fin à cette mascarade et à retrouver Numéro Huit. Je veux envoyer un message au reste de la brigade, alors je me rends de nouveau visible et me montre à eux. Je focalise mon attention et, par le biais de la télékinésie, je prends le contrôle des flammes au point d'impact des missiles. Je les fais s'étendre le long de la route et engloutir les véhicules en ligne. Un par un, ils explosent comme des dominos. Message reçu. Les soldats du Front de Résistance du Seigneur qui ont réussi à s'en sortir battent en retraite. L'espace d'une seconde, je suis tentée de me venger et de faire un exemple. Seulement, ce serait cruel, gratuit – exactement le genre de chose que ferait un Mogadorien. J'ai encore l'esprit assez clair pour savoir que mes pulsions de revanche barbare contre ces lâches ne nous mèneront nulle part.

« C'est ça ! Fuyez ! Parce que sinon, je finis le boulot ! » Dès que le dernier a disparu de ma vue, je reprends le chemin des collines. Le plus urgent pour l'instant, c'est de retrouver mes amis.

CHAPITRE HUIT

L'épaisse fumée commence à se dissiper. De là où je me trouve, par terre, je ne vois que des dizaines de jambes chaussées de bottes noires. Je lève les yeux et compte presque autant de fusils, tous pointés sur ma tête.

J'ai vite fait de repérer les masques à gaz, et je pousse un soupir de soulagement en constatant qu'ils appartiennent à des humains, et non à des Mogadoriens. Mais quel genre d'humains se baladent avec des armes mogadoriennes ? L'un d'entre eux m'enfonce presque le bout de son canon à l'arrière du crâne. En temps normal, je me servirais de la télékinésie pour le lui arracher des mains et l'envoyer voler à trois kilomètres dans la montagne, mais la douleur infligée par le bracelet m'empêche de rassembler mes forces pour le faire. L'un des hommes me crie quelque chose, je suis cependant incapable de me concentrer pour comprendre ce qu'il dit.

Je cherche un point où focaliser le regard pour oublier la souffrance, et j'aperçois Neuf en train de gémir sur la moquette. De là où je suis, on dirait qu'il a du mal à respirer, et aussi qu'il ne peut bouger ni les bras ni les jambes. Je me débats pour me relever et aller l'aider, mais au premier mouvement on me plaque violemment au sol. Je roule sur le dos, et me retrouve instantanément avec un long tube cylindrique sous l'œil gauche. À l'intérieur, je vois tourbillonner des centaines de points lumineux, qui bientôt ne forment plus qu'une seule boule verte. Pas de doute, il s'agit bien d'une arme mogadorienne, le même genre que celle qui m'a paralysé, devant notre maison en flammes, en Floride. De l'autre œil, je cherche celui qui me tient en joue, et distingue un homme en imperméable kaki. Il relève son masque à gaz pour laisser apparaître une mèche de cheveux blancs et un gros nez tordu qui a dû être cassé plus d'une fois. Et présentement, je n'ai qu'une envie, c'est de lui infliger une fracture de plus.

« Ne bouge pas, rugit le type, ou j'appuie sur la détente. »

Je jette un regard à Neuf, qui a l'air de se remettre. Il se redresse en position assise et inspecte la scène autour de lui en tentant de se désengourdir le cerveau. Le type qui m'écrase l'œil gauche se tourne vers lui. « Tu crois faire quoi, là, exactement ? »

Neuf lui adresse un sourire avant de répondre, le regard parfaitement clair et la voix calme : « J'essaie de décider lequel d'entre vous je vais buter en premier.

— Faites-le taire ! » s'exclame une femme en pénétrant dans la maison, armée elle aussi d'un canon mog. Deux des hommes forcent Neuf à se rallonger par terre en lui écrasant les épaules de leurs bottes. La femme me désigne d'un geste et je me sens tirer par-derrière et remettre debout. Quelqu'un m'attrape les poignets et y glisse des menottes.

« Salopard ! » s'écrie le type en touchant mon bracelet rouge. J'ai beau ne pas savoir à quoi sert ce truc, j'aime bien cette partie-là.

Une fois sur pied, je fais le point sur ce qui m'entoure. Une grosse dizaine d'hommes avec masques à gaz, tous armés de fusils. L'homme et la femme qui se sont adressés à moi sont apparemment aux commandes. Je cherche Bernie et ne le vois nulle part. Je l'entends tout de même à l'intérieur de ma tête.

Attends. Voyons d'abord ce qu'ils veulent, et ce qu'ils savent.

« Qu'est-ce que vous nous voulez ? » je lance au type au nez en miettes.

Il éclate de rire et se tourne vers la femme. « Qu'est-ce qu'on leur veut, agent spécial Walker ?

— Pour commencer, je veux savoir qui est ton copain, là, ordonne-t-elle en pointant son arme sur Neuf.

— Je ne connais pas ce gamin », réplique-t-il. Il souffle sur sa mèche et sourit de toutes ses dents. « Je passais juste par là pour lui vendre un aspirateur. C'est un vrai dépotoir, ici, et je me suis dit que ça pourrait lui être utile. »

Le type se rapproche de Neuf. « Et c'est ça qu'il y a, dans ces jolis petits coffres ? Des aspirateurs ? » D'un mouvement de tête, il fait signe à l'un des agents. « Jetons un œil à ces appareils, alors. Je dois justement m'en racheter un.

— Je vous en prie, l'invite Neuf avec un rictus menaçant. C'est le jour des soldes. Deux pour le prix de trois. »

Neuf et moi échangeons un bref regard. Puis il dirige les yeux vers le haut du mur, où volette un papillon de nuit. Bernie Kosar. Je suis sûr que Neuf entend lui aussi ses instructions, je me demande néanmoins s'il sera capable de se maîtriser. L'un des soldats lui passe à son tour les menottes, et Neuf se rassied. Je vois clairement que les bracelets sont déjà brisés, et qu'il ne maintient les mains jointes que pour ne pas attirer l'attention.

Neuf attend simplement le bon moment pour passer à l'attaque. Dieu seul sait s'il a l'intention de suivre les conseils de Bernie Kosar. Je relève discrètement les mains dans mon dos, brisant à mon tour mes fers. Quoi qu'il advienne, mieux vaut que je me tienne prêt.

Un groupe d'hommes forme un cercle autour du coffre de Neuf. L'un d'eux s'acharne à frapper le cadenas à coups de crosse, sans le moindre effet. Il persiste pourtant, l'air frustré.

« On va tenter autre chose. » L'agent spécial Walker dégaine un revolver. Elle fait feu sur le cadenas, et la balle ricoche à travers la pièce, évitant de justesse la jambe d'un des hommes.

Nez Cassé attrape Neuf par la peau du cou, le remet debout de force et le pousse en avant. Dans sa chute, Neuf est incapable de jouer la comédie et se réceptionne sur les mains et les genoux. Le type se met alors à hurler par-dessus son épaule. « Ramenez-moi une autre paire de menottes ! Celles-ci sont cassées ! »

Le menton sur la poitrine, Neuf rit tellement que tout son corps vibre. Il étire les jambes et s'amuse à faire des pompes. L'un des agents lui donne un coup de pied dans la main droite, mais Neuf continue comme si de rien n'était, sur une seule main. Le type essaie de remettre ça, et Neuf le prend de vitesse en reposant la main droite par terre. À le voir faire sa muscu, il est évident qu'il est en pleine forme. Quatre agents lui sautent dessus et lui attrapent chacun un bras et une jambe ; pourtant, Neuf continue à se plier de rire. Soudain, je me surprends à faire la même chose. Il a beau avoir un sens de l'humour bizarre, je dois bien avouer que c'est contagieux.

L'agent spécial Walker se tourne vers moi. Je lève lentement les bras de derrière mon dos, et lui montre les menottes qui pendent à mon poignet. J'agite les doigts puis les croise nonchalamment derrière ma tête, avant de me mettre à siffloter.

Elle plisse les yeux et me sert le regard le plus intimidant qu'elle ait en stock. « Tu sais ce qui arrive aux gamins comme toi, en prison ? »

J'écarquille des yeux d'agneau innocent.

« Ils s'évadent ? Comme je l'ai fait la dernière fois ? »

De sous la pile d'agents qui le plaquent au sol, j'entends Neuf hurler de rire. Je dois reconnaître que tout est beaucoup plus marrant quand il est dans les parages, et je souris de toutes mes dents. Je sais bien que ces gars essaient juste de faire leur boulot. Ils croient veiller à la sécurité de leur pays. Mais, en cet instant, je les hais. Parce qu'ils nous ralentissent, et que cette bonne femme nous fait le coup du méchant flic. Et aussi parce qu'ils ont des fusils mog. Surtout, je les hais parce qu'ils ont collaboré avec Sarah pour nous faire capturer, Sam et moi, pas plus tard que la semaine dernière. Je me demande ce qu'ils ont bien pu lui promettre, pour la contraindre à me trahir. Est-ce qu'ils ont joué sur la corde sensible ? Ou bien l'ont-ils convaincue qu'elle me sauverait, en les laissant nous emmener ? Lui ont-ils promis qu'elle pourrait me rendre visite, pendant que je paierais ma dette pour mes prétendues fautes ? Je cherche Bernie Kosar du regard, mais le papillon de nuit a disparu. C'est alors qu'un gros cafard brun et blanc m'escalade la jambe et vient se glisser dans ma poche de jean.

Neuf va continuer ce petit jeu pendant un moment, me prévient BK. *Mais je ne sais pas combien de temps. Obtiens toutes les réponses que tu pourras, et vite.*

Le chef claque dans ses mains pour attirer l'attention des autres. « OK ! Sortons ces gars de là avant que nos amis débarquent.

— Et c'est qui, nos amis ? » je demande, même si je suis déjà presque certain que, pour une raison ou une autre, le gouvernement américain et les Mogadoriens travaillent main dans la main. C'est la seule explication au fait qu'ils aient tous des armes extraterrestres entre les mains. « Qui est-ce que vous redoutez de voir débarquer ?

— La ferme ! » braille l'agent spécial Walker. Elle sort son téléphone portable et tape un numéro. « On le ramène, avec un complice, annonce-t-elle à son correspondant. Deux coffres. Non, mais on trouvera le moyen de les ouvrir. À plus tard.

— Et ça, c'était qui ? » Elle ne répond pas à ma question et range l'appareil.

« Hé, mon pote, je croyais que tu voulais acheter un aspirateur, me lance Neuf. J'ai vraiment besoin de booster mes chiffres de ventes. Mon patron va me tuer, si je rentre encore une fois avec une pleine caisse de Hoover. »

Ils le hissent de nouveau debout. Il s'étire le dos en souriant, comme un chat repu et content de lui. « Peu importe où vous nous emmenez, aucune prison n'est de taille à nous retenir. Si vous saviez qui nous sommes, vous ne perdriez pas votre temps avec ces conneries. »

L'agent spécial Walker éclate de rire. « Nous savons qui vous êtes, et si vous étiez aussi forts et aussi malins que vous le croyez, on n'aurait jamais réussi à vous trouver. »

Deux hommes s'emparent de nos coffres et les emportent à l'extérieur. On nous met de nouvelles menottes — trois paires, pour Neuf.

78

« Vous n'avez pas idée de quoi on est capables, susurre Neuf d'une voix mielleuse qui me fait froid dans le dos, tandis que nous traversons la cour. Si j'étais d'humeur, je pourrais tous vous tuer en quelques secondes à peine. Vous avez une sacrée chance que j'aie si bon fond. Pour l'instant, du moins. »

CHAPITRE NEUF

Nous arrivons à une barrière, qui donne sur un sentier étroit montant droit dans la montagne. Crayton me demande de couvrir nos arrières, tandis que Six ouvre la marche avec le commandant Sharma. Je n'arrive pas à savoir si la trahison de son homme l'a affecté. Et s'il mettra en question la loyauté de ses troupes, en reprenant ses fonctions. Je ne peux me résoudre à le lui demander directement, cela reviendrait à sous-entendre qu'il aurait dû s'en douter. Ce qui n'est pas faux, au passage.

Je porte sur moi la petite branche d'arbre que j'ai trouvée dans mon coffre. J'ai besoin de découvrir à quoi elle sert. La première fois que je l'ai tenue entre les mains – le jour où j'ai ouvert mon coffre, au couvent, quand Adelina était encore en vie – je n'avais pas eu le temps de m'en préoccuper. Je me rappelle cependant qu'en la tendant par la fenêtre du clocher j'avais ressenti une sorte de force magnétique. Instinctivement, je frotte le pouce sur la surface lisse et dénudée. Au bout d'un moment, je me rends compte que cela a un effet sur les arbres que nous croisons. Je me concentre sur un souhait précis concernant ces arbres, et bientôt j'entends leurs racines grincer et leurs rameaux vibrer. Je me retourne pour avancer à reculons sur le chemin, tout en demandant aux arbres qui le bordent de nous protéger, et brusquement ils se penchent et entrelacent leurs branches, rendant impossible à quiconque de nous suivre. Je tiens tant à ne pas être une

80

malédiction pour mes amis, je veux tellement mettre mon Héritage au service de notre cause qu'à chaque fois qu'un arbre répond à ma prière une énorme vague de soulagement me submerge.

Nous progressons en silence. À un moment, pour chasser un peu l'ennui, je chatouille le visage de Six en abaissant une branchette juste en face d'elle. Elle l'écarte distraitement sans réduire l'allure, trop concentrée sur ce qui nous attend devant. Tout en marchant, je pense à elle. À son intrépidité face aux soldats. Elle ne perd jamais son calme, elle garde la tête froide et l'esprit serein. Elle assure le commandement et prend des décisions avec un naturel incroyable. Un jour, je serai comme elle. J'en suis sûre.

Je me demande ce qu'Adelina penserait de Six – et de moi, aujourd'hui. Je me demande où j'en serais, si elle m'avait entraînée. Je sais le retard que m'ont fait prendre toutes ces années passées à l'orphelinat sans qu'elle me guide. Je ne suis pas aussi forte et confiante que Six. Je n'en sais même pas autant qu'Ella. Je tente de noyer mon ressentiment dans le souvenir de l'ultime acte de bravoure d'Adelina. Armée d'un simple couteau de cuisine, elle a chargé les Mogs sans trembler. J'essaie d'interrompre le fil de ma mémoire avant d'arriver au moment où elle meurt. Comme toujours, c'est peine perdue. Si seulement j'avais eu le courage de me battre à ses côtés, ou si j'avais su me servir de la télékinésie pour desserrer l'emprise de la main de ce Mogadorien autour de son cou. Si j'y étais parvenue, peut-être serait-elle avec nous en cet instant.

« On fait une pause ici. » La voix du commandant vient me tirer de mes pensées. Du doigt, il désigne deux rochers plats baignés par le soleil de l'après-midi. Juste derrière, j'aperçois un petit ruisseau d'eau fraîche. « Mais pas longtemps. On doit monter beaucoup plus haut avant la fin de la journée. » Il lève le nez vers le ciel.

« Pourquoi, qu'est-ce qui se passe, à la nuit tombée ? demande Six.

— Des événements très étranges. Que vous n'êtes pas encore prêts à voir. » Le militaire retire ses chaussures et ses chaussettes et remonte son pantalon sur ses mollets en le roulant avec précaution, puis s'avance dans le cours d'eau.

Après s'être déchaussé à son tour, Crayton le suit. « Vous savez, commandant, le simple fait de vous suivre sur cette montagne est déjà pour nous un acte de foi. La moindre des choses, ce serait que vous répondiez à nos questions. Nous sommes chargés d'une mission capitale. Et nous méritons votre respect.

— Mais je vous respecte, monsieur. Je ne fais qu'obéir aux ordres de Vishnu. »

Frustré, Crayton secoue la tête et pénètre plus avant dans l'eau. Je remarque qu'Ella s'est éclipsée pour s'asseoir seule sur l'un des rochers sur le bord. De toute l'excursion, elle n'a pas quitté les lunettes noires trouvées dans mon coffre, et elle profite de la pause pour les retirer et les nettoyer soigneusement avec un coin de sa chemise. Voyant que je la regarde, elle me les tend.

« Désolée, Marina, je ne sais pas pourquoi je ne veux pas les lâcher. C'est juste que...

— Ne t'en fais pas, Ella. Elles t'ont aidée à anticiper l'assaut, ce qu'aucun de nous n'aurait pu faire. On ne sait peut-être pas précisément à quoi elles servent, mais tu t'en tires très bien, avec.

— Peut-être, oui. Je me demande si je pourrais leur faire faire autre chose.

— Qu'est-ce que tu as vu, pendant qu'on marchait ? demande Six.

82

— Des arbres, encore des arbres et rien que des arbres. J'attends désespérément qu'il se passe quelque chose, ou de remarquer un détail inhabituel. J'aimerais tellement pouvoir être sûre que c'est parce qu'il n'y a rien d'inquiétant à voir. »

À sa voix, j'entends bien que ce n'est pas après les lunettes qu'elle en a, mais après elle-même. Avec la petite branche que je tiens toujours à la main, je fais pencher un gros tronc au-dessus du rocher, pour faire de l'ombre. « Eh bien, continue d'essayer. »

Ella lève les lunettes dans la lumière et, tandis qu'elle les tourne et les retourne, c'est comme si je pouvais lire dans ses pensées : sa reconnaissance à mon égard, pour lui avoir donné l'impression d'être un membre à part entière de l'équipe, et d'agir pour le bien commun.

Je jette un regard vers Six, qui s'est allongée par terre. « Et toi, Six ? Tu veux tester quelque chose, dans mon coffre ? »

Elle se relève, bâille et scrute le sentier. « Ça va, pour l'instant. Plus tard, peut-être.

— Pas de problème. » Je descends vers le ruisseau et m'asperge le visage et la nuque. Alors que je m'apprête à boire une gorgée, le commandant Sharma sort de l'eau et déclare qu'il est temps de partir. Nous nous préparons à reprendre l'ascension à flanc de montagne. Je soulève mon coffre et le hisse en équilibre sur ma hanche.

Très vite, le sentier monte beaucoup plus raide. La terre est étonnamment glissante et il n'y a plus de cailloux, comme si un orage avait récemment tout nettoyé. Nous avons tous du mal à garder notre équilibre ; Crayton essaie de courir pour prendre de l'élan, mais il dérape et finit par terre.

« C'est impossible, marmonne-t-il en se relevant et en époussetant son pantalon. Il va falloir couper par la forêt, si on veut pouvoir avancer.

— C'est hors de question, rétorque Sharma, les bras à l'horizontale comme un équilibriste. Ce n'est pas en les fuyant que nous vaincrons les obstacles. Ce n'est pas la rapidité qui importe, mais le fait de ne pas s'arrêter.

— Et tant pis si on avance comme des escargots ? Et c'est le type qui prétend qu'il se passe "des événements très étranges" à la nuit tombée qui nous donne cette consigne, ironise Six. Vous allez nous dire quelle distance il nous reste à parcourir, et s'il y en a pour plus de trois heures à pied, on coupe par la forêt et on évite les obstacles », assène-t-elle en le regardant de haut.

En contemplant la petite branche entre mes doigts, il me vient soudain une idée. Je me concentre sur les arbres alentour et leur fais baisser leurs branches de chaque côté du sentier. Et nous nous retrouvons tout à coup avec des prises pour nous tenir – l'escalade à la loric. « Et comme ça, qu'est-ce que vous en dites ? »

Six s'agrippe aux branches pour éprouver leur solidité, puis avance de quelques pas. Par-dessus son épaule, elle me crie : « Génial, Marina ! Tu assures à mort ! »

À mesure que nous grimpons, je continue à faire s'incliner les arbres. Les lunettes toujours sur le nez, Ella scrute les bois sans oublier de jeter de temps à autre un coup d'œil derrière elle. Une fois que le terrain finit par s'aplanir et que nous tenons mieux debout, Six part en courant en éclaireur devant nous. Elle réapparaît régulièrement pour faire le point, toujours le même : « Le sentier continue, rien à signaler. » Puis elle annonce une fourche, droit devant. Le commandant Sharma prend un air préoccupé et accélère l'allure.

Lorsque nous atteignons la bifurcation en question, notre guide fronce les sourcils. « C'est nouveau.

— Comment ça, c'est nouveau ? s'exclame Crayton. Les deux voies sont quasiment identiques, aussi fréquentées l'une que l'autre. »

Sharma se positionne à la pointe de l'embranchement. « Je vous promets que le sentier de gauche n'existait pas auparavant. Nous sommes très proches de Vishnu. Par ici. » Il s'engage d'un pas déterminé dans le chemin de droite, et Crayton le suit.

« Attendez, intervient Ella. Je ne vois strictement rien, devant nous, à droite. Les lunettes ne montrent qu'un trou noir.

— C'est tout ce que j'avais besoin d'entendre, tranche Six.

— Non. On va à droite, insiste le commandant. Je connais ce trajet par cœur, ma chère. »

Six s'immobilise, et se tourne très lentement vers lui. « Je vous conseille de ne plus jamais m'appeler *ma chère* », le met-elle en garde.

Tandis qu'ils se toisent du regard, je suis alertée par un motif griffonné dans la terre, au début du sentier de gauche. Le signe ne mesure pas plus d'une vingtaine de centimètres, et je dois l'inspecter de près pour en avoir le cœur net, mais il n'y a aucun doute. Il s'agit du nombre huit.

« Si on en croit *ceci*, c'est Ella qui a raison. On prend à gauche », j'affirme en désignant la terre du doigt.

Six s'approche de la marque et souligne le chiffre du bout de sa chaussure. « Tu as l'œil, Marina. » Crayton vient voir à son tour, et sourit.

Nous reprenons nos positions, Six en tête avec un commandant Sharma plus que réticent, et moi qui ferme la marche. Le sentier se remet à monter légèrement, et les affleurements rocheux réapparaissent. Puis, à la surprise générale, un cours d'eau se met à couler devant nous, dévalant la pente. Bientôt, les cailloux sous nos pas deviennent des îles minuscules. Je saute de l'un à l'autre, mais en quelques minutes les pierres sont submergées et nous nous retrouvons au milieu d'une rivière.

C'est Ella qui brise le silence. « Peut-être que les lunettes se sont trompées. Peut-être que ce n'était pas le bon chemin, après tout.

— Si. C'est correct, nous informe Sharma, en se penchant pour effleurer la surface de l'eau du bout des doigts. J'ai déjà vu ce signe auparavant. » Aucun de nous n'a la moindre idée de ce qu'il entend par cette déclaration énigmatique, mais maintenant que nous sommes arrivés là, autant continuer.

Le flot gagne en force et en rapidité et nous avons du mal à lui résister. Nous nous hissons plus haut sur le sentier – Ella a de l'eau jusqu'à la taille, et moi je tiens difficilement debout. Brusquement, le courant ralentit aussi mystérieusement qu'il avait accéléré sa course et le terrain s'aplanit pour ouvrir sur une vaste étendue d'eau. Au bout de ce lac se dresse un haut mur de pierre, du sommet duquel dégringolent quatre cascades.

« Qu'est-ce que c'est que ça ? » demande Ella en tendant le bras.

Au milieu de l'immense nappe liquide, un énorme rocher blanc fait saillie. Une statue d'un bleu étincelant représentant un homme couronné à quatre bras domine les eaux.

« Le tout-puissant Seigneur Vishnu, murmure le commandant Sharma.

— Attendez une seconde. C'est censé être Huit, ça ? Une statue ? lance Six en se tournant vers Crayton.

— Qu'est-ce qu'il a, dans les mains ? » intervient Ella. Je suis son regard et constate que la statue tient un objet dans chacune de ses paumes : une fleur rose, un coquillage blanc, un bâton en or, et, au bout de l'un de ses index, un petit disque bleu qui ressemble à un CD.

Le commandant pénètre plus avant dans le lac. Il sourit, et il a les mains qui tremblent. Il se tourne vers nous. « Vishnu est le Dieu Suprême. Dans ses mains gauches, vous voyez une conque, pour montrer qu'il détient le pouvoir de créer et de maintenir l'univers ; en dessous, c'est une massue, pour signifier qu'il peut détruire les tendances matérialistes et démoniaques. Dans ses mains droites, il y a le chakra, qui représente son âme spirituelle et purifiée, et dessous, c'est une belle fleur de lotus.

— Symbole de pureté et de perfection divines, complète Crayton.

— Entre autres, oui ! C'est exact, monsieur Crayton. Très bien. »

Je fixe la statue, avec son visage bleu et serein, sa couronne dorée et les objets entre ses mains, et je me surprends à oublier tout le reste. Aussi bien le combat au pied de la montagne que le carnage, en Espagne. J'oublie Adelina, John Smith et Héctor. Mon coffre, Lorien, et même le fait que je me trouve debout dans l'eau froide. L'énergie qui me parcourt est magnifique. Et, à en juger par l'expression paisible des autres, cet état est contagieux. Je ferme les yeux et me sens bénie d'être ici.

« Hé ! Il a disparu ! » hurle Ella. J'ouvre les paupières et la vois arracher les lunettes de ses yeux. « Vishnu a disparu ! »

Elle a raison – le rocher blanc au milieu du lac est nu. Je me tourne vers Six et Crayton et constate qu'ils sont en alerte maximale, prêts à affronter le danger. Je scrute les alentours. Serait-ce un piège ?

« À présent, il va vous mettre à l'épreuve », annonce le commandant. Il est le seul d'entre nous que la disparition de la statue n'a pas l'air d'affoler. « C'est pour cela que je vous ai amenés ici. »

Nous l'apercevons tous au même moment. Perchée en haut du mur, une silhouette noire obstrue la lumière du soleil, et son ombre étrange s'étire sur l'eau. La forme avance lentement sur la crête, jusqu'en haut de la cascade située le plus à gauche.

« Commandant, qu'est-ce que c'est que *ça* ?

— Votre première épreuve », me répond-il en remontant sur la rive herbeuse du lac. Nous le suivons tous sans quitter la créature des yeux.

C'est alors qu'elle plonge avec grâce de la falaise. Je remarque que ses jambes sont étonnamment courtes et son torse, large et circulaire. Elle tombe au ralenti, comme si elle maîtrisait la gravité, et traverse la surface de l'eau sans produire une seule éclaboussure, pas un remous. Six se saisit du pendentif bleu qui pend à son cou. Ella recule de quelques pas, s'éloignant du lac.

« Ça pourrait très bien être un traquenard, suggère Crayton à voix basse, et c'est exactement ce que je redoute moi-même. Préparez-vous à combattre. »

Six relâche son pendentif et frotte les paumes de ses mains l'une contre l'autre. Je repose mon coffre pour singer ses mouvements, mais très vite je me sens ridicule et vérifie d'un coup d'œil que personne ne m'a vue faire. À l'évidence, ils ont d'autres préoccupations. Le truc, c'est que Six sait se battre, elle s'est entraînée toute sa vie pour ça. Chacune de ses actions a un but précis, alors que moi, je suis juste en train de me frotter les mains. Lentement, je redescends les bras le long du corps.

« Il vous prendra un par un, annonce le commandant, et Six ricane.

— Ce n'est pas vous qui dictez les règles. Pas avec nous. » Elle se tourne vers Crayton, qui acquiesce.

« Commandant, nous ne sommes pas venus pour ça, explique-t-il. Nous sommes ici pour trouver notre ami, pas pour un examen ou pour nous battre. »

Sharma fait mine de ne pas l'avoir entendu et va s'asseoir sur un petit carré d'herbe. Jamais je ne l'aurais cru assez souple pour s'entortiller en position du lotus. « Il faut que ce soit un par un », répète-t-il d'une voix sereine.

L'être qui a plongé dans le lac est toujours sous l'eau. Et je suis la seule dont le Don lui permette de l'y rejoindre. Je sais ce que j'ai à faire. Pourtant, je me surprends moi-même lorsque j'ouvre la bouche. « J'irai la première. »

Je jette un œil à Six. Elle m'adresse un signe de tête et je plonge dans le lac. Plus je descends, plus l'eau fraîche s'assombrit. J'ai les yeux ouverts, et je ne vois d'abord devant moi que la vase en suspension, et pas au-delà de quelques centimètres. Puis ma vision s'ajuste à l'environnement et ma capacité à voir dans le noir se révèle bien utile. Je laisse l'eau noyer mes poumons et une sensation familière de calme m'envahit. Je me mets à respirer normalement, me reposant entièrement sur mon Don.

J'atteins le fond bourbeux et fais volte-face, cherchant dans toutes les directions la moindre trace de ce qui a sauté de la falaise. Je perçois du mouvement au-dessus de mon épaule droite ; je me tourne de nouveau et vois une silhouette s'avancer vers moi. Il porte une couronne en or sur ses cheveux courts noirs de jais. Ses sourcils dessinent des demi-cercles parfaits et il a le nez percé d'un anneau d'or. Il est d'une beauté étrange. Je ne parviens pas à détacher le regard de ce garçon.

Je me tiens parfaitement immobile, dans l'attente de voir ce qu'il veut. Il se rapproche et, lorsqu'il arrive à quelques mètres de moi, je le distingue plus clairement et me retrouve bouche bée. Ce que j'avais pris pour un torse arrondi est en fait le corps d'une tortue. Je suis fascinée, à tel point que je suis prise au dépourvu lorsqu'il se jette sur moi et me frappe de ses deux bras droits.

Je m'envole en vrille vers l'arrière, propulsée par une force qui me coupe le souffle. Mes pieds heurtent rapidement le fond boueux et je le cherche désespérément dans l'obscurité, paniquée et tous les sens en alerte. Quelque chose me tape sur l'épaule et je me retrouve face à l'homme-tortue bleu. Bon sang, il est rapide. Il m'adresse un clin d'œil, puis balance ses deux bras gauches, mais cette fois-ci, je suis parée. Je lève l'avant-bras et le genou et bloque le coup. Puis je pose le pied à plat sur son torse et pousse aussi fort que je le peux. Je fais un salto et l'attaque par l'arrière. J'enroule le bras autour de son cou et cherche du regard n'importe quoi qui pourrait me servir d'arme. J'aperçois un gros rocher qui affleure dans la boue juste devant nous, et j'utilise la télékinésie pour le projeter contre la tortue extraterrestre, en y mettant toutes mes forces pour lutter contre l'inertie de l'eau. La créature voit le projectile arriver, et pile au moment où il va la heurter, elle disparaît. Pouf. C'est moi que le rocher percute, et je m'affale dans la boue.

Je reste allongée là, abrutie, à attendre de le voir réapparaître, mais il ne se passe rien. Je finis par remonter à la surface.

La première chose que j'aperçois en émergeant, c'est Six, debout au bord de l'eau, qui me cherche. « Qu'est-ce qui s'est passé ? s'exclame-t-elle.

— Elle a réussi, annonce le commandant Sharma avec un hochement de tête.

— Ça va ? me crie Ella. Même avec les lunettes, je ne voyais rien.

— Je vais bien. » Et c'est vrai.

« Comment ça, elle a réussi ? intervient Crayton. C'était l'une de ses épreuves ? »

Notre guide élude la question et se contente de sourire sereinement. « À qui le tour ? »

Du regard, je suis le doigt du commandant jusqu'au point qu'il désigne, au-dessus de ma tête. Je me tourne et aperçois une nouvelle silhouette au sommet de la paroi rocheuse. Cette fois-ci, c'est un géant barbu armé d'une hache.

Six entre dans l'eau jusqu'aux genoux au moment où j'en sors en essorant mes longs cheveux noirs. Avec une détermination de fer et une confiance imperturbable, elle annonce : « Moi. »

Le géant s'avance jusqu'à la troisième cascade et plonge. Cette fois-ci, l'impact soulève une immense gerbe. Nous voyons la surface onduler tandis qu'il s'approche de Six sous l'eau. Puis la pointe de sa hache émerge, suivie de sa tête massive. Six ne bronche pas, reste totalement impassible, même lorsque, une fois émergé, le monstre mesure au moins un mètre cinquante de plus qu'elle.

Il grogne puis balance sa hache dans un rugissement. Six esquive d'un bond, et avant que le géant ait pu reculer, du talon elle brise en deux le manche de son arme.

« Bien joué, Six ! » hurle Ella.

L'ennemi riposte par un uppercut, qu'elle évite sans mal en se baissant avec agilité. Elle enchaîne par un coup de pied dans la rotule. Le colosse se plie en deux en mugissant de douleur, et Six en profite pour se saisir du manche brisé qui flotte tout près et le lui envoyer à la tête. Juste avant qu'il l'atteigne, la créature disparaît.

« Qu'est-ce que c'était que ça, bon sang ? » Six agite la tête en tous sens, au cas où le combat ne serait pas terminé.

Avec son éternel sourire placide, ce Sharma commence vraiment à me taper sur les nerfs. « C'était encore une épreuve, et vous l'avez réussie. Il en reste une. »

Avant que quiconque ait pu répliquer, nous entendons un vagissement. Frappée d'horreur, je recule devant la vision que je vois émerger de l'eau. Elle mesure plus de trois mètres de haut, avec une tête de lion sur un corps d'homme, et cinq bras musclés fléchis de chaque côté. La créature s'ébroue pour chasser l'eau de sa crinière, puis sort du lac et se dirige vers Ella en émettant un deuxième rugissement.

« Oh, mon Dieu, laisse échapper la petite, bouche bée et les yeux écarquillés.

— Non, objecte Crayton en s'interposant devant elle. Tu n'es pas prête pour ça... C'est trop. »

Elle pose la main sur le bras de son père et un petit sourire se dessine sur ses lèvres – l'enfant apeurée se transforme sous nos yeux en Gardane parée au combat. « Tout va bien. Je peux y arriver. »

Six vient se ranger à côté de moi. Nous nous tenons prêtes à intervenir, si les circonstances l'exigent. Alors que la créature s'approche d'elle, Ella chausse de nouveau mes lunettes. Et c'est l'assaut.

La bête frappe de ses dix bras, qu'Ella réussit tous à éviter en se baissant, comme si elle anticipait chaque offensive. C'est l'arbre derrière elle qui reçoit les coups, et de gros éclats de bois volent autour d'elle, venant percuter la tête de la bête et rebondissant sur son torse. Sans fuir mais sans répliquer non plus, Ella tourne autour du tronc. Soudain, elle pousse un cri : « Oh non ! Qu'est-ce que j'ai fait ? »

Nous restons interdits et entendons bientôt un gigantesque craquement, et l'arbre plonge vers l'avant. Alors qu'il va écraser la créature, cette dernière disparaît, comme les deux précédentes. Le tronc poursuit sa chute et l'une des branches s'accroche aux lunettes d'Ella, qui tombent et se font écraser sous la masse. « Marina, je te demande pardon ! Je savais que les lunettes allaient être cassées, mais je ne savais pas comment l'empêcher ! »

Crayton, Six et moi accourons vers elle, tandis qu'elle contemple avec horreur les fragments de verre à ses pieds. « Ella ! Ne t'inquiète pas pour ça. Tu as fait ce qu'il fallait, et la bête a disparu. Le plus important, c'est que tu ailles bien. Je suis tellement fière de toi.

— Ella, c'était génial ! confirme Six.

— Félicitations, intervient le commandant, toujours calmement assis en lotus, comme un Bouddha. Vous venez de vaincre trois des avatars de Vishnu. Vous avez réussi cette épreuve. Le premier était Kurma, mi-homme, mi-tortue, qui baratta la mer de lait pour donner naissance à d'autres dieux pacifiques. L'homme armé d'une hache, c'était Parashurama, le premier saint guerrier. Et le dernier était l'incarnation la plus puissante de Vishnu, Narasimha, l'homme-lion. À présent, attendons l'arrivée de Vishnu.

— Il y en a marre, d'attendre, aboie Crayton, la mâchoire tendue et les poings serrés le long du corps. Il a intérêt à se montrer, et vite.

— Du calme, du calme, lance une voix de garçon, depuis les hautes herbes derrière nous. Le commandant ne faisait que suivre mes ordres. Je préférais me montrer prudent. »

Nous nous retournons tous et voyons la statue de Vishnu venir vers nous, vivante et souriante.

« J'attends depuis longtemps de vous rencontrer. »

CHAPITRE DIX

Assis sur une chaise en métal, je suis parqué dans un cube de plexiglas à l'arrière d'un petit fourgon. On m'a menotté les mains à la chaise et passé de lourdes entraves aux chevilles. Une bande de cuir en travers du front me maintient la tête plaquée au mur transparent derrière moi. Je fais face au côté du véhicule, mais je peux tourner la tête suffisamment pour voir Neuf, lui aussi dans une cage, à deux mètres de la mienne. Face à moi, un garde nous surveille. Je pourrais me libérer en un clin d'œil, mais je sais que BK, toujours caché dans ma poche, a raison. Il faut attendre de voir ce qu'ils savent, et en quoi cela pourra nous être utile. Neuf a l'air d'accord, car il lui serait encore plus facile qu'à moi de briser ses liens, et il n'en fait rien. Nos cages sont fermées par un réseau de cadenas et notre seul moyen de communication, ce sont les huit trous minuscules dans l'épais plexiglas, qui nous permettent de respirer. Le moteur du fourgon vibre, mais on n'a pas bougé d'un centimètre.

L'agent spécial Walker est assise sur un long banc métallique à l'avant du camion, un pied sur mon coffre, l'autre sur celui de Neuf. Un fusil mogadorien repose sur ses genoux. L'homme au nez de travers est assis à côté d'elle, armé du second canon. Walker discute à voix basse au téléphone. De temps à autre, elle jette un regard vers nous, et je comprends presque ce qu'elle dit, du moins je surprends les mots *petit copain* et *sans défense*. Je me rappelle avoir entendu Neuf se vanter dans la montagne d'avoir une ouïe qui portait sur des kilomètres. J'espère qu'il est plus efficace que moi.

« Hé, John ! »

Le garde se tourne vers l'autre cage et pointe son fusil sur la tête de Neuf. « Toi ! La ferme ! »

Neuf ne cille pas. « Johnny ! Quand est-ce que tu veux qu'on se tire d'ici ? Je ne sais pas pour toi, mais moi je m'ennuie puissamment. Je ne serais pas contre un petit changement de décor. » Il aime vraiment mettre les gens en rogne. J'avoue que je commence à comprendre pourquoi.

L'agent spécial Walker referme le clapet de son portable et se pince la base du nez comme une institutrice ou une mère de famille exaspérée, et l'épuisement qui se lit sur son visage entame pas mal son autorité. Puis elle inspire profondément et se redresse sur son siège, comme si elle venait de prendre une décision. Elle tape sur la vitre qui la sépare de la cabine, pour faire signe au chauffeur de démarrer.

Alors elle se lève et se dirige vers nous, le fusil au-dessus de la tête pour s'équilibrer. Elle s'immobilise face à moi. Il y a une lueur nouvelle dans ses yeux, comme si elle regrettait de nous avoir attrapés. Ou bien de devoir passer aux choses sérieuses. Peut-être les deux.

« Comment nous avez-vous trouvés ? je demande.

— Tu le sais très bien. »

Le bracelet m'enserre toujours le poignet. Il m'a laissé en paix quelques minutes, mais dès que l'agent spécial ouvre la bouche, il se remet à bourdonner.

Neuf se remet à hurler. « Hé ! Je ne blaguais pas, en disant que je m'ennuyais. Je n'ai plus du tout envie d'être sympa. Ça dépend de vous, mais je voulais quand même que vous sachiez que je ne vais pas tarder à décider de m'amuser un peu. Alors vous pouvez nous dire tout ce que vous savez maintenant, ou bien je vais sortir de là pour vous cuisiner à la sauvage. Et devinez l'option qui me ferait le plus marrer ? »

Le type au nez tordu se lève lentement du banc et pointe directement son arme sur Neuf. « Tu te prends pour qui, gamin ? Tu n'es pas en position de nous menacer.

— Quels que soient vos projets, je peux vous assurer que j'ai connu pire.

— Je sais exactement ce qui t'est arrivé avant. Tu n'as toujours pas pigé ? On sait tout. » La bravade de Neuf l'agace visiblement.

« Agent Purdy, ordonne Walker, baissez votre arme. Immédiatement. »

L'homme s'exécute et je décide de m'amuser. J'imagine que c'est Neuf qui déteint sur moi. Je me sers de la télékinésie pour arracher le fusil des mains du type et l'envoyer voler à l'arrière du fourgon. Il percute la porte arrière avant d'atterrir au sol dans un grand fracas métallique. À cet instant précis, nous prenons un virage serré et l'agent Purdy trébuche dans ma direction, venant s'écraser l'épaule droite contre ma cage. Toujours par la télékinésie, je le maintiens collé à la paroi.

« Fils de…

— Personne ne vous a dit de toujours attacher votre ceinture, agent Curly ? le charrie Neuf. La sécurité avant tout ! Tenez, prenez une des miennes. Il faut juste que vous veniez la chercher là-dedans.

— J'ignore comment vous faites ça, mais vous avez intérêt à arrêter », réplique l'homme. Il a beau essayer de nous impressionner, difficile d'avoir l'air menaçant, dans une posture pareille.

Je me penche en avant et fais sauter sans mal le bandeau qui me retient le front. Fini de jouer. « Agent Purdy, savez-vous où se trouve Sam Goode ?

— C'est nous qui détenons Sam », répond sa collègue en se tournant vers moi. Elle parle d'un ton détaché, pourtant son fusil est pointé droit sur moi.

Pendant une seconde, je suis tellement soufflé par cette information inattendue que j'ai comme une absence et que, sans le vouloir, je relâche l'agent Purdy, qui heurte le côté du camion.

Ils auraient Sam ? Setrákus Ra ne serait donc pas en train de le torturer dans cette grotte, comme je l'ai déduit de ma vision ? Il irait bien ? Alors que je m'apprête à demander où il est, je remarque que les points lumineux qui tourbillonnent à l'intérieur de l'arme de l'agent spécial Walker sont passés du vert au rouge et au noir.

En remarquant mon air alarmé, elle m'adresse un large rictus. « Avec un peu de chance, *John Smith*, ou quel que soit ton nom, tu pourras même visionner une vidéo qui montre comment on s'entraîne aux techniques d'interrogatoire sur ton ami Sam. Et si tu y mets vraiment du tien, on te laissera peut-être regarder quelques morceaux choisis de ta petite copine blonde. Rappelle-moi son nom ?

— Ooooooh, merde », lâche Neuf. À sa voix, j'entends qu'il sourit jusqu'aux oreilles, car il devine la suite. « Là vous allez vraiment me l'énerver, mon Johnny. »

Il me faut quelques secondes pour retrouver ma voix. « Sarah, je murmure. Qu'est-ce que vous êtes allés lui raconter, pour la retourner contre moi ? »

L'agent Purdy récupère son arme et va se rasseoir à sa place. « Tu plaisantes ou quoi ? Cette fille n'a rien voulu nous dire, et crois-moi, on lui a posé *un tas* de questions, et on s'est montrés *très* convaincants. Elle n'avait rien à nous dire. Elle est *amoureuse*. »

De nouveau, c'est comme un électrochoc. J'étais tellement certain que Sarah collaborait avec le gouvernement. Quand je l'ai vue la semaine dernière, à Paradise, elle s'est comportée de manière si étrange. Elle m'a retrouvé dans le parc, et ensuite elle s'est mise à recevoir ces mystérieux textos – à deux heures du matin. Et trois secondes plus tard, on se faisait cerner et plaquer au sol par des agents fédéraux. Je ne trouve pas d'autre explication. C'était forcément ces textos – ils provenaient de la police. Sinon, comment auraient-ils pu savoir que nous étions là, Sarah et moi ? Bon sang. Maintenant je ne sais plus quoi penser. Et en plus elle serait amoureuse de moi ?

« Où est-elle ?

— Loin, très loin, répond l'agent spécial Walker, et je me demande si elle se paie ma tête.

— Qu'est-ce qu'on en a à faire, mec ? hurle Neuf. Vois plus grand, Johnny, vois plus grand ! Elle n'est pas dans le décor ! Et Sam non plus ! »

Je préfère l'ignorer. À présent que je sais que le gouvernement américain détient Sam *et* Sarah, je suis bien décidé à les retrouver tous les deux. Tandis que je réfléchis à une stratégie, à une question à poser, je sens Bernie Kosar se glisser hors de ma poche de jean.

Il est presque temps d'y aller, m'interrompt-il. *On emmènera la femme pour qu'elle nous conduise à Sam et Sarah.*

« Neuf, prêt à partir d'ici ?

— Bon sang, oui. Ça fait des plombes que je suis prêt. Il faut vraiment que j'aille pisser. »

Le regard de l'agent Walker va de l'un à l'autre tandis qu'elle essaie de décider vers qui pointer son arme. L'agent Purdy se relève et nous menace lui aussi tour à tour. Le garde au fond du camion nous tient en joue.

« S'ils bougent, tirez où vous voudrez, mais évitez les organes vitaux ! » ordonne Purdy en se rapprochant de Walker.

Bernie Kosar saute de mes genoux et remonte en rampant jusqu'à la porte de verre. Il fait vibrer ses minuscules ailes de blatte vers moi et me dit de compter jusqu'à cinq.

« Hé, Neuf ?

— Je suis déjà à trois, mon pote ! »

Walker nous crie de la fermer. Mon bracelet vibre et m'envoie des milliers de micro-décharges dans le poignet, que je m'efforce d'oublier. D'une pichenette, Neuf brise tous ses fers et se lève. Je fais de même, avec un peu plus d'efforts. Il balance un coup de pied dans la paroi en plexiglas en face de lui et la cage s'ouvre comme une boîte. Au moment où il sort, le garde fait feu. Avec un sourire, Neuf lève la main et immobilise les balles en plein vol. Il baisse la paume et, un par un, les projectiles tombent au sol. Puis il se tourne vers moi.

« Besoin d'un coup de main, l'ami ? » Il fait subir le même sort à ma cage qu'à la sienne, et je m'en extirpe à mon tour, tandis que BK se réfugie de nouveau au creux de ma poche.

Avant que le garde ait pu réagir, je le soulève par la télékinésie et le lance au plafond, sans oublier au passage de plier son arme, la réduisant à un bout de métal inutile. Les agents Walker et Purdy pressent la détente de leurs canons mog, mais Neuf arrête les flots lumineux qui s'en échappent. Tout sourire, il secoue le doigt d'un air de réprimande. « Non, non, non. Vous devriez pourtant le savoir, après tout ce temps. Tiens-toi prêt, Johnny, ajoute-t-il en me jetant un regard par-dessus son épaule. Parce qu'on part en balade ! »

Au même instant, le camion décolle de la route et se met à faire des tonneaux. Sans prévenir, Neuf m'attrape, me tirant derrière lui jusqu'à ce que j'aie retrouvé mon équilibre. Nous courons sur la paroi gauche du camion, en trottinant comme des hamsters dans une roue pour rester à l'horizontale, tandis que le véhicule culbute. Autour de nous, le métal plie, des étincelles jaillissent, et les trois flics ressemblent à des poupées de chiffon dans une machine à laver. La violence de l'impact fait s'ouvrir les portes arrière, et dès que le camion s'immobilise nous bondissons à l'extérieur. La horde de voitures de police qui nous suivait s'est arrêtée en épis, toutes sirènes hurlantes.

« Hé, John ? m'appelle Neuf, visiblement peu ému par le spectacle.

— Ouais ? » Je secoue la tête pour dissiper le vertige de notre course en apesanteur. Nous n'arrivons pas à quitter des yeux l'essaim de gyrophares.

Il recule vers le fourgon, et je l'imite. « Il faut qu'on récupère nos coffres, mec, et qu'on fasse ce que BK a dit, qu'on emmène la femme.

— C'est clair. » Je tapote ma poche pour vérifier que Bernie Kosar est toujours là.

« Alors pourquoi tu t'occupes pas de ça, pendant que moi je gère *ça* ? » Par la télékinésie, il soulève deux voitures de patrouille du sol, et je vois les agents à l'intérieur gesticuler pour sortir.

Je fonce vers le fourgon, tas de ferraille fumant renversé dans le fossé. Je saute à bord en évitant le garde et l'agent Purdy qui gémissent au sol, et je trouve nos coffres. L'agent spécial Walker est assise contre ce qu'il reste du banc, et elle contemple le sang sur ses mains d'un air effaré. Ses cheveux roux lui dégringolent sur les épaules et une longue entaille lui barre la joue. Sous ses jambes, le fusil mog n'est plus qu'une pile de pièces détachées. Elle me regarde me hisser les coffres sur les hanches, et je mets un genou en terre devant elle.

« Vous venez avec nous. » Ce n'est pas une question.

Elle ouvre la bouche pour me répondre, et un filet de sang lui coule sur le menton. C'est seulement alors que j'aperçois la barre métallique qui lui sort de l'épaule. Je pose un des coffres et tente de la faire lever, mais elle pousse un gémissement et se met à tousser encore plus de sang. Je la lâche, craignant de la voir se vider et mourir avant de m'avoir dit où se trouvaient Sam et Sarah.

« Où sont-ils ? Dites-le-moi maintenant ! Vous allez mourir d'une seconde à l'autre, et moi j'essaie juste de sauver la Terre, et mes amis. Alors, parlez ! Où sont Sam et Sarah ? »

Elle tourne mollement la tête dans ma direction et ses yeux verts s'écarquillent brusquement, comme si elle me voyait pour la première fois. Dehors, les tirs se rapprochent. « Tu… tu es un extraterrestre », finit-elle par murmurer.

De frustration, j'envoie un coup de poing dans la paroi du camion. « Ouais ! Mais je suis là pour vous aider, à condition qu'on veuille bien me laisser faire ! Maintenant, tant qu'il vous reste un peu de temps et de souffle, dites-moi où ils sont. À Washington ? »

Sa respiration se fait saccadée et on dirait qu'elle ne me voit et ne m'entend plus. Je suis en train de la perdre, et je n'ai toujours pas réussi à lui soutirer la moindre information. Je lui demande une dernière fois, d'une voix suppliante : « Dites-moi où ils sont. Je vous en prie. » Nos regards se croisent et je perçois qu'elle a compris.

Sa bouche s'ouvre et il lui faut plusieurs essais pour retrouver du timbre. « À l'ouest, au... », puis sa voix devient traînante et elle ferme les yeux. Ses mains sanguinolentes se crispent une seconde, avant de se relâcher pour de bon ; puis tout son corps s'affaisse.

« Attendez ! Tenez bon ! » J'attrape frénétiquement mon coffre pour y prendre une pierre guérisseuse. Je n'ai plus qu'une obsession, la soigner pour qu'elle puisse me dire où ils sont. J'ai à peine saisi le cadenas qu'un groupe de policiers bondit par les portes ouvertes du fourgon, arme au poing.

« Éloigne-toi de l'agent ! Dégage ! Ou bien on tire ! À plat ventre ! Les mains derrière le dos ! Sur-le-champ ! » Ils m'aboient des ordres, auxquels je ne peux pas obéir. Je ne veux pas obéir. Je dois trouver cette pierre guérisseuse, il faut que je sache ce que cette femme s'apprêtait à dire. Je plonge la main dans le coffre ouvert, et j'entends les flics répéter : « Les mains en l'air. Mains en l'air ! MAINS EN L'AIR ! » Je n'écoute rien et continue de fouiller.

J'entends le premier coup de feu, suivi de dizaines d'autres. Tandis qu'une grêle de balles volent autour de moi, mon poignet se met à picoter plus fort que jamais. Je n'ai plus mal, et le bracelet s'étend brusquement, me recouvrant bientôt tout le bras d'un matériau rouge qui s'ouvre comme un parapluie. Je n'ai aucune idée de ce qui se passe, et je ne suis pas en état de m'en soucier. Je ne pense qu'à la pierre et au corps inerte de Walker, si proche et pourtant si inutile. Soudain, je comprends que je suis derrière un bouclier de deux mètres de haut qui s'enroule au-dessus de ma tête et sous mes pieds, et sur lequel les balles ricochent.

Un vacarme de coups de feu éclate, et il faut plusieurs minutes pour que les impacts s'espacent, comme du pop-corn dans un four à micro-ondes. Lorsque les tirs s'arrêtent enfin, le matériau rouge se rétracte dans le fourreau sur mon bras, puis le tout rétrécit jusqu'à reprendre la forme du bracelet à mon poignet. Je le contemple, ébahi par son efficacité et son sens de l'urgence.

Walker gît toujours inconsciente à mes pieds. Les hommes qui me tiraient dessus dans le camion ont à présent disparu, mais j'entends des détonations dehors. Je suis déchiré entre le besoin de chercher ma pierre guérisseuse pour ranimer Walker et l'instinct de sortir pour voir si Neuf a besoin d'aide. Je veux la réveiller, la forcer à me dire où sont Sam et Sarah, toutefois je ne peux abandonner Neuf s'il a des ennuis. Je décide finalement de faire attendre Walker – à l'évidence, elle n'ira nulle part, et je n'ai qu'à espérer qu'elle ne meure pas dans mes bras. Je prends un coffre sur chaque hanche et sors du camion. À peine dehors, je vois les policiers qui s'enfuient dans la direction opposée. J'ignore ce que Neuf a trafiqué pendant que je faisais connaissance avec mon bracelet, mais ces types ont l'air terrifiés.

« Euh, Neuf ? Qu'est-ce que tu leur as fait, exactement ? »

Il m'adresse un large sourire. « Je me suis juste servi de ma télékinésie pour les soulever à dix mètres dans les airs. Puis je leur ai donné le choix : monter plus haut, ou prendre leurs jambes à leur cou. Sage décision, tu ne trouves pas ?

— Visiblement, ils ont su faire le bon choix.

— Hé, je croyais qu'on emmenait la femme avec nous ?

— Elle est toujours à l'intérieur – inconsciente. J'allais la soigner avec ma pierre guérisseuse, mais je voulais vérifier que ça allait pour toi.

— Mec, tu t'inquiétais pour *moi* ? J'ai géré, comme tu vois. Il faut qu'elle nous dise où aller ! Je te rappelle que c'est toi qui ne veux rien faire avant d'avoir récupéré tes amis ! » Neuf ramasse une mitraillette et tire en l'air. « Rentre là-dedans et ramène-la ! Je reste ici, à jouer avec l'arsenal. »

Les policiers continuent de battre en retraite, certains se cachent derrière les arbres qui bordent la route. Neuf pointe le fusil au-dessus de leurs têtes. La crosse lui secoue l'épaule et les balles volent dans les hautes branches. En retournant au camion, je l'entends glousser, ravi du spectacle.

J'ouvre mon coffre et en sors la pierre, puis je rampe vers l'agent Walker pour mesurer l'ampleur de ses blessures.

Elle n'est plus là. J'inspecte les environs, au cas où elle aurait réussi à se lever et à s'éloigner. Je suis complètement interdit : il n'y a rien à voir, il n'y a plus personne. Les corps qui se trouvaient ici il y a quelques minutes à peine ont disparu. Merde.

Je suis furieux contre moi-même. Je n'arrive pas à croire que j'aie pu foirer à ce point. Non seulement on ne sait toujours pas où sont retenus Sam et Sarah, mais il est probable que Walker et Purdy sont quelque part dans la nature, toujours à nos trousses.

CHAPITRE ONZE

Numéro Huit est assis dans l'herbe. Derrière lui, le lac est paisible et immobile. « On me désigne par de nombreux noms. Certains m'appellent Vishnu, pour d'autres je suis Paramatma ou Parameshwara. On me connaît aussi par mes dix avatars, parmi lesquels les trois que vous avez rencontrés et combattus. Avec brio, je dois avouer.

— Si ce sont tes avatars, ils font partie de toi. Ce qui veut dire que c'est *toi* qui as ressenti le besoin de déclarer la guerre à trois filles qui essayaient seulement d'entrer en contact avec toi, aboie Crayton. Tu es censé incarner un dieu pacifique, tu te rappelles ?

— Tu vas devoir t'expliquer », conclut Marina.

Il ne paraît pas ému par notre colère et ne bouge pas d'un cil. « Il fallait que je sois certain que vous étiez bien qui vous prétendiez. Et que vous étiez prêts à me rencontrer. Mes excuses si je vous ai blessés, au propre et au figuré. Vous avez toutes fait vos preuves, si cela peut vous réconforter. »

J'en ai assez. Je suis fatiguée et j'ai faim. Sans parler du fait que j'ai dû traverser la planète *et* affronter une armée entière pour arriver jusqu'ici. J'exige des réponses. Je me lève, les poings serrés. « Je vais te poser une question, et si tu n'y réponds pas directement, nous partons. Ceci n'est pas une discussion philosophique ; et tu n'avais aucun droit de nous mettre à l'épreuve. Es-tu, oui ou non, Numéro Huit ? »

Il lève les yeux vers moi et pince les lèvres. Sa peau passe du bleu au brun. Il secoue la tête et la couronne tombe à terre. Ses cheveux courts se transforment en une tignasse de boucles hirsutes. Deux de ses bras disparaissent et, en quelques secondes, c'est un adolescent torse nu qui se tient face à nous, assis sur l'herbe. Le commandant Sharma le contemple bouche bée.

Il est plutôt mince et bronzé. Avec ses lèvres pleines et ses épais sourcils noirs, je dois avouer qu'il est plutôt canon. Autour de son cou j'aperçois un pendentif bleu loric.

Il est l'un des nôtres.

Il se tourne vers Crayton, qui laisse échapper un long soupir. Alors qu'il s'apprête à parler, le garçon le prend de vitesse.

« Mon Cêpane m'avait baptisé Joseph, mais j'ai souvent changé de nom, depuis. Dans cette région, la plupart des gens m'appellent Naveen. » Il marque un temps d'arrêt et me fixe, avant de relever le bas de son pantalon en loques pour exhiber les cicatrices de Un, Deux et Trois autour de sa cheville. « Et si vous voulez vous la jouer loric à fond, oui, vous pouvez m'appeler Numéro Huit. »

La colère qui bouillonnait en moi disparaît d'un seul coup. Nous avons trouvé un autre Gardane. Soudain, nous sommes plus forts.

Crayton s'avance pour lui tendre la main. « Nous te cherchons depuis longtemps, Numéro Huit. Et nous avons fait un sacré voyage, pour te trouver. Je suis Crayton, le Cêpane d'Ella. »

Huit se lève pour lui serrer la main. Il est grand, et chacun des muscles de son torse et de son ventre est *extrêmement* bien dessiné. À l'évidence, il s'entraîne depuis des années, en survivant seul dans la montagne.

Ella se lève à son tour. « Moi c'est Ella. Je suis Numéro Dix.

— Waouh ! s'exclame Huit en la regardant droit dans les yeux. Comment ça, Numéro Dix ? On n'est que neuf. Qui t'a dit que tu étais la dixième ? »

Tout à coup, Ella rapetisse et se retrouve dans la peau d'une enfant de six ans. Rien de tel qu'une statue qui doute de votre identité pour vous déstabiliser méchamment. Crayton lui donne un petit coup de coude et elle reprend tout aussi vite son apparence antérieure.

En guise de réponse, Huit grandit de deux mètres et la contemple d'en haut. « C'est tout ce que tu as en réserve, Dix ? »

La détermination se lit sur le visage d'Ella, comme si elle essayait par sa simple volonté de vieillir de quelques années. Pourtant, rien ne se passe. Au bout de quelques secondes, elle hausse les épaules. « Il faut croire, oui. »

Crayton se tourne vers Huit. « Je te raconterai ça plus tard, mais il y avait un second vaisseau, qui a quitté Lorien après le vôtre. Avec Ella, on était à bord. Elle n'était qu'un bébé, à l'époque.

— Et c'est tout, ou vous allez aussi me sortir un Numéro Trente-deux d'un buisson ? » demande Huit en reprenant sa taille normale. Il a la voix rauque, mais douce. Je remarque alors ses yeux d'un vert incroyable. À voir la tête de Marina, ça ne lui a pas échappé, à elle non plus. Je ne peux m'empêcher de sourire en la voyant se passer nerveusement une mèche de cheveux derrière l'oreille.

« Ella est la dernière, répond Crayton. Voici Six, et ici, c'est Marina, Numéro Sept. Visiblement tu es capable de changer de forme. Autre chose dont tu voudrais nous informer ?

— En effet, je possède ce Don. Et quelques-uns en plus.

— Ah ouais ? Comme quoi ? » le titille Marina.

Huit se dirige vers le lac et se met à glisser sur l'eau comme s'il s'agissait d'une couche de glace. Il décrit une boucle et revient vers nous, en piquant un sprint juste avant de s'immobiliser en dérapage contrôlé, envoyant une vague vers Marina.

Celle-ci ne compte visiblement pas se laisser impressionner par le petit nouveau. Sans broncher, elle lève les mains et arrête net l'eau en mouvement, avant de la repousser vers Huit par la télékinésie. Il esquive la vague en la faisant jaillir en l'air comme un geyser. Je n'ai aucune envie de rester à l'écart de leur petit jeu, et je prends le contrôle du vent pour faire tourbillonner le geyser à la surface du lac, jusqu'à ce que Huit se retrouve cerné par un mur d'eau mouvante sur trois côtés.

« Et sinon, t'as quoi d'autre ? » je lui crie, le mettant au défi de riposter.

Huit se volatilise subitement de sa prison aquatique pour réapparaître un instant plus tard au sommet de la paroi rocheuse qui surplombe le lac. Puis il disparaît de nouveau et se matérialise à trois centimètres de mon nez.

Je suis tellement prise au dépourvu que je lui envoie un coup de poing dans les côtes. Il pousse un grognement et trébuche en arrière.

« Six ! Qu'est-ce qui te prend ? s'indigne Marina.

— Désolée. C'était un réflexe.

— Je l'ai cherché, admet Huit sans tenir compte de l'attitude protectrice de Marina.

— Alors tu peux te téléporter ? constate Marina. Ça, c'est *très* cool. »

Il apparaît soudain à côté d'elle et pose négligemment un bras sur son épaule. « Oui, j'adore. » Marina glousse et

se dégage d'un haussement d'épaule. *Des gloussements ?*
Non mais je rêve !

Huit sourit, disparaît encore et se retrouve sur les
épaules de Crayton, se maintenant en équilibre par des
moulinets exagérés des bras et des jambes. « Mais parfois
je choisis des endroits débiles pour atterrir. » Huit fait le
comique.

Je suis frappée par son côté joueur, et je n'arrive pas
à savoir si c'est un atout ou un point faible. Je décide de
voir la situation d'un œil positif, en imaginant l'air agacé
et perdu des Mogadoriens juste avant que ce gamin les
fasse exploser en poussière. Crayton se penche en avant
et, comme s'il avait répété le numéro, Huit saute à terre
en décrivant un salto, puis applaudit, visiblement content
de lui.

« Où est ton Cêpane ? » demande Marina.

D'un seul coup, Huit perd sa bonne humeur et son
expression se fait grave. Nous savons tous ce que ça
signifie. Immédiatement, je revois en pensée l'image de
Katarina bâillonnée et enchaînée à un mur. Je pense à
John et à son gardien, Henri. Je secoue la tête avant que
les larmes montent.

« Il y a combien de temps ? » D'une voix douce, c'est
Crayton qui pose la question qui nous brûle les lèvres à
tous.

Huit se tourne vers le champ de hautes herbes qui
s'étend derrière nous. Par la pensée, il écarte les tiges
jusqu'à ce que se dessine un étroit sentier. Il lève la tête
vers le soleil couchant. « Écoutez, il faut qu'on parte d'ici.
La lumière décline. Je vous raconterai en chemin ce qui
est arrivé à Reynolds et à Lola. »

Le commandant Sharma le rejoint en courant et lui
attrape le poignet. « Et moi ? Que puis-je faire pour vous
aider ? Dites-moi. » Je sursaute malgré moi. J'étais telle-

ment absorbée par notre petite séance de présentations, et il s'était fait si discret que j'avais complètement oublié son rôle, dans tout ça.

« Commandant, répond Huit. Vous avez été un ami fidèle, et je tiens à vous remercier, vous et vos soldats, pour le rude labeur que vous avez accompli. Vishnu serait enchanté de votre dévotion. J'ai bien peur que nos chemins ne se séparent ici. »

À l'expression du militaire, il est évident qu'il croyait s'être embarqué pour le long terme.

« Mais, je ne comprends pas. J'ai fait tout ce que vous m'avez demandé. Je vous ai amené vos amis. Mes hommes sont morts pour vous. »

Huit regarde le commandant Sharma dans les yeux. « Je n'ai jamais voulu que qui que ce soit meure pour moi. C'est pourquoi j'ai refusé de quitter la montagne et de défiler avec vous dans les rues. Je suis désolé que des hommes aient péri, je ne pourrai jamais vous dire à quel point. Croyez-moi, je sais ce que c'est, de perdre des gens. Mais désormais chacun doit reprendre sa route. » Il fait preuve de fermeté, même si, à l'évidence, il lui en coûte beaucoup.

« Mais...

— Au revoir, commandant », l'interrompt Huit.

L'homme se détourne, le visage rempli de désespoir. Pauvre gars. Néanmoins, c'est un soldat, il sait recevoir les ordres, et accepter les situations difficiles. « Vous me quittez.

— Non, C'est vous, qui me quittez, rectifie Huit. Vous vous dirigez vers quelque chose de mieux, de plus grand. Un homme sage m'a dit un jour que ce n'est qu'en quittant quelqu'un de bien que l'on peut rencontrer quelqu'un de meilleur. Vous trouverez votre Vishnu, et vous ne saurez le reconnaître qu'une fois que j'aurai disparu. »

C'est un spectacle difficile à supporter. Le commandant Sharma fait mine de répondre, puis se ravise en voyant Huit s'engager dans le chemin, sans un regard en arrière. Tout d'abord, je me dis que Huit y va fort. Je me rends alors compte que c'est la manière la plus douce d'agir, compte tenu des circonstances.

« Hé ! Attends ! l'interpelle Crayton. Le pied de la montagne, c'est de l'autre côté. On doit se rendre à l'aéroport. Où vas-tu ? Il y a encore des choses que tu ne sais pas. On doit se poser pour discuter, il nous faut un plan ! s'époumone-t-il.

— Si seulement je n'avais pas cassé les lunettes, se désole Ella. On ne peut pas le suivre comme ça, sans aucune idée de l'endroit où il va, ni si c'est bien la chose à faire. Il croit tout savoir, mais il a peut-être tort. »

Nous restons là à fixer Crayton, qui cherche désespérément une solution. Je sais ce que *moi*, je ferais. On a enfin trouvé un nouveau Gardane, et à partir de maintenant il faut rester tous ensemble. D'un signe de tête, je désigne la silhouette de Huit, en train de disparaître à toute vitesse dans les hautes herbes. Crayton me regarde, puis acquiesce. Il ramasse le coffre de Marina et s'engage dans le chemin à la suite de Huit. Sans un mot, Marina et Ella se donnent la main et font de même, et je ferme la marche. Je me sers de mon ouïe surdéveloppée pour épier la zone où nous avons laissé le commandant. Pas un bruit. Je l'imagine planté là, immobile et silencieux, pour un bon moment. Je comprends pourquoi les choses doivent être ainsi, ce qui ne m'empêche pas d'être désolée pour lui. Abandonné, après tant de loyauté. J'observe le dos de Huit, raide comme un piquet devant moi, et je suis aussi navrée pour lui.

Il poursuit sa marche sans faiblir. Nous descendons une colline pour nous retrouver dans une vaste vallée. Les sommets enneigés de la chaîne himalayenne nous entourent de toutes parts. Plus près de nous, des zones de forêt entrecoupées de champs parsemés de fleurs jaunes et mauves. C'est magnifique. Nous nous en imprégnons tout en marchant, jusqu'au moment où Crayton brise le silence.

« Alors, qui étaient Reynolds et Lola ? »

Huit ralentit, de sorte qu'on puisse marcher ensemble. Il se baisse pour cueillir une poignée de fleurs mauves, qu'il écrase entre ses doigts. « Reynolds était mon Cêpane. Il riait beaucoup. Tout le temps, en fait. Aussi bien quand on était en cavale que quand on dormait sous les ponts, ou bien qu'on se cachait dans une grange en ruine, en pleine mousson. » Il se tourne pour nous dévisager tous un par un. « Quelqu'un se souvient de lui ? »

Nous secouons tous la tête, même Crayton. J'aimerais me rappeler. Mais je n'avais que deux ans, quand on a embarqué.

Huit poursuit son récit. « C'était un grand Loric, et un ami extraordinaire. Mais Lola… Lola, c'était une humaine dont il est tombé amoureux, quand on a débarqué ici. C'était il y a huit ans. Ils se sont rencontrés au marché, et à partir de là, ils sont devenus inséparables. Reynolds était amoureux fou. Lola a rapidement emménagé avec nous. Elle quittait rarement la maison. » Huit donne un coup de pied dans une touffe de fleurs. « À sa manière de me regarder, de toujours chercher à savoir où j'étais et ce que je faisais, j'aurais dû me douter qu'on ne pouvait pas lui faire confiance. Malgré toutes ses tentatives pour m'amadouer, je ne la laissais pas s'approcher de mon coffre. Reynolds, lui, avait foi en elle, et il a fini par lui dire qui on était. Il lui a *tout* raconté.

— Pas malin », je fais remarquer. John en a fait autant avec Sarah, et on voit où ça l'a mené. Confier notre secret à des humains est trop risqué. Et l'amour complique encore les choses.

« Je ne peux même pas vous décrire dans quelle colère ça m'a mis. Quand j'ai mesuré ce qu'il avait fait, j'ai explosé. On s'est battus pendant des jours. Jusque-là, on ne s'était jamais disputés. À lui, je lui faisais entièrement confiance, et la situation n'a pas changé du jour au lendemain. C'est *elle*, qui a tout fait. C'est à cette époque qu'elle a insisté pour qu'on parte tous les trois en montagne, pour faire de la randonnée et camper. Elle disait connaître l'emplacement idéal. Elle a convaincu Reynolds que ça nous aiderait à faire la paix, lui et moi, à *créer un lien*. Je trouvais le plan de Lola plutôt improbable, mais je les ai quand même accompagnés. » Il s'arrête pour désigner un pic montagneux, plein nord. « C'est là qu'on est allés. J'avais emporté mon coffre. À l'époque je savais déjà me téléporter, j'avais développé la télékinésie et ma force physique était hallucinante – et puis, j'avais besoin d'entraînement, et je me suis dit que l'air de la montagne m'aiderait à devenir plus fort et plus rapide. Mais dès notre arrivée, Lola a tout tenté pour nous séparer. Elle faisait tout pour que Reynolds me laisse seul. Pour finir, elle a dû se contenter du plan B. » Il se retourne et reprend la marche. Nous lui laissons quelques pas d'avance pour se ressaisir.

« C'était quoi, le plan B ? s'enquiert Marina d'une voix douce.

— Le troisième soir dans la montagne, elle est partie ramasser du bois, nous laissant seuls Reynolds et moi pour la première fois du séjour. Je savais que quelque chose clochait. Je le sentais au creux de mon estomac. Lola est revenue très vite – flanquée d'une dizaine de guerriers mogadoriens. Le pauvre Reynolds, il était tellement amoureux qu'il en a eu le cœur brisé, avant même d'avoir peur. Il lui a hurlé dessus, il l'a suppliée de lui expliquer pourquoi elle nous avait fait ça, à lui et à moi. Puis un des soldats a jeté un sac de pièces d'or dans la direction de Lola. Ils lui avaient promis une grosse récompense, en échange d'un *service*. » Il crache le dernier mot comme une injure. « On aurait dit un chien à qui on lance un sucre, elle a littéralement sauté sur le sac. Tout s'est passé si vite. L'un des Mogadoriens a brandi une épée étincelante et il la lui a plantée dans le dos. Le sac d'or a explosé à ses pieds. Reynolds et moi, on est restés là, médusés, à la regarder mourir. »

Je résiste à la pulsion de me précipiter vers lui, de lui prendre la main et de la lui serrer fort, pour lui montrer que je comprends ce qu'il ressent. Je contemple son dos droit et fier, je vois la détermination dans ses longues enjambées, et je sais que ce dont il a besoin en cet instant, c'est d'espace. En tout cas c'est ce dont moi j'ai besoin, quand je repense à la mort de Katarina.

Son dernier mot, *mourir*, reste en suspens dans l'air. Crayton finit par se racler la gorge. « On n'a pas besoin de savoir la suite, pour le moment. Tu peux t'arrêter, si tu veux.

— Ils ne pouvaient pas me tuer », poursuit Huit d'une voix plus puissante, comme s'il essayait de repousser les souvenirs de tristesse. Je connais le truc. Ça ne marche pratiquement jamais. « Même quand ils réussissaient à me frapper directement de leurs épées, à la gorge ou dans le ventre, je ne mourais pas. Mais eux, si. Les blessures mortelles qu'ils m'infligeaient se retournaient contre eux. Ils ne pouvaient pas me tuer à cause du Sortilège, et j'ai fait tout ce que j'ai pu pour protéger Reynolds. Mais dans tout ce chaos, on a été séparés, et je me suis téléporté

115

trop tard. Reynolds était… » Il s'interrompt une seconde. « L'un d'entre eux a pris mon coffre. J'ai essayé de l'en empêcher. J'ai attrapé un de leurs glaives et j'ai essayé de l'empaler, mais j'ai raté mon coup, d'un cheveu. Je suis toutefois presque sûr de lui avoir tranché la main. Quoi qu'il en soit, il s'en est sorti, et il s'est enfui dans les bois. J'ai vu un minuscule vaisseau argenté décoller entre les arbres. J'ai tué tous les autres. » Il dit ça d'une voix si froide, si insensible, que j'en frémis.

« Moi aussi, j'ai perdu ma Cêpane, dit Marina d'une voix douce, au bout d'un moment.

— Moi pareil. » Je jette un regard à Ella, qui s'est rapprochée de Crayton. Au moins, elle a encore le sien. Espérons qu'on ne perdra pas le dernier qu'il nous reste.

Au-dessus de nous, le ciel s'assombrit de seconde en seconde. Marina se porte volontaire pour ouvrir la marche, et nous guider avec son Don de vision nocturne. Je souris en la voyant prendre la main de Huit, heureuse que quelqu'un tente de le réconforter.

« J'ai passé tellement de temps dans cette montagne, dit-il.

— Tout seul ? s'étonne Ella.

— Au début, oui. Je ne savais pas où aller. Et puis un jour, j'ai rencontré un vieil homme. Il était assis sous un arbre, les yeux fermés, à prier. J'avais découvert mon Don de transformation quelques mois plus tôt, et je l'ai approché sous la forme d'un petit lapin noir. Il m'a senti venir. Il a ri avant même d'ouvrir les yeux. Il y avait dans son visage quelque chose qui inspirait confiance. Il devait me rappeler Reynolds, avant que Lola n'entre dans nos vies. Alors j'ai sautillé jusqu'à un buisson, puis je me suis téléporté dans la direction opposée. Quand je me suis approché de nouveau sous mon apparence normale, il m'a offert de la salade. Visiblement, il m'avait reconnu, et j'ai senti que ce serait toujours le cas, quelle que soit la forme sous laquelle j'apparaîtrais.

— On arrive à proximité d'un autre lac », annonce Marina en interrompant son récit. Maintenant que la voix de Huit s'est tue, j'entends distinctement le clapotis de l'eau et une petite cascade, un peu plus loin.

« Oui, on est tout près, confirme Huit. On va bientôt pouvoir manger et dormir.

— Et ensuite, qu'est-ce qui s'est passé ? avec le vieillard ? demande Crayton.

— Il s'appelait Devdan, et c'était un être très éclairé et très spirituel. C'est lui qui m'a tout appris, sur l'hindouisme et sur Vishnu. Je me suis raccroché à ses histoires. Dans mon esprit, elles représentent notre combat pour sauver Lorien. Il m'a aussi enseigné des formes anciennes d'arts martiaux indiens, comme le kalarippayattu, le silambam et le gatka. J'ai travaillé avec l'aide de mes Dons, de mes pouvoirs, afin de tirer le meilleur parti possible de ce qu'il m'apprenait.

» Un jour, je suis allé le voir à notre endroit habituel, et il n'y était pas. J'y suis retourné tous les jours. Mais il n'est jamais revenu, et je me suis de nouveau retrouvé seul. Ce n'est que de nombreux mois plus tard que je suis tombé par hasard sur le commandant Sharma et son armée, pendant un entraînement. » Il marque un temps d'hésitation. « Malheureusement – ou heureusement, je n'en sais encore rien –, à ce moment-là j'avais pris la forme de Vishnu, et ils ont fait vœu de me protéger du mal sous toutes ses formes. Je savais que c'était parce que j'avais pris l'apparence de la divinité qu'ils vénéraient, et je m'en suis voulu de profiter de leurs croyances, mais je n'ai pas pu résister. Pour moi, être seul, c'était encore pire. »

Marina nous guide autour du lac. Huit lui dit de se diriger vers le pied de la cascade que nous entendons au loin.

« Est-ce que les Mogs sont revenus ? demande Crayton.

— Oui. Ils réapparaissent de temps à autre dans leurs minuscules vaisseaux argentés, ils survolent la montagne pour voir si j'y suis toujours. Mais il me suffit de me transformer en mouche ou en fourmi, et ils passent leur chemin.

— Ce qui explique tous ces témoignages de gens qui disent avoir vu des ovnis dans la région, conclut Crayton.

— Oui, c'est eux. Au fur et à mesure, ils craignent de moins en moins de se faire repérer. Ça fait plusieurs jours que je ne les ai pas vus, mais depuis six ou huit mois ils viennent beaucoup plus souvent. J'en ai déduit que le conflit s'intensifiait.

— En effet, je confirme. On commence à se réunir. Marina, Ella et moi, on s'est rencontrées il y a quelques jours seulement, en Espagne. Numéro Quatre nous attend en Amérique, et on vient de te trouver. Il ne reste plus que Cinq et Neuf dans la nature. »

Huit reste silencieux pendant un moment. « Je tiens à vous remercier d'avoir fait tout ce chemin pour moi. Ça faisait tellement longtemps que je n'avais pas eu quelqu'un à qui parler – de ma *vraie* vie, je veux dire. »

Nous arrivons à quelques mètres de la cascade. « Et maintenant ? » À cause du vacarme de l'eau, je dois hurler pour me faire entendre.

« On grimpe ! » répond Huit en criant lui aussi et en désignant une paroi rocheuse à pic, devant lui.

Je pose la paume sur la surface lisse et cherche une prise en tâtant du pied. Mais je glisse immédiatement et, alors que je m'apprête à essayer de nouveau, j'entends la voix de Huit au-dessus de moi, très loin. Il est déjà au sommet et il nous crie quelque chose. La téléportation, c'est encore mieux que ce que je pensais. Peut-être encore mieux que l'invisibilité. L'espace d'une seconde, je me demande s'il y aurait un moyen de combiner les deux.

« Sers-toi de la télékinésie pour remonter en flottant, me suggère Marina. Prends Ella. Je m'occupe de Crayton. »

Je suis ses conseils et nous montons effectivement. En fait, c'est beaucoup plus facile que je ne l'imaginais. Au sommet, nous découvrons le campement de Huit. Nous nous retrouvons bientôt tous assis autour d'un feu, à faire cuire un ragoût de légumes dans une grande marmite. Au-dessus de nous, les arbres forment une voûte dense et, avec l'eau en contrebas, c'est le lieu parfait pour se cacher. Quant à la cabane en terre de Huit, elle est à la fois déprimante et parfaite. Les murs sont irréguliers et la porte, ovale et de travers. L'important, c'est qu'il y fait chaud et sec, et un parfum de fleurs fraîches plane à l'intérieur. Il dispose d'un hamac fait maison et d'une petite table, et il a accroché aux murs trois tapis de couleurs vives.

« C'est chouette, chez toi, je fais remarquer en revenant auprès du feu. Je suis en cavale depuis si longtemps que j'avais oublié ce que ça faisait, d'avoir un chez-soi. Même une cabane.

— Ce lieu a quelque chose de spécial. Une partie de moi restera ici pour toujours. Ça va me manquer, avoue-t-il en jetant un regard attendri autour de lui.

— Est-ce que ça veut dire que tu viens avec nous ? demande Marina.

— Bien sûr que oui. L'heure est venue pour nous de nous réunir, de travailler ensemble. Maintenant que Setrákus Ra est là, je dois vous accompagner.

119

— Il est là ? » répète Crayton, brusquement mal à l'aise.

Huit prend une première bouchée de légumes. « Il est arrivé il y a quelques jours. Il me rend visite, en rêve. »

CHAPITRE DOUZE

En Virginie-Occidentale, nous avons sauté à bord d'un train de marchandises. J'ai essayé de dormir, mais trop de pensées se bousculent dans ma tête. Je plisse les paupières dans la lumière du matin qui se glisse entre les lattes de la porte, soulagé de constater que nous allons toujours vers l'ouest. C'est tout ce que m'a dit l'agent spécial Walker, avant de disparaître : à l'ouest. Alors c'est là que nous allons. J'essaie de ne pas me torturer avec la possibilité qu'elle nous ait volontairement induits en erreur ; je préfère me dire qu'elle était sur le point de mourir, qu'elle savait qu'elle n'avait plus rien à perdre, et donc aucune raison de me mentir.

Je roule sur le dos. Le plafond du train est sale, avec des auréoles de toutes sortes de couleurs. Je fixe la tache bleu foncé juste au-dessus de ma tête pendant tellement longtemps que je finis par somnoler. Et je me mets à rêver, ce qui m'arrive fréquemment. Mais là, c'est différent, il s'agit plus d'un cauchemar que d'une vision.

Je suis en Virginie-Occidentale, dans la cellule de prison. Sauf que cette fois-ci, elle est vide, et vivement éclairée, du dessus. La cage sphérique qui retenait Sam est vide, elle aussi. La seule trace de son passage, c'est la flaque de sang encore humide, par terre. Je m'avance au milieu de la pièce en inspectant frénétiquement les alentours, et j'essaie de crier son nom, mais dès que j'ouvre

121

la bouche, la lumière vive au-dessus de ma tête est aspirée dans ma gorge et j'étouffe. Je tombe sur les mains et les genoux, en essayant désespérément de reprendre mon souffle.

Toujours haletant, je lève les yeux. Je me trouve maintenant au milieu d'une vaste arène, avec des milliers de Mogadoriens hystériques, dans les gradins. Ils scandent quelque chose et m'envoient toutes sortes d'objets, et des bagarres éclatent entre eux. Le sol est un bloc de pierre noire et brillante. Je me relève en tremblant. J'avance d'un pas, et derrière moi le sol s'écroule, ne laissant qu'un gouffre obscur. Il y a un trou géant au-dessus de moi, par lequel j'aperçois des nuages glissant sur fond de ciel bleu. Il me faut un moment pour comprendre où je suis – au cœur d'un pic montagneux.

« Quatre ! » C'est la voix de Neuf. Neuf ! Alors je ne suis pas seul. Je regarde autour de moi et tente de lui répondre, mais j'ai toujours la gorge bloquée. Un éclair de lumière s'échappe de mes lèvres. Instinctivement, je me tourne jusqu'à ce que le rayon éclaire Neuf. Il est à l'autre bout de l'arène, cependant quelque chose me cache la vue. C'est Sam. Il est suspendu entre nous, les poignets entravés. Les agents Walker et Purdy se tiennent en dessous de lui, leurs fusils mogadoriens pointés sur sa poitrine.

Sans hésiter une seconde, je me précipite vers mon meilleur ami. À chacun de mes pas, la roche s'effondre derrière moi et les cris de la foule se font de plus en plus retentissants.

Alors que je les ai presque rejoints, le bloc sur lequel se tiennent les deux agents bascule, et ils tombent dans le vide.

« Au secours ! Aide-moi, je t'en prie, aide-moi ! » hurle Sam, en se tordant dans tous les sens pour se libérer de ses fers.

J'essaie de me servir de la télékinésie pour le détacher, sans effet. Je tente le Lumen, mais mes paumes ne s'illuminent pas. Mes Dons m'ont abandonné.

« Amène les autres, John, ordonne Sam. Amène-les tous. »

Il a une voix étrange, comme si ce n'était pas la sienne. Comme si quelqu'un — ou quelque chose — de maléfique s'exprimait à travers lui.

Soudain, un garçon mince et bronzé apparu dans ma dernière vision se matérialise à mes côtés. Cette fois encore, il est transparent, comme un fantôme. En apercevant son pendentif loric, je tends la main vers lui. Il secoue alors la tête et porte un doigt à ses lèvres. Il bondit sur Sam et escalade ses jambes et son torse, jusqu'à ce qu'il puisse atteindre les entraves à ses poignets. Je le regarde s'échiner à essayer de les briser, et je lis la surprise sur son visage lorsqu'il se rend compte qu'il n'a pas la force de le faire.

Dans mon dernier rêve, il m'a demandé quel était mon numéro, et je ressens un besoin immense de lui parler. Je tousse, me racle la gorge, et je sens que ma voix est revenue. Je hurle : « Je suis Numéro Quatre ! » au moment même où l'arène plonge dans le silence.

« Alors, tu as pris ta décision ? » demande Sam. Il continue à se contorsionner, pendant que le jeune garçon s'efforce toujours de le libérer. Sam me regarde bien en face, et je vois que ses yeux sont d'une teinte bordeaux foncé. Ce n'est pas Sam, me dit une petite voix intérieure.

Tout à coup, son corps est secoué de spasmes tellement violents que l'autre garçon lâche prise et je ne peux qu'assister horrifié à sa chute dans l'abîme qui a englouti les deux agents. Un halo violet apparaît alors autour de Sam, dont les chaînes se brisent d'elles-mêmes. Au lieu de sombrer comme le garçon et les policiers, il se met à flotter, suspendu en l'air. Un projecteur s'allume brusquement, et, incrédule, je le vois grandir de deux mètres, et se métamorphoser – en Setrákus Ra. Autour de son cou, les trois pendentifs loric brillent, comme la cicatrice mauve et boursouflée qui lui entoure la gorge. « Veux-tu récupérer l'humain ? tonne-t-il.

— Je *vais* le reprendre ! » je hurle en réponse, hors de moi. Je suis cloué sur place, cerné par le vide, sans aucune possibilité de me rapprocher de lui. Setrákus Ra redescend lentement au sol. Lorsqu'il atterrit, la roche ne fait pas mine de céder comme elle l'a fait pour nous. « Tu te rends ? Parfait ! J'accepte ton pendentif. »

Lorsque je baisse les yeux, celui-ci a déjà disparu. Quand je relève la tête, je le vois pendre autour du poing massif de l'ennemi. Ses lèvres craquelées s'entrouvrent sur un sourire maléfique, aux dents tordues.

« Non ! Je ne me rendrai pas ! » Dès que j'ai prononcé ces mots, je sens de nouveau un poids contre mon torse. Mon pendentif m'est revenu.

Le garçon bondit hors du gouffre et atterrit près de Setrákus Ra, la tête haute. Il joint son cri au mien : « Jamais je ne me rendrai à toi ! Laisse partir Devdan, et affronte-moi !

— Le temps vient à manquer », annonce Setrákus Ra, et je comprends qu'il s'adresse à nous deux – depuis le début. Croyait-il pouvoir nous convaincre tous deux de nous sacrifier pour permettre aux autres d'avoir la vie sauve ? Mon seul souhait, c'est qu'aucun des Gardanes ne se soit laissé leurrer par ses artifices.

Soudain, je ne vois plus que la tache bleu sombre au plafond, et je me redresse brusquement, le cerveau encore embrumé par le rêve. Je touche le bracelet à mon bras. Juste avant de sombrer dans ce cauchemar, je me suis rendu compte qu'en me concentrant sur les capacités du bracelet j'étais en mesure de le retirer. Toutefois, dès l'instant où il a quitté mon poignet, je me suis senti en insécurité et je me suis empressé de le remettre. Je le touche de nouveau, en me demandant si le fait de dépendre ainsi d'un objet est une bonne ou une mauvaise chose. Brusquement, je sens du mouvement dans mon dos. Je sursaute et fais volte-face. Visiblement ce rêve m'a mis sur les nerfs, car ce n'est rien d'autre que Bernie Kosar, sous sa forme de beagle, celle que je préfère.

« Encore un cauchemar ? » Neuf bâille dans le coin du wagon. Il est assis sur son coffre et, avec l'extrémité d'un clou, il dessine distraitement des symboles sur la paroi — l'incarnation parfaite du type qui n'est *pas* sur les nerfs. La plante de ses pieds nus est noire de crasse.

« Ça devient vraiment bizarre. » J'espère qu'on n'entend pas à ma voix combien je suis secoué. Que Neuf me considère comme un gamin apeuré par les cauchemars est bien la dernière chose dont j'aie besoin. « Et je pense que d'autres les font en même temps que moi. »

Neuf soulève le clou entre ses doigts pour l'observer plus attentivement, comme s'il s'agissait d'un spécimen rare, et non d'un objet tout à fait banal. Le bout de sa langue pointe au coin de sa bouche et il semble concentrer toute son énergie sur ce clou. Avec un petit sourire, il le plie entre ses doigts, le cassant net en deux moitiés parfaitement égales. Puis il se tourne vers moi. « Qu'est-ce que tu veux dire ? Tu penses qu'ils ont tous les mêmes visions ? Ou bien qu'ils ont juste des nuits aussi mouvementées que les tiennes ? »

Je hausse les épaules. « Je n'en sais rien. Je n'arrête pas de voir ce garçon très mince avec les cheveux noirs bouclés. Il porte un de nos pendentifs, alors j'imagine qu'il est l'un des nôtres. Chacun de nous sent la présence de l'autre, mais dans le rêve les choses se passent d'une certaine manière pour lui, et d'une autre, pour moi. Toi aussi, tu apparais dans ces visions. »

Neuf fronce les sourcils, puis ouvre son coffre et fouille à l'intérieur. Je me surprends à espérer qu'il en sorte n'importe quoi qui m'aide à décoder ce mystère, et surtout qui m'éclaire sur ce que je suis censé en faire. « J'aimerais essayer d'entrer en contact avec eux, en me servant de la pierre rouge, mais j'imagine que le gouvernement a mis un mouchard, ou un truc dans le genre. Ça craint à mort. » Il se rassied, l'air frustré.

Je traverse le wagon pour le rejoindre. Dans la main, il tient un cube jaune que je n'ai jamais vu auparavant. « Qu'est-ce que tu crois que ça signifie ? Si le gouvernement a bel et bien les moyens d'espionner ta pierre ? Comment tu crois que c'est arrivé ? Je sais bien que c'est par les Mogs, mais comment ils ont convaincu le gouvernement de coopérer ? »

Neuf me dévisage d'un air incrédule. « Tu es sérieux ? Qu'est-ce qu'on en a à faire, qu'ils bossent ensemble, ou de ce que les Mogs ont pu leur raconter pour se les mettre dans la poche ? Tout ce qui compte, c'est qu'ils collaborent, point. Le gouvernement des États-Unis et les Mogadoriens font équipe ! Pour eux, c'est officiel : les méchants, c'est nous !

— Mais, une fois débarrassés de nous, les Mogs vont détruire la Terre – ou pire. Comment le gouvernement peut-il l'ignorer ? C'est pourtant évident que nous, on est les gentils !

— Il faut croire que non. Qui sait comment c'est arrivé ? Peut-être qu'ils se servent les uns des autres, et que chaque camp essaie de doubler l'autre. En tout cas, le gouvernement sous-estime visiblement les Mogs. Sinon, tous ces gars flipperaient comme des malades. » Neuf se fourre le cube jaune dans la bouche, et un air de satisfaction se dessine sur son visage.

« Qu'est-ce que c'est que ça ?

— De la nourriture, répond-il, la bouche pleine. C'est un substitut alimentaire. Tu le suces et ça te rassasie pendant un moment. Cherche bien. Tu dois en avoir un aussi. »

Je déverrouille mon coffre et pars en quête d'un cube jaune. Je sens sous mes doigts la tablette blanche provenant du bureau secret de Malcolm Goode, sous son puits, et je prends une seconde pour appuyer sur les boutons. Toujours rien. Je la mets de côté. Je trouve un cube, mais le mien est bleu. Je le sors pour le montrer à Neuf. « Tu penses que celui-là fait la même chose ? »

Il hausse les épaules. « Je n'en sais rien. Y a qu'en essayant que tu le sauras. Vas-y. »

J'hésite quelques secondes, puis je le pose sur ma langue, et je me retrouve la bouche instantanément remplie d'eau glacée. Je n'arrive à en avaler qu'un tout petit peu avant de m'étrangler, et en toussant j'expédie le cube par terre. Neuf recrache le sien dans sa paume et me le tend, mais je décline.

« Il va bien falloir que tu manges », fait-il remarquer.

Bernie Kosar se rapproche de Neuf et ouvre la gueule. « Pas de problème, BK, répond-il obligeamment, en plaçant le cube sur la langue du chien.

— Au moins, on va vers l'ouest, là où se trouvent Sam et Sarah. J'en ai marre de fuir et de me cacher sans arrêt. La première chose à faire, c'est de les trouver.

— Ouais, eh ben, parle pour toi. Moi j'ai passé cette dernière année enfermé, à me faire torturer, mon vieux. Alors être en mouvement, en décidant où je suis et où je vais, c'est une liberté dont je ne compte pas me priver de sitôt. Détends-toi, Johnny. J'ai une idée, et rappelle-toi qu'on a un plan. On ne va pas perdre notre temps à trouver tes potes humains. On contacte les autres et on se réunit, et une fois prêts, on affronte Setrákus Ra. Dans cet ordre-là. »

Je me détourne et balance un coup de poing dans la paroi, et la violence de l'impact déséquilibre tout le wagon, soulevant d'un côté les roues des rails pendant quelques secondes. Je suis furieux et j'ai l'impression de perdre le contrôle de tout, comme dans une spirale infernale. « Et comment tu comptes les retrouver, quand notre seul moyen de communication est sans doute sur écoute ? Moi je dis qu'on fonce en Californie, ou dans l'État de l'ouest où se trouve leur base, et on exige qu'ils libèrent Sarah, ou bien on fait tout sauter ! Ou bien on menace de raconter aux médias que le gouvernement travaille main dans la main avec des méchants aliens. On verra comment ils vont prendre ça. »

Neuf éclate de rire et secoue la tête. « Euh, non. Ça ne va pas se passer comme ça.

— Eh bien, merde, je ne sais pas quoi suggérer d'autre. On n'a qu'à retourner à Paradise, pour vérifier que Sarah n'y est pas. Si je peux simplement m'assurer qu'elle va bien, je promets de laisser tomber. On ne doit plus être loin de l'Ohio, maintenant, non ? »

Neuf se dirige vers le trou que j'ai fait dans le mur et jette un œil dehors. Lorsqu'il répond, c'est d'une voix calme. « Pour moi, tout se ressemble, mec. Tu vois, la Terre est nulle, comparée à Lorien. Bien sûr, ici il y a des coins sympas, mais sur Lorien c'était beau partout. C'était la plus belle planète de toutes les galaxies. Tu l'as vue, comme elle était avant, dans tes visions, pas vrai ? » Je suis surpris de le découvrir subitement si passionné. Quand il parle de Lorien, il a l'air heureux et détendu. Jamais je ne l'avais vu comme ça, en gamin qui a le mal du pays. C'est toutefois éphémère, et bientôt il retrouve son masque dur et narquois.

« On ne va pas dans l'Ohio vérifier que tes chers *humains* sont bien au chaud à l'abri. Ce n'est pas chez nous, ici, Quatre. Ces humains ne sont pas nos frères et nos sœurs. Tout ce qu'on fait sur Terre, c'est pour notre *vrai* foyer, pour nos *vrais* frères et sœurs. Pour les Anciens qui ont sacrifié leur vie pour nous faire embarquer dans ce vaisseau. »

Neuf recule et balance le poing à travers la paroi, juste à côté de mon trou. Contrairement au mien, son coup est si fort et si rapide que les roues en dessous de nous ne tremblent pas. Il passe la tête par ce nouvel orifice et inspire un grand coup, ses longs cheveux noirs claquant au vent, puis revient à l'intérieur. Je le vois serrer les poings avant de se tourner vers moi. « Si tu n'as pas Lorien dans le cœur, alors autant le dire tout de suite. Parce que je n'ai pas l'intention de me balader avec un traître. Notre seul et unique objectif, c'est de faire tout notre possible pour être les plus forts, histoire de vaincre Setrákus Ra et son armée. Point final. Pigé ? »

Je décide de rester silencieux. Mes sentiments pour Sam et Sarah ne disparaîtront jamais. Je le sais. Pourtant, Neuf a raison, quand il parle de priorités. Nous ne serons d'aucun secours à personne, si nous ne gagnons pas en force, ce qui n'arrivera qu'en trouvant les autres. Je dois me concentrer sur Lorien. Lorsque nous aurons exterminé Setrákus Ra, Sam et Sarah — ainsi que n'importe qui sur Terre — seront en sécurité. Je hoche la tête.

Neuf se rassied et ferme les paupières, les mains serrées autour des genoux, si fort qu'il en a les jointures blanches. « On vient de passer un panneau que je reconnais. On n'est qu'à deux ou trois cents kilomètres d'un lieu sûr prévu par mon Cêpane. On n'a qu'à y aller, commander une pizza, et peut-être mater un peu la télé. Tu pourras rester assis là à soupirer en pensant à ta pauvre petite Sarah perdue, pendant que moi je sortirai me dégotter une nana à peloter pendant une heure ou deux. Et ensuite, on trouvera comment communiquer avec les autres. »

BK laisse tomber le cube jaune par terre et lève les yeux vers moi. Il n'a même pas à me le demander : je dépose mon cube bleu sur sa langue, et il referme la gueule en soupirant d'un air ravi.

Je me tourne vers Neuf. Il est tellement confiant, tellement sûr de lui. « Et comment on va faire ça ? Les macrocosmes sont sous surveillance ! Et on n'a aucun autre moyen d'entrer en contact avec eux !

— C'est le plan parfait, insiste Neuf, tout excité. Attends un peu de voir chez moi, Quatre. C'est carrément mortel. Quoi qu'on veuille, on l'aura. On se reposera et on s'entraînera, on sera dans une méga-forme, parés pour la suite. Et on trouvera un moyen d'établir un lien avec le reste des Gardanes. »

CHAPITRE TREIZE

Je reste éveillée pendant des heures, assise à contempler le feu devant la cabane. Ella s'est endormie dans le hamac. Six et Crayton ronflent sous des couvertures, par terre. Au bout d'un moment, le foyer fougueux et crépitant n'est plus qu'un tas de braises rougeoyantes. Je regarde la fumée monter dans l'air, puis stagner sous le toit de branches. Les dernières flammes finissent par s'éteindre.

Je n'arrive pas à fermer l'œil. Pendant tant d'années, j'étais seule avec mon envie et ma colère, prisonnière de cet orphelinat. Et je peux enfin m'en libérer. Désormais, je crois que rien ne pourra nous résister, pourvu qu'on soit tous réunis. Aussi j'ignore pourquoi j'ai toujours cette boule au creux de l'estomac, dès que j'ai une seconde pour réfléchir. J'ai cependant une petite idée du problème : je me sens seule. Pourtant je ne le suis pas, je n'arrête pas de me le répéter.

Je jette un coup d'œil vers Huit, qui dort aussi près que possible du bûcher, pour profiter de la chaleur. À la lueur de l'aube naissante, tout recroquevillé, il a l'air petit. Il dort d'un sommeil agité, sous une fine couverture de lianes tressées. Je l'observe se retourner en tous sens et passer la main dans ses cheveux déjà en pagaille. Je tisonne les braises pour prolonger la chaleur, et le crépitement du bois suffit à le faire changer une nouvelle fois de position. Je ne sais pas pourquoi, je ressens le besoin de le protéger. Et en même temps, quand je pense à ses bras musclés, j'ai envie que ce soit lui qui me protège. Ça doit être à cause des contraires qui s'attirent – il est joueur alors que moi... eh bien, pas vraiment.

Lorsque Crayton se lève et réveille les autres, c'est le front plissé par le souci. Nous essayons tous de redevenir rapidement opérationnels. Je sais que Crayton se demande comment il va réussir à tous nous mettre à bord d'un avion.

Je me remémore la vision que Huit a eue de Setrákus Ra. C'est lui qui représente la menace la plus sérieuse, plus encore qu'un escadron de Mogs armés jusqu'aux dents. Je sais que Crayton ne nous croit pas aptes à l'affronter. Nous ne sommes pas assez maîtres de nos Dons, nous n'avons pas eu l'occasion d'apprendre à combattre ensemble, et nous devons encore trouver Quatre, Cinq et Neuf, avant d'être en mesure de faire face à un ennemi de l'envergure de Setrákus Ra. Quand j'ai dit ça hier soir, Huit a secoué la tête, frustré par tant de scepticisme. « Je suis certain qu'on pourrait le vaincre, à nous tous, a-t-il répliqué. Je l'ai vu en rêve, et j'ai senti sa puissance. Je mesure de quoi il est capable ; mais je sais aussi de quoi *nous*, on est capables, et ça va bien au-delà de ce qu'il pourra jamais accomplir. Je crois en nous. Mais jamais on n'y arrivera si on n'a pas tous la foi.

— Je suis d'accord, il faut se débarrasser de Setrákus Ra. Seulement, le plus urgent, c'est de retrouver les autres. Les chances de le vaincre seront bien meilleures, si vous êtes tous réunis », a objecté Crayton, d'une voix qui trahissait l'inquiétude.

Huit a tenu bon, et à l'évidence il nous croit assez nombreux pour triompher. « Ce sont mes rêves qui m'ont conduit à vous tous. Et ils me disent qu'on peut y arriver. Pas question de fuir, même si c'est pour trouver les autres. »

Huit se redresse et s'étire. Sa chemise s'entrouvre, et j'aperçois son torse. Il se penche pour ramasser un bâton, qu'il fait tournoyer entre ses mains. C'est plus fort que moi, je ne le quitte pas des yeux. C'est un sentiment très étrange, et tout nouveau, pour moi ; je me sens à la fois timide et excitée. « Alors, où est-ce que vous voulez aller ? demande-t-il en nous regardant tous.

— Côte Est des États-Unis », répond Six. Elle donne un coup de pied au bout du bâton, et il atterrit entre ses mains. Ces deux-là aiment bien leur petit numéro de comiques. Six lui lance de nouveau le morceau de bois et il fait exprès de plonger et de le rater, le tout au ralenti. Ou bien ils sont en train de flirter, ou bien j'ai des hallucinations. Et je dois avouer que ça me rend jalouse. Même en le voulant, je ne pourrais jamais être comme ça avec Huit, ni avec qui que ce soit, d'ailleurs. Alors que c'est tout Six – elle est nature. Pas étonnant qu'ils s'amusent si bien, ensemble.

« OK, si c'est là que vous voulez aller, on a plusieurs options. L'avion ? Est-ce qu'on a assez d'argent pour des billets pour nous tous ? »

Crayton tapote sa poche de chemise avec un hochement de tête. « Ça ne devrait pas poser de problème.

— Génial. On file à New Delhi, on achète les billets, et on peut être en Amérique dans un jour ou deux. Ou bien on peut rejoindre l'État du Nouveau-Mexique en quelques heures.

— On ne peut pas *tous* se téléporter, fait remarquer Six en dessinant dans la poussière avec son gros orteil.

— Peut-être que si », réplique Huit avec un petit air énigmatique. Il se penche vers le cercle qu'a tracé Six et y ajoute deux yeux, un nez et une bouche pour en faire un gros smiley. Ils échangent un large sourire. « Il faut juste marcher un peu, ensuite il s'agit simplement d'un gros acte de foi. » Il est visiblement ravi de nous laisser dans l'ignorance. Je vois les autres hocher la tête, tellement convaincus par son assurance qu'ils en oublient de poser les questions élémentaires. Je ne tiens pas à être celle qui souligne qu'on n'a pas la moindre idée de ce qu'il mijote.

« Ça serait plus rapide que l'avion, se réjouit Ella. Et surtout, beaucoup plus sympa.

— Tu as piqué ma curiosité, conclut Crayton en se hissant mon coffre sur l'épaule. Montre-nous de quoi tu parles, et le plus vite sera le mieux. Si Setrákus Ra se trouve déjà sur Terre, il n'y a pas de temps à perdre. »

Huit lève l'index pour demander un peu de patience, puis retire sa chemise et son pantalon. Waouh. « Pas avant ma baignade du matin. »

Il court jusqu'au bord de la falaise, à l'endroit où la cascade chute dans le vide. Sans une seconde d'hésitation, il plonge, les bras tendus sur les côtés. Il semble flotter comme un oiseau sur les nappes d'air. Je me précipite à sa suite et jette un œil en bas, juste à temps pour le voir se métamorphoser en espadon pour pénétrer dans l'eau, puis émerger sous sa forme humaine. Je ressens la pulsion soudaine de le suivre, et je plonge à mon tour.

L'eau est étonnamment fraîche, pourtant, quand je remonte à la surface, j'ai le visage en feu. Qu'est-ce qui m'arrive ? En général, je ne suis pas si impulsive.

« Beau plongeon », me félicite Huit en me rejoignant à la nage. Il fait du surplace tout près de moi, et lorsqu'il secoue la tête ses boucles brunes et brillantes volent autour de son visage. « Tu préfères qu'on t'appelle comment ? Marina, ou Sept ?

— Je m'en fiche. L'un ou l'autre, je réponds, intimidée.

— J'aime bien Marina, tranche-t-il. C'est la première fois que tu viens en Inde, Marina ?

— Oui. Je suis longtemps restée en Espagne. Dans un orphelinat.

— Un orphelinat ? Au moins tu avais plein d'enfants autour de toi. Tu as pu te faire des amis. Contrairement à moi. »

J'imagine combien il a dû se sentir seul. Je décide de ne pas le détromper en lui racontant que les autres filles me détestaient et que, jusqu'à l'arrivée d'Ella, je n'avais aucun ami. Je hausse simplement les épaules. « Peut-être bien. Mais je suis plus heureuse maintenant.

— Tu sais quoi ? Je t'aime bien, Marina. » Quand il prononce mon prénom, c'est comme s'il le faisait rouler dans sa bouche comme un bonbon. « Tu es réservée, mais cool. Tu me rappelles... »

Une gigantesque éclaboussure s'interpose brusquement entre nous deux, et l'onde de choc nous éloigne l'un de l'autre. Je vois Six émerger, avec ses cheveux blonds qui lui tombent dans le dos à la perfection. Elle ne prononce pas un mot et replonge, entraînant Huit avec elle. Je les suis et les regarde se battre sous l'eau, jusqu'à ce que Huit, hilare, la supplie d'arrêter et que Six le laisse remonter.

« Bon sang, tu es forte, lance-t-il en émergeant, entre deux quintes de toux.

— Ne t'avise pas de l'oublier, confirme-t-elle en souriant jusqu'aux oreilles. Maintenant, tu veux bien qu'on dégage d'ici ? »

La vision de leurs deux corps enchevêtrés me rend nerveuse, ce n'est pourtant pas le moment de me laisser déborder. Je plonge la tête sous la surface pour retrouver mon calme. L'eau pénètre dans mes poumons et je coule, de plus en plus bas, jusqu'à ce que mes orteils touchent le fond vaseux et rocailleux. Je m'assieds dans la boue et essaie de reprendre mes esprits. Je suis furieuse contre moi-même, de me sentir si vulnérable. Ce n'est qu'un coup de cœur passager, rien de plus ! Et en fait, je m'en moque si Huit préfère la chevelure parfaite de Six à ma tignasse informe. Je ne dois pas oublier que ce n'est pas elle, qui me menace. Nous devons travailler en équipe, nous faire confiance. Je ne veux pas être en colère contre elle, surtout après tout ce qu'elle a fait pour moi. Je fais les cent pas au fond en cherchant quelque chose d'intelligent à dire quand je remonterai. *Je peux le faire.*

Je me rends compte que je me trouve pile sous le point d'impact de la cascade, où l'eau est claire et étincelante. Soudain, un éclair argenté m'attire l'œil. Un long objet métallique gît au fond, planté dans la vase.

Je m'approche pour l'inspecter. Il doit mesurer environ cinq mètres, et en faisant le tour, je constate ahurie qu'il s'agit d'une sorte de cockpit, derrière un long pare-brise. Et c'est alors que j'aperçois un coffre à l'intérieur, sur le siège. Je n'arrive pas à en croire mes yeux. Est-il possible que ce soit le vaisseau que Huit a vu décoller le jour de l'attaque des Mogs, quand son Cêpane s'est fait tuer ? J'entends un cri étouffé et sursaute en comprenant qu'il vient de moi. Je me saisis de la poignée sur le fuselage et tire dessus, mais la pression au fond du lac est énorme. Je persiste néanmoins dans mes efforts, et bientôt, la porte du cockpit cède. L'eau qui s'engouffre dans le vaisseau se mêle à celle qui y était enfermée. Lorsque je l'attrape, le coffre est tout visqueux. Je me précipite à la surface en le serrant contre moi.

La première chose que je vois, ce sont Six et Huit, assis dans l'herbe en train de discuter. Ella fait tourner le bâton de Huit au-dessus de sa tête, puis devant elle. Crayton l'observe, le menton dans la main. En me voyant sortir de l'eau, Ella plante le bâton dans le sol.

« Marina !

— Hé ! Te voilà ! Où tu étais passée ? s'écrie Huit en s'approchant du bord.

— Sors de là, Marina ! lance Six. Il faut vraiment qu'on bouge ! »

Je soulève le coffre hors de l'eau et le brandis au-dessus de ma tête, pour qu'ils puissent tous le voir. Je me moque que le liquide répugnant de crasse me dégouline sur la tête. Je souris si fort que j'en ai mal à la mâchoire. J'adore l'expression qui se dessine sur leurs visages, bouche bée et les yeux écarquillés. J'aime tellement ça que je me sers de la télékinésie pour faire flotter le coffre jusqu'à Six et Huit, et je l'immobilise au-dessus d'eux.

« Regarde ce que j'ai trouvé, Huit ! »

Il disparaît du sol pour réapparaître en l'air, juste à côté du coffre. Il l'entoure de ses bras pour le serrer contre lui. Puis, sans le lâcher, il se téléporte au bord du lac. « Je n'arrive pas à le croire, finit-il par articuler. Tout ce temps, il était sous mon nez. » Il a l'air abasourdi.

« Il se trouvait à bord d'un vaisseau mog, au fond du lac », j'explique en sortant de l'eau.

De nouveau, Huit devient invisible, et je le retrouve à quelques centimètres de moi, si près que nos nez se touchent presque. Avant que j'aie pu profiter de son souffle tiède sur mon visage, il me soulève du sol et m'embrasse fougueusement sur la bouche en me faisant tourner. Mon corps tout entier se raidit, et tout à coup je ne sais plus quoi faire de mes mains. En fait, je ne sais plus quoi faire tout court, alors je me laisse juste porter par la situation. Ses lèvres ont un goût à la fois doux et salé. Le monde entier s'évanouit et je flotte dans le noir.

Lorsqu'il me repose, je me recule pour planter mon regard dans le sien. Il me suffit d'une seconde pour comprendre que la grande aventure romantique que je viens de vivre n'était pour lui qu'un geste spontané de reconnaissance. Ni plus, ni moins. Il faut vraiment que j'oublie ce coup de cœur puéril.

« Je ne vais jamais nager dans cette zone. Depuis le début, je plonge de là, de l'autre côté. Toujours dans le même coin, ajoute-t-il en secouant la tête. Merci, Marina.

— Euh, je t'en prie, je murmure, encore tout étourdie par son premier élan de gratitude.

— Maintenant que tu lui as fait un petit câlin, tu ne veux pas l'ouvrir ? suggère Crayton. Allez, quoi !

— Oh, si ! Bien sûr ! » s'exclame-t-il en se téléportant à côté de son coffre.

Six me rejoint. « Marina ! C'est génial ! » Elle me prend dans ses bras, puis recule pour me secouer par les épaules, avec un sourire qui en dit long. Puis elle me chuchote : « Est-ce que je rêve, ou bien il vient de t'embrasser ?

— Bizarre, pas vrai ? je réponds à voix basse, en cherchant sur son visage le moindre signe de jalousie. Mais je crois que ça ne veut rien dire.

— Pas bizarre du tout. Moi je trouve plutôt ça *super* », rectifie-t-elle, visiblement emballée pour moi, comme une amie, ou une sœur. Je me retrouve toute penaude, j'ai honte de m'être sentie jalouse d'elle. Nous nous tournons toutes les deux vers Huit, et Ella imite un roulement de tambour pour annoncer l'ouverture du coffre.

Il pose les mains sur le cadenas, qui se met instantanément à vibrer, puis saute dans un déclic. Puis il plonge les bras à l'intérieur jusqu'aux coudes, en essayant de tout toucher à la fois. Il est tout excité, on dirait un gamin tombé dans une hotte de jouets. Nous nous approchons tous pour voir ça. J'aperçois plusieurs pierres qui ressemblent aux miennes, et aussi d'autres objets radicalement différents. Un anneau de verre, un bois de cerf courbe, un morceau de tissu noir, avec des moirures bleues et rouges quand Huit le touche. Il attrape un petit éclat d'or de la longueur d'un crayon et le brandit en l'air. « Ah, content de te revoir !

— Qu'est-ce que c'est ? demande Six.

— Je ne connais pas son vrai nom, mais moi je l'appelle le Duplicateur. » Huit le soulève au-dessus de sa tête, comme une baguette magique. Puis il donne un coup de poignet et le bâton s'allonge et se déroule comme un parchemin, qui atteint bientôt la taille d'une porte. Huit la lâche, et le cadre reste en suspension en face de lui. Huit passe derrière et se met à sauter en écartant les bras et les jambes, comme s'il faisait sa gym ; nous voyons ses mains et ses pieds dépasser en rythme.

« OK, commente Six, c'est vraiment le truc le plus bizarre que j'aie vu. »

Huit se téléporte à côté d'elle et penche la tête en se grattant le menton, comme s'il était au spectacle. D'un mouvement vif, nous tournons tous la tête vers le chambranle doré : les mains et les pieds continuent leur danse saccadée. Une seconde... Ils sont *deux*, maintenant ! Celui debout près de Six claque des mains et ouvre les paumes, et le morceau d'or se rétracte avant de bondir entre ses doigts. Aussitôt, le second Huit disparaît.

« Impressionnant, reconnaît Crayton en applaudissant fort et lentement. Voilà qui se révélera très vite utile. Au pire, tu feras une excellente diversion.

— Je m'en suis servi pour faire le mur de chez moi, une ou deux fois, avoue Huit. Reynolds n'a jamais su tout ce que je savais faire. Même avant sa mort, je me donnais un mal de chien pour essayer de tirer parti de mes Dons. »

Crayton ramasse les vêtements de Huit et les lui lance, puis récupère mon coffre. « À présent, il faut *vraiment* qu'on y aille.

— Allez, quoi, objecte Huit en sautant en rond pour enfiler son pantalon. Je viens seulement de retrouver mon coffre, minaude-t-il d'une voix enjôleuse, en battant des cils. Est-ce que je peux juste prendre le temps de refaire connaissance ? Il m'a tellement manqué.

— Plus tard », répond Crayton d'un ton brusque. Mais quand il se tourne vers nous, je vois le sourire sur ses lèvres.

Huit range la tige en or et sort un cristal vert, qu'il glisse dans sa poche. Puis il referme son coffre et l'empoigne avec un soupir exagéré. De sa voix la plus pathétique, il annonce : « Très bien, nos retrouvailles vont devoir attendre un peu. Suivez-moi, tout le monde. »

*

« À quelle fréquence Setrákus Ra te rend-il visite en rêve ? » demande Crayton. Nous marchons depuis plus de cinq heures dans la montagne sans beaucoup progresser. Huit nous guide le long d'un sentier sinueux qui tient plus de la saillie rocheuse que du chemin. Tout est recouvert d'une fine couche de neige, et le vent est brusquement devenu brutal. Nous sommes tous transis de froid, mais Six nous protège avec son Don, en repoussant le vent et la neige. La maîtrise de la météo, voilà bien un Don utile.

« Ça fait un moment qu'il me parle, qu'il essaie de me leurrer et de me faire perdre mon calme, répond Huit. Mais maintenant qu'il est sur Terre, c'est beaucoup plus fréquent. Il me torture, il me ment, et ces derniers temps il essaie de me pousser à me sacrifier pour que vous puissiez tous retourner sur Lorien. Il a intensifié le jeu, récemment.

— Qu'est-ce que tu veux dire par "intensifier le jeu", exactement ?

— La nuit dernière, dans une vision, il m'a montré mon ami Devdan enchaîné. Je ne sais pas si c'est réellement en train de se passer ou si c'est un piège, mais ça me torture vraiment l'esprit.

— Quatre le voit, lui aussi », intervient Six.

Huit se retourne, l'air interdit, et se met à marcher à reculons, l'esprit visiblement en ébullition. Son pied s'approche dangereusement du ravin, et je retiens mon souffle en tendant instinctivement la main. Mais ça ne le décourage pas. « Vous savez, je crois bien que je l'ai vu, la nuit dernière. Ça vient seulement de me revenir. Est-ce qu'il est blond ? Un grand type ?

— Et plus sexy que toi ? Yep, c'est lui », confirme Six avec un petit sourire.

Huit s'arrête, l'air pensif. À notre gauche, le dénivelé est de près de six cents mètres. « Vous voyez, j'ai toujours cru que c'était moi, mais j'imagine que je me trompais, lâche-t-il d'un air distrait.

— Que c'était toi quoi ? je demande, en priant pour qu'il s'éloigne du bord.

— Le Gardane qui possède les pouvoirs de Pittacus Lore.

— Et pourquoi croyais-tu une chose pareille ? s'interroge Crayton.

— Parce que Reynolds m'avait raconté que Pittacus et Setrákus Ra avaient toujours pu communiquer. Mais maintenant que vous me dites que Quatre le peut aussi, je ne sais plus bien. »

Il se remet à marcher dans le bon sens, et c'est Ella qui prend la parole. « C'est quoi, cette histoire avec Pittacus Lore ?

— Chacun d'entre nous est censé reprendre le rôle d'un des dix Anciens originels, ça doit donc vouloir dire que l'un de nous incarnera Pittacus Lore, explique Six.

C'est le Cêpane de Quatre qui le lui a raconté dans une lettre. Je le sais parce que je l'ai lue. Et, le moment venu, nous sommes appelés à devenir encore plus puissants qu'eux. C'est pourquoi les Mogs s'excitent, ces temps-ci, parce que nous sommes de plus en plus dangereux, et capables de nous protéger et de les attaquer. » Elle lance un regard à Crayton, qui acquiesce.

J'ai vraiment l'impression d'être la seule qui ne sache rien de sa propre histoire. Adelina refusait de me révéler quoi que ce soit, de répondre à la moindre de mes questions, et même de me donner un aperçu de ce que je pourrais accomplir, avec les années. Maintenant, je me retrouve loin derrière tous les autres. Le seul Ancien dont j'aie entendu parler, c'est précisément Pittacus Lore, et je suis incapable de deviner lequel je suis censée devenir. Il ne me reste qu'à espérer que je saurai qui je suis, l'heure venue. Parfois, en songeant à tout ce que j'aimerais déjà comprendre, et à quoi mon enfance aurait dû ressembler, je sens la tristesse m'envahir. Je n'ai cependant pas le temps de pleurer sur ce qui ne changera plus.

Ella revient marcher à mes côtés, m'effleurant la main de la sienne. « Ça va ? Tu as l'air triste. »

Je lui souris. « Je ne suis pas triste, je suis furieuse contre moi-même. J'ai toujours reproché à Adelina de ne pas m'avoir poussée à développer mes Dons comme j'aurais dû le faire. Mais regarde Huit. Il a perdu son Cêpane, mais il s'est contenté de ce qu'il avait, et il a continué à s'entraîner. »

Nous cheminons en silence quelques minutes, jusqu'au moment où Huit nous interpelle. « Est-ce qu'il n'y a pas des moments où vous regrettez que les Anciens ne nous aient pas donné notre Héritage dans des bons sacs à dos bien pratiques ? » demande-t-il en basculant son coffre sous son autre bras.

Je me tourne vers Crayton d'un air coupable. Je fais mine de lui reprendre mon coffre, mais il me repousse gentiment.

« C'est moi qui m'en charge, pour l'instant, Marina. Je suis sûr que le jour est proche où tu devras porter ce fardeau toute seule, alors autant que je sois utile tant que je le peux. »

Peu après, le sentier qui longe le ravin s'interrompt brusquement au bord d'une falaise abrupte. Nous ne sommes plus qu'à quelques dizaines de mètres du sommet, et je contemple la chaîne himalayenne qui s'étire à ma gauche. Les montagnes sont immenses et paraissent sans fin. C'est un spectacle époustouflant, que j'espère me rappeler toute ma vie.

« Et maintenant, on va où ? demande Six en inspectant les alentours d'un air sceptique. Impossible de grimper jusqu'en haut. Mais on dirait qu'on n'a pas vraiment le choix. »

Huit désigne deux rochers massifs adossés à la montagne, puis serre ses mains l'une contre l'autre. Les deux blocs se séparent, dévoilant un escalier de pierre qui pénètre en serpentant au cœur de la paroi. Nous le suivons dans son ascension. Je me sens à la fois claustrophobe et vulnérable. Si qui que ce soit nous suit, pas moyen de lui échapper.

« On y est presque », nous informe Huit par-dessus son épaule.

Il fait un froid glacial, et il remonte de mes pieds pour s'insinuer dans tout mon corps. Nous arrivons finalement en vue d'une gigantesque grotte creusée à flanc de montagne.

Stupéfaits et intimidés, nous y entrons en file indienne. Le plafond est haut d'une trentaine de mètres, et les murs sont lisses et polis. Sur l'un des côtés sont gravées deux

lignes verticales d'environ deux mètres de haut et espa-
cées d'un mètre cinquante. Un petit triangle bleu barré de
trois ondulations horizontales apparaît à équidistance des
deux lignes.

« Est-ce que c'est censé être une porte ? » Perplexe, je
suis les lignes du regard.

Huit se range sur le côté pour nous permettre de mieux
voir. « Pas *censé*, *c'est* une porte. Qui mène aux quatre
coins du monde. »

CHAPITRE QUATORZE

Je remonte ma capuche et courbe les épaules. Neuf porte une casquette crasseuse des Cubs de Chicago et des lunettes de soleil fissurées, qu'il a trouvées dans le dépôt où on a sauté du train. Au bout d'une demi-heure de marche en direction du sud, on est adossés au mur sur un quai, à attendre un autre train. Cette fois-ci, c'est le métro aérien – le « L », comme on l'appelle à Chicago. Nos coffres détonnent pas mal, à côté des valises et des sacs à dos des autres voyageurs, et je fais de mon mieux pour me donner un air désinvolte. Bernie Kosar s'est changé en caméléon, et il est confortablement endormi au creux de ma chemise. Neuf m'en veut toujours d'avoir osé douter qu'on puisse trouver un coin *sûr* dans une zone aussi peuplée. Je sais que jamais Henri n'aurait choisi un endroit aussi exposé.

Quand le train pénètre en bringuebalant dans la gare, aucun de nous ne prononce un mot. Le signal retentit, les portes coulissent, et Neuf se glisse dans la dernière voiture. Le train repart, et nous regardons Chicago grossir peu à peu.

« Pour l'instant, profite de la vue. » Plus on approche de la ville, plus il a l'air serein. « Je t'en dirai plus quand on débarquera. »

Je ne suis jamais venu à Chicago. Nous traversons les différents quartiers en longeant des millions d'immeubles

146

et de maisons. En contrebas, les rues grouillent de voitures, de camionnettes, de passants, de chiens en laisse, de poussettes. Tout le monde paraît tellement heureux, tellement en sécurité. Je regrette de ne pas être comme eux. Avec pour seul programme d'aller travailler, ou en cours, ou bien me balader avec Sarah pour aller prendre un café. Une vie normale. C'est tout simple, mais pour moi cela relève de l'impossible. Le train s'arrête, un flot de gens descendent et d'autres poussent pour monter. Il y a tellement de monde que deux filles, une blonde et une brune, se tiennent debout tout contre nos sièges.

« Comme je disais, répète Neuf avec un sourire ravi, profite de la vue. »

Au bout de quelques minutes, la blonde se cogne au coffre sous mes pieds. « Waouh ! Bon sang, les gars, c'est quoi ces boîtes énormes ?

— Des aspirateurs. » Je suis nerveux, et l'excuse inventée par Neuf est la première chose qui me vienne à l'esprit. « On est, euh, des représentants.

— Sérieux ? » demande la brune, l'air déçu. Je m'enfonce dans mon siège. Même moi, je me sens déçu, dans ma vie fictive.

Neuf retire ses lunettes de soleil et me balance un coup de coude dans les côtes.

« C'est une blague. C'est mon ami qui aime bien faire le comique. En fait, on travaille pour un collectionneur d'art, et on emmène ces pièces au Chicago Art Institute.

— Ah ouais ? » minaude la blonde. Elles échangent un regard, l'air satisfait. Puis la blonde se tourne vers nous en se passant une mèche de cheveux derrière l'oreille. « Moi je suis étudiante.

— Vraiment ? » répond Neuf avec un sourire ravi.

La brune se penche pour observer de plus près les symboles entrelacés sur le dessus de mon coffre. « Alors qu'est-ce qu'il y a, à l'intérieur ? Un trésor de pirate ? »

On ne devrait pas être en train de leur parler. Ni à elles, ni à qui que ce soit. On n'est plus des adolescents qui essaient de se fondre dans un environnement humain. Nous sommes des *fugitifs extraterrestres* qui viennent d'atomiser un parc entier de véhicules de police. Ma tête est mise à prix, et il ne faudra pas longtemps pour que celle de Neuf le soit aussi. On devrait se cacher au milieu de nulle part, au cœur de l'Ohio, ou même plus à l'ouest. N'importe où sauf dans ce train bondé, à Chicago, en train de draguer des filles ! Je m'apprête à répondre que les coffres sont vides et qu'on apprécierait qu'elles nous laissent tranquilles avec leurs questions, mais Neuf me prend de vitesse. « Peut-être que mon ami et moi, on pourrait passer vous voir chez vous, un peu plus tard ? On adorerait vous montrer ce qu'il y a dedans.

— Pourquoi ne pas nous le montrer maintenant ? » suggère la brune en faisant la moue.

Neuf regarde à gauche, puis à droite. Il en fait vraiment des tonnes. « Parce que je ne vous fais pas encore confiance. Toutes les deux, vous êtes, comment dire, suspectes. Vous en avez conscience ? Deux belles filles comme vous, ça sort forcément tout droit d'un film d'espionnage. » Il m'adresse un clin d'œil. Et soudain, je comprends : il n'est pas plus à l'aise que moi, en présence des filles. Il surcompense et ça le rend un peu ridicule. Tout à coup je l'aime un peu mieux. Les deux filles échangent un regard en souriant. La blonde fouille dans son sac, griffonne sur un morceau de papier avant de le tendre à Neuf. « On descend à la prochaine. Appelle-moi après sept heures, et on verra si on peut vous retrouver quelque part. Je m'appelle Nora. » Je suis éberlué que sa combine ait fonctionné.

« Et moi, c'est Sarah », ajoute la brunette. Sarah ? Ben voyons. Je secoue la tête. Si *ça*, ce n'est pas le signe qu'il faut mettre fin illico à cette conversation, je ne m'y connais pas.

Neuf leur serre tour à tour la main. « Moi c'est Tony, et ce beau gosse assis à côté de moi, c'est Donald. » La mâchoire crispée, je leur adresse un bonjour poli de la main. *Donald ?*

« Super, conclut Nora. Alors, à plus tard. » Le train s'immobilise et elles descendent. Neuf se penche pour leur faire coucou à travers la vitre. Une fois qu'on a quitté la station, il glousse tout seul, d'un air plein de suffisance.

Je lui balance un coup de coude dans le ventre. « T'es malade ou quoi ? Qu'est-ce qui t'a pris d'attirer volontairement l'attention sur toi – sur nous ? Tu n'avais aucun droit de m'entraîner dans ton jeu crétin. Et pourquoi *diable* tu les as encouragées à s'intéresser à nos coffres ? Espérons qu'une fille assez stupide pour avaler tes salades n'aura pas la présence d'esprit de se poser des questions ! » Je l'aimais beaucoup mieux dans le rôle du perdant.

« Du calme, *Donald*. Tu crois que tu pourrais arrêter de pousser ces petits cris de fouine ? Il n'y a pas de drame. Il ne nous arrivera rien, ici. » Il se recule dans son siège, les mains derrière la tête. Mais lorsqu'il reprend la parole, c'est avec moins d'arrogance. « Bon sang, Sandor serait sacrément fier de moi. Ça doit être difficile à croire, mais d'habitude je suis hypernerveux, avec les filles. Et plus elles me plaisent, pire c'est. Mais terminé. Après ce que j'ai traversé cette dernière année, plus rien ne me fait vraiment peur. »

149

Je ne réponds pas. Je m'affale dans mon siège et regarde la ville grossir à vue d'œil, et l'architecture se diversifier. Je vois des théâtres, des boutiques et de beaux restaurants dans leurs écrins vitrés. Certains immeubles brillent tellement fort que je dois me protéger les yeux. Dans les rues en contrebas, les voitures s'agglutinent, et l'écho de leurs Klaxon monte jusqu'à nous. On est aux antipodes de Paradise, dans l'Ohio. Notre train s'arrête puis repart encore deux fois, et ensuite Neuf me dit de me lever – descente à la prochaine. Nos coffres sous le bras, nous nous retrouvons à marcher vers l'est, en direction de Chicago Avenue. Le Lac Michigan est droit devant nous.

Lorsque autour de nous la foule se fait moins dense, Neuf reprend son récit. « Sandor adorait Chicago. Et il trouvait plus malin de se cacher à la vue de tous, dans une grande ville comme celle-ci. Aucun risque de se faire remarquer, on peut toujours se fondre dans la foule. Quand on y pense, où est-ce qu'on est plus anonyme que dans une grande métropole ?

— Jamais Henri n'aurait permis une chose pareille. C'est exactement le genre d'endroits qui l'aurait fait flipper. Il détestait ne pas pouvoir surveiller si on nous espionnait – si on m'espionnait, moi.

— Et c'est pour ça que Sandor était le meilleur Cêpane de la terre. Il avait des règles, bien sûr. La première et la plus importante étant : "Ne fais pas l'imbécile." » Neuf soupire. Je suis sidéré de voir qu'il ne mesure absolument pas ce que son petit laïus sur Sandor peut avoir d'exaspérant et d'insultant.

Je suis fou de rage et je me moque que ça se voie. « Ah ouais. Si Sandor était si génial, pourquoi je t'ai trouvé dans une cellule mogadorienne ? » Je regrette ces paroles à la seconde où je les prononce. Son Cêpane lui manque, et nous nous trouvons dans le dernier endroit où ils aient passé du temps ensemble, où Sandor ait dit à Neuf qu'il était en sécurité. Je connais la valeur de ce cadeau-là.

Neuf s'arrête net, au beau milieu d'un croisement, dans le flot ininterrompu des passants. Il s'approche de moi jusqu'à ce que nos nez se touchent presque. Les poings serrés, il vocifère entre ses dents : « Si tu m'as trouvé dans cette cellule, c'est parce que *j'ai* fait une erreur, pas Sandor. Et tu sais quoi ? Où est ton Cêpane ? Tu penses qu'il était meilleur que le mien ? Réveille-toi, imbécile ! Ils sont tous les deux *morts*, alors ne viens pas me raconter qu'il y en avait un qui valait mieux que l'autre. »

Je me sens mal de m'être laissé emporter, mais j'en ai assez que Neuf joue les durs avec moi. Je le repousse. « Lâche-moi, Neuf. Je ne plaisante pas. LÂCHE-MOI. Et arrête de me parler comme si j'étais ton petit frère. »

Le feu passe au rouge et nous traversons la rue, aussi furieux l'un que l'autre. Je le suis sur Michigan Avenue, et nous marchons en silence. Je suis d'abord trop énervé pour prêter attention au décor, puis je prends lentement conscience des gratte-ciel qui m'entourent. Je n'y peux rien. Cette ville est géniale. Bientôt, je n'en perds plus une miette. Neuf se rend compte que j'admire le coin, *son* coin, et je sens son humeur s'adoucir.

« Tu vois le grand immeuble là-bas, noir avec les flèches blanches au sommet ? » Il a l'air tellement heureux de le voir que j'oublie même que je lui en veux. Je lève les yeux. « C'est le John Hancock Center, le sixième plus haut gratte-ciel du pays. Et pour ton information, *petit frère*, c'est là qu'on va. »

151

Je l'attrape par le bras et l'attire sur le côté du trottoir. « Attends une minute. C'est *ça*, ton coin sûr ? L'un des plus grands buildings de la ville ? Et tu prétends que c'est là qu'on va se *cacher* ? Tu plaisantes, j'espère. C'est du délire. »

Devant mon air incrédule, Neuf éclate de rire. « Je sais, je sais. C'était l'idée de Sandor. Et plus j'y pense, plus je mesure combien il était brillant. On est restés là pendant plus de cinq ans, sans l'ombre d'un problème. Planqués en pleine lumière, mon pote, *en pleine lumière.*

— Mais bien sûr. Tu as oublié la partie où tu t'es fait prendre ? On ne reste pas ici, Neuf. Tu peux toujours courir. On doit retourner prendre le train, et décider d'un nouveau plan. »

Neuf dégage son bras d'un geste brusque. « Si on s'est fait prendre, *Donald*, c'est à cause de quelqu'un que j'ai pris pour un ami. Elle travaillait pour les Mogs, et j'ai été trop abruti pour m'en rendre compte. Elle m'a trahi, et moi je n'ai pas vu plus loin que son joli cul, et Sandor s'est fait piéger. Je l'ai vu se faire torturer, sans rien pouvoir faire. La personne que j'aimais le plus au monde. À la fin, la seule chose que j'aie pu faire pour lui, c'est d'abréger ses souffrances. La mort. Le cadeau qu'on n'oublie jamais. » Il a beau faire le cynique, il ne parvient pas à camoufler la douleur dans sa voix. « Ensuite je fais avance rapide pendant un an, et je me retrouve avec ta sale tête à la porte de ma cellule. Là-haut, on était à l'abri, affirme-t-il en désignant le John Hancock Center. C'est le lieu le plus sûr qu'on puisse trouver.

— On va se faire embusquer. Si les Mogs nous coincent là-haut, on n'aura nulle part où fuir.

— Oh, tu serais surpris. » Il m'adresse un clin d'œil avant de reprendre la direction du gratte-ciel.

Brusquement, j'ai une conscience décuplée de la foule tout autour de nous. Je suis hypernerveux, sans aucune autre solution de repli. Ce que je sais avec certitude, c'est que les Mogs sont de plus en plus doués pour se fondre dans la masse, et je pense qu'on serait même incapables d'en reconnaître un, s'il nous passait à côté. Cette pensée me terrifie tellement que j'en tremble. Et je suppose qu'il y a aussi des milliers de caméras de vidéosurveillance dans une ville de cette taille ; sachant qu'ils travaillent main dans la main avec le gouvernement, les Mogs doivent y avoir accès. Génial. On est les héros d'un épisode de *Caméra cachée* version chasse à l'homme mortelle, et on ne peut strictement rien y faire. Il faut rentrer à l'intérieur le plus vite possible, n'importe où. On y sera plus en sécurité qu'à découvert. Je baisse la tête et suis Neuf.

Le hall d'entrée est incroyablement luxueux, avec un piano à queue, des meubles en cuir et des lustres étincelants. Au fond, j'aperçois deux guichets de sécurité. Neuf me tend son coffre et retire sa casquette. À l'un des bureaux est assis un grand type chauve qui, en apercevant Neuf, bondit sur ses pieds en poussant un cri.

« Hé ! Regardez un peu qui voilà ! Pas une lettre, pas un coup de fil, mais où est-ce que vous étiez, bon sang ? » s'exclame le gars en serrant la main de Neuf et en lui tenant l'avant-bras. Il reste planté là à regarder Neuf avec un sourire béat. Ça fait très retour du fils prodigue.

De son côté, Neuf lui sourit avec une réelle affection et lui pose la main sur l'épaule. « Oh, je pense que la vraie question, c'est : où est-ce que je ne suis *pas* allé ?

— La prochaine fois, prévenez-nous de votre départ ! Je me suis inquiété ! Et votre oncle, il est où ? » Il regarde

153

par-dessus l'épaule de Neuf, comme s'il s'attendait à voir surgir Sandor.

Neuf ne se laisse pas démonter. « En Europe. En France, plus précisément. » Sans ciller, rien. Il est doué. Je sais combien ça doit être dur, pour lui.

« Il a décroché un poste de prof ?

— Yep. C'est une mission longue durée, alors il se demande s'il ne va pas carrément s'installer là-bas. Du coup, je suis resté sur la Côte d'Azur, avec mon ami Donald, dit-il en me désignant d'un mouvement de la tête. On doit faire une étape ici pour pouvoir travailler sur un dossier, en histoire. Regardez un peu ces coffres, mon vieux, on a du boulot pour des mois ! »

Je baisse le regard vers les coffres et le garde s'écarte pour nous laisser passer. « On dirait que vous vous êtes dégotté un bon plan, tous les deux. Ravi de vous rencontrer, Donald. Bon courage pour votre dossier !

— Bon courage à vous aussi, je réponds. Et merci ! » J'essaie d'avoir l'air amical, mais je dois faire un effort. Visiblement, cela ne pose aucun problème à Neuf de tenir ce type au courant de ses allées et venues, ou bien de lui raconter un mensonge sur lequel il sera sans doute difficile de revenir. Dans mon for intérieur, j'entends la voix d'Henri me seriner que c'est exactement le *contraire* de ce qu'il faut faire. Mon estomac fait des loopings, aussi je tente de me calmer. Toujours tout anticiper ne sert à rien.

Nous nous dirigeons vers les ascenseurs et Neuf appuie sur un bouton. Au-dessus des portes, une grosse flèche pointée vers le haut s'illumine.

« Au fait, Stanley ? » Au moment où nous nous apprêtons à entrer dans la cabine, l'agent de sécurité nous rejoint à petites foulées, en faisant tinter les clefs à sa ceinture.

Je me tourne vers Neuf, un sourire narquois sur les lèvres. « Stanley ? » J'articule à mi-voix. C'est encore pire que Donald !

« Pas maintenant, marmonne-t-il entre ses dents.

— J'ai pas mal de paquets pour vous. Comme je ne savais pas où vous étiez et que vous n'aviez pas laissé d'adresse où faire suivre le courrier, je les ai gardés dans la réserve. Vous voulez que je vous les fasse monter ?

— Donnez-nous juste une heure pour nous installer, d'accord ? demande Neuf.

— Pas de problème, chef. » Le type effleure le bord de sa casquette et nous pénétrons dans l'ascenseur.

Une fois les portes refermées, je sens Bernie Kosar faire des allers et retours entre mes épaules. Il me dit qu'il en a assez de se cacher. « Plus que quelques minutes, je le rassure.

— Ouais, BK, confirme Neuf. On est bientôt arrivés à la maison. Enfin.

— Comment tu pouvais être certain que cet endroit t'attendrait jusqu'à ton retour ? Je veux dire, tu es parti un sacré bout de temps. » On dirait qu'aucune situation, aucun obstacle ne fait douter Neuf de ce qu'il croit. J'aimerais être comme lui. Même s'il n'a pas toujours raison, ça fait de lui un bon équipier, et un guerrier encore plus épatant.

« C'est Sandor qui a tout prévu. Le loyer est prélevé automatiquement sur son compte. On est toujours restés très vagues sur son métier. Et les autres fois, quand on a dû s'absenter pendant plusieurs mois, on a parlé de "poste d'enseignement". Ce qui est clair, c'est que les gens y ont cru. »

Neuf compose un code sur un petit clavier situé sous les numéros d'étages et l'engin monte à toute vitesse. Les chiffres défilent si vite que j'ai à peine le temps de voir jusqu'où on va. Passé le quatre-vingtième étage, l'ascenseur ralentit un peu, puis s'immobilise. Les portes coulissent et s'ouvrent directement sur un appartement. En levant le nez, je vois un gigantesque lustre en cristal suspendu au-dessus de deux canapés. Tout est blanc immaculé, avec des dorures partout.

« C'est chez toi ? Tu plaisantes ! je laisse échapper, éberlué.

— Ouais, on a notre entrée privée. »

Je pensais qu'il n'y avait qu'à la télé que les gens vivaient dans des endroits pareils. Je suis complètement ahuri qu'on soit chez un Gardane.

Dans un coin de la pièce, j'aperçois une caméra au plafond, et je me cache instinctivement le visage. Neuf m'explique alors que c'est un réseau de surveillance interne, qui se pilote depuis l'appartement.

« Après toi, dit-il en s'inclinant, avec un mouvement théâtral du bras.

— Je n'arrive pas à croire que vous ayez tout l'étage. » Je balaie la pièce du regard, bouche bée.

Neuf fait glisser sa main le long du mur. « En fait, c'est *deux* étages, pour être précis. » Il appuie sur un interrupteur et des dizaines de stores occultants remontent, révélant des baies vitrées du sol au plafond. La pièce se retrouve baignée de soleil. Bernie Kosar saute de mon blouson et reprend sa forme de beagle. Je me dirige vers une fenêtre pour contempler la vue. C'est à peine croyable. La ville de Chicago tout entière se déroule à nos pieds. Sur la gauche, le lac Michigan dessine une nappe bleu vif. Je dépose mon coffre sur un fauteuil inclinable somptueux et appuie le front contre la vitre. Alors que je scrute les toits des immeubles tout autour, j'entends une machine se mettre à ronronner derrière moi, et je sens une bouffée d'air frais souffler près de mes pieds.

« Hé, t'as faim ? me demande Neuf.

— Plutôt, oui. » C'est étrange, mais de si haut tout a l'air faux : les voitures, les bateaux sur l'eau, les trains qui zigzaguent sur les rails. À ma grande surprise, je me sens en sécurité. *Vraiment* en sécurité. J'ai l'impression que rien ne peut m'atteindre, ici. Et ça faisait longtemps que je n'avais plus ressenti ça. C'est presque anormal.

J'entends une porte de réfrigérateur s'ouvrir. « C'est trop mortel de pouvoir enfin se *détendre*, lance Neuf depuis la cuisine. Hé, fais comme chez toi, hein : prends une douche, mange de la pizza surgelée. On a même le temps de piquer un somme avant de rappeler ces filles. C'était quand, la dernière fois que tu as pu dire un truc pareil ? Mon pote, ça fait du bien d'être à la maison. »

Difficile de s'arracher à cette vue : elle est totalement envoûtante. Tout ce que je veux, c'est rester debout là, à cet endroit précis, et savourer ce sentiment de sécurité. La seule chose qui me manque, c'est d'avoir Henri, Sam et Sarah près de moi.

Un objet mou sous plastique me percute la nuque – une barre énergétique.

« Je te fais faire le tour du propriétaire. » Neuf est tout joyeux, comme s'il était fier de me montrer ses jouets.

Je mâchonne mon en-cas en le suivant à travers le salon rempli de canapés moelleux et de fauteuils en cuir. Un écran de télévision géant est accroché au-dessus d'une cheminée en marbre, et un vase rempli d'orchidées factices est posé sur la table basse en verre. Les meubles sont couverts de poussière. En passant le doigt sur une table particulièrement sale, Neuf m'informe qu'il fera venir le service de nettoyage pour s'en occuper. Dans le couloir, il ouvre la première porte à droite.

Je me retrouve totalement pris au dépourvu. Face à moi se tiennent deux soldats mogadoriens à la peau d'albâtre et aux longs cheveux sombres, vêtus d'imperméables noirs. Ils se tiennent juste dans l'embrasure, leurs canons pointés sur nous, prêts à faire feu. Les semaines d'entraînement avec Six et Sam me reviennent instantanément en mémoire. Je me rue sur le premier et plonge sous la ligne de mire, puis lui envoie un uppercut au menton suivi d'un coup de pied direct dans le ventre. Le Mog est sonné et bascule en arrière. Je cherche désespérément du regard quelque chose avec quoi le poignarder, mais je ne vois que des haltères et des gants de boxe. C'est alors que Neuf bondit sur le second et lui balance un coup de genou dans l'entrejambe d'un air taquin, avant de lui pincer le nez. Son Mog fait un tour sur lui-même avant de basculer sur le côté. Il me faut encore une seconde pour comprendre que ce ne sont que des mannequins. Neuf est plié en deux de rire et, lorsqu'il reprend enfin son souffle, il m'assène une grande claque dans le dos.

« Eh bien, mon vieux, sacrés réflexes ! » braille-t-il, hilare.

J'ai les joues en feu. « Tu aurais pu me prévenir.

— Tu plaisantes ou quoi ? Je pense à te faire ce coup-là depuis qu'on est montés dans le L. Purée, c'était trop fort ! »

Bernie Kosar entre dans la pièce et vient renifler les pieds en caoutchouc du Mogadorien que j'ai étalé, avant de lever les yeux vers moi.

« C'est pour s'entraîner, BK, explique Neuf en bombant fièrement le torse et en écartant les bras. On appelle cet endroit la Salle de cours. »

Je prends enfin le temps d'examiner le décor. C'est une pièce immense, et vide. Tout au bout, j'aperçois un tableau de bord, comme dans un cockpit. Neuf va s'asseoir devant et se met à pousser des boutons et à taper sur un clavier. Des murs, du plafond et du sol apparaissent des armes et du matériel de combat. Il fait pivoter sa chaise pour me faire face, visiblement impatient de voir ma réaction. Je suis instantanément jaloux du temps qu'il a dû passer ici. Et ça se voit.

« C'est… » Je lève les yeux au plafond. Je ne trouve même pas les mots. Je me sens honteux de ce que moi j'ai fait, pendant tout ce temps. Mon « espace d'entraînement », c'était un coin enneigé dans le jardin, ou avec Six et Sam, à la piscine. Soudain, j'en veux à Henri de nous avoir fait déménager si souvent, et de ne pas m'avoir apporté le genre de formation dont j'avais à l'évidence besoin. Si on s'était aménagé un endroit comme celui-ci, alors peut-être que je serais aussi fort et confiant que Neuf. Peut-être Sandor était-il vraiment un meilleur Cêpane.

« Et tu n'as pas encore vu le plus beau », m'annonce Neuf.

Nous traversons la salle d'entraînement et il fait pivoter une porte voûtée, au bout. Derrière, les parois sont recouvertes d'étagères débordant d'armes : fusils, épées, couteaux, explosifs et autres. Un mur entier est consacré aux munitions.

159

Neuf s'empare d'un gros fusil automatique à viseur et le pointe sur moi. « Tu serais surpris de voir comme c'était facile d'acheter tout ça. Vive Internet. »

Il s'avance vers moi avec l'arme et pousse un bouton au-dessus de mon épaule. Le mur du fond s'ouvre en deux sur un stand de tir plus long qu'une piste de bowling. Neuf attrape une boîte de balles et charge son arme. Puis je le regarde atomiser une cible en papier à vingt-cinq mètres de distance. « Ne t'inquiète pas. Ces pièces sont très bien insonorisées ; de toute façon, on est si haut que personne ne pourrait nous entendre. »

Dans le couloir, il m'indique la porte de la salle de surveillance. Il se dirige vers l'interrupteur dans l'entrée et approche son visage tout près du boîtier. Un faisceau bleu pâle parcourt son œil et les ordinateurs s'animent. Un scanner rétinien. Cool, très cool. À l'évidence, Sandor savait s'y prendre pour installer un système de sécurité high-tech. Je vois une dizaine de moniteurs, et encore plus d'écrans. Nous sommes connectés à toutes les caméras vidéo du John Hancock Center, sur les cent étages, et aussi à toutes les caméras urbaines apparemment contrôlées par la Police de Chicago. Neuf appuie sur une touche et le plus grand écran s'allume, avec une photo en fond — celle d'un homme musclé en costume italien noir, dont la qualité de tissu et de coupe est flagrante, même avec le grain. Il a les cheveux noirs et une barbe épaisse, et il tient deux ordinateurs portables à la main. Je lance à Neuf un regard interrogateur.

« C'est Sandor », me dit-il au bout d'une minute, d'une voix changée, moins bravache. Il se tourne vers moi. « Suis-moi. Tu as une décision importante à prendre. » Il marque une pause pour l'effet dramatique. « Quelle chambre tu vas choisir ? Il y en a quelques-unes. Prends ton temps. Les pizzas seront bientôt prêtes. »

CHAPITRE QUINZE

Crayton s'avance entre Marina et Ella pour mieux voir les lignes sculptées dans la roche. Il appuie la paume au centre de la porte, puis la retire. « Intéressant. C'est chaud, au contact. Et qu'est-ce que tu voulais dire, exactement, en affirmant que cette porte menait aux quatre coins du monde ?

— Je vous explique, répond Huit. Au mieux, je peux me téléporter à soixante mètres de distance. Mettons soixante-dix. Et plus je vais loin, moins le tir est précis. Une fois, je visais le sommet d'un arbre à une cinquantaine de mètres, et j'ai atterri pile entre une lionne et ses petits. Ça a vite mal tourné. Ce Don de téléportation, c'est génial et ça m'a été très utile en de nombreuses occasions, mais c'est moins facile qu'il n'y paraît. Mais *depuis l'intérieur de cette grotte*, je peux me téléporter partout dans le *monde*. »

Je pose les mains sur la paroi et perçois à mon tour la chaleur s'insinuer dans mes os. « Comment ? »

Huit s'écarte pour laisser Marina et Ella toucher le mur. « J'y ai réfléchi, et ce que je pense, c'est que c'est une ancienne grotte loric, ou bien un quartier général loric, et que j'ai juste eu de la chance de tomber dessus, et encore plus de comprendre ce que je pouvais y faire. Mais, quoi que ce soit, je n'étais pas le premier Loric à y pénétrer. »

162

Il a à peine prononcé ces paroles que je sens l'adrénaline fuser, et un frisson de terreur me remonter le long de l'échine. Je sais que Crayton pense à la même chose, car je le vois tourner brusquement la tête dans la direction d'où nous sommes venus, puis me regarder. J'agis avant même qu'il ait eu le temps de demander, et je me précipite dans le passage, à l'écoute du moindre mouvement. Si c'est bien une ancienne grotte loric, elle est probablement sous surveillance mogadorienne. Il pourrait y avoir des soldats en train de nous espionner, et tout un dispositif pour les avertir de notre présence.

Je me tourne vers Huit. « Tu as complètement perdu la tête ? En fait, c'est plutôt nous qui sommes devenus fous, de t'avoir suivi aveuglément jusque dans une cachette loric notoire ! Cet endroit pourrait grouiller de pièges ! » En mesurant le sens de mes paroles, Marina et Ella se rapprochent de nous.

« Hé, hé ! Écoutez, je suis désolé. Je suis venu tellement souvent ici, sans qu'il se passe jamais rien, que je n'ai pas pensé qu'il pouvait y avoir le moindre risque.

— Ne perdons pas notre temps à nous excuser ou à nous accuser, intervient Marina. Montre-nous vite comment ouvrir cette porte, qu'on puisse avoir accès au reste du monde. Ou du moins, qu'on parte d'ici ! »

Crayton acquiesce, sans cesser de scruter les alentours d'un air méfiant. « Oui. Allons ailleurs, où on sera moins vulnérables. »

Huit lève son pendentif au-dessus de sa tête et le tend vers le triangle bleu. « Attendez un peu la suite », annonce-t-il en souriant. Puis il appuie le bijou sur le symbole.

Il ne se passe d'abord rien mais, au bout de quelques secondes de tension, les lignes s'enfoncent dans la pierre, tout en s'étirant l'une vers l'autre. Huit laisse retomber son pendentif sur sa poitrine. De la poussière jaillit dans le tunnel et nous reculons de quelques pas. Quand toutes les lignes se sont rejointes pour dessiner le contour parfait d'une porte, le bord droit se détache de la paroi et pivote. Une bouffée d'air tiède nous balaie et nous restons tous immobiles, fascinés par la lueur bleue de l'autre côté.

Je sens une énergie incroyable me parcourir et un calme total m'envahir. « Qu'est-ce que c'est que cette lumière bleue ? je finis par demander.

— C'est ce qui me permet de me téléporter à travers le monde », répond Huit comme si c'était d'une simplicité enfantine.

Ella s'approche de l'ouverture. « Je me sens toute bizarre, à l'intérieur.

— Moi aussi », renchérit Marina.

Un sourire aux lèvres, Huit se baisse pour pénétrer dans le trou. Crayton et Ella ne tardent pas à le suivre. Je ferme la marche. Nous grimpons un autre escalier.

« Il y a quelques années, nous explique Huit, quand mes Dons sont apparus, j'ai commencé à faire ces rêves très réalistes, comme ceux qui me viennent ces derniers temps, avec Setrákus Ra et Quatre. J'ai appris un tas de choses sur Lorien, sur les Anciens et sur notre histoire ici, sur Terre – que nous avions aidé les Égyptiens à construire les pyramides, que les dieux grecs étaient en fait loric, et que c'est nous qui avions enseigné leurs techniques de guerre aux chefs militaires romains. Et ainsi de suite. Dans l'un de ces rêves, il était question de bouger aux quatre coins de la planète, et j'ai vu la manière dont s'y prenaient les Lorics. Et *cette* montagne était là. On était déjà installé en Inde, alors je l'ai reconnue. Peu après, je suis venu ici et je me suis mis à fouiner. Et j'ai fini par découvrir tout ça.

— Incroyable », commente Marina.

L'escalier aboutit dans une autre salle, dont le plafond est voûté, soutenu par plusieurs colonnes effritées. Je comprends que nous sommes au cœur du sommet. La pièce est vide, sauf en son centre, où un amas de rochers entrelacés dessinent un symbole en spirale dont le centre est une pierre bleue de la taille d'un ballon de basket.

« De la Loralite », chuchote Crayton. Il se dirige vers le cœur de la grotte et dépose le coffre de Marina par terre. « C'est le plus gros bloc de Loralite que j'aie jamais vu.

— Tu penses que c'est grâce à elle que tu peux aller partout où tu veux ? suggère Marina en se tournant vers Huit.

— Eh bien, c'est ça, le truc. Je ne peux pas aller *partout* où je veux, seulement dans six ou sept endroits. Il m'a fallu pas mal de ratés, avec atterrissages involontaires, avant de comprendre que je ne peux me rendre que là où il y a d'autres grosses pierres de Loralite comme celle-ci dans les parages.

— Donc où est-ce qu'on *peut* aller ? je demande.

— Jusqu'ici, j'ai vu le Pérou, l'île de Pâques, Stonehenge, le golfe d'Aden, près de la Somalie – mais je déconseille cette destination, pour tout un tas de raisons –, et j'ai fini dans le désert du Nouveau-Mexique. »

Je tranche immédiatement, en interrogeant Crayton du regard.

« Le Nouveau-Mexique. Si c'est là qu'on va, on peut traverser le pays et rejoindre John en moins d'une journée. On sait qu'on peut se déplacer facilement, une fois aux États-Unis. »

Crayton s'approche du mur pour inspecter des inscriptions. « Attends. Tu dis que tu ne peux pas contrôler où tu atterris ? Ce n'est pas aussi prometteur qu'il y paraissait.

— Non, mais si on n'arrive pas au Nouveau-Mexique – si c'est bien là qu'on veut aller –, alors il suffira de se téléporter encore une fois, jusqu'à ce qu'on y soit. Ce n'est pas si terrible.

— Et tu sais si tu peux nous prendre tous avec toi ? Parce que si ça fonctionne comme mon Don d'invisibilité, alors on risque d'avoir un problème. Je ne peux rendre les autres invisibles que s'ils me tiennent la main.

— Pour être franc, je ne sais pas. Je n'ai jamais essayé d'emmener quelqu'un, avoue Huit.

— Peut-être qu'on peut le faire en deux voyages, fait remarquer Marina.

— Ces dessins sont incroyables, nous interrompt Crayton en nous faisant signe d'approcher de la paroi. Peut-être qu'il y a des indications, là-dedans. »

Il a raison. Les murs orange sont recouverts de centaines de symboles, à la fois peints et sculptés, qui remontent jusqu'en haut du dôme.

Une fois tout près, j'ai le regard attiré par une planète peinte en vert pâle. Je reconnais immédiatement Lorien, et j'ai comme une boule dans la gorge. En dessous, griffonnée en bleu, une silhouette de femme est penchée au-dessus d'un homme, et tous deux tiennent des bébés endormis. Des rayons blancs discontinus irradient de Lorien, jusqu'aux quatre formes. Près de la tête de la femme, d'une main différente, sont gravées trois colonnes de symboles extraterrestres. « Qu'est-ce que c'est que ça ? » je chuchote, perplexe.

À un peu plus d'un mètre sur ma gauche, je repère un schéma noir simpliste représentant un vaisseau triangulaire, dont les ailes sont décorées de spirales et de motifs complexes. Une minuscule constellation d'étoiles tourbillonnante orne le nez arrondi de l'engin. Huit s'approche de moi et désigne cette dernière image. « Tu vois ? C'est la même que sur les pierres, là. »

Je me tourne pour comparer – et constate qu'il dit vrai. Je regrette immédiatement que Katarina ne soit pas là pour voir ça. Je me demande même si elle l'a jamais su. Je me tourne vers Crayton, qui examine des dessins au plafond. « Tu étais au courant de tout ça ?

— Nous avons quitté Lorien en grande hâte, au beau milieu d'une attaque mogadorienne. Nous n'avons pas eu le temps de réunir autant d'informations que nous aurions dû. On savait qu'il existait des endroits comme celui-ci, mais personne n'aurait su dire avec précision où ils se trouvaient, ni à quoi ils servaient. Ce qui est certain, c'est que malgré ce que nous avons réussi à engranger avant de partir, il est resté beaucoup de choses importantes que nous avons dû abandonner.

— Suivez-moi, tous, nous appelle Huit en désignant un recoin sombre. C'est de plus en plus bizarre, par ici. »

Il s'arrête en face d'un énorme motif sculpté de trois mètres de haut sur six de large, divisé en plusieurs scènes, un peu comme une bande dessinée. Le premier panneau montre un vaisseau avec neuf enfants debout devant. Les visages sont représentés en détail, et je me reconnais immédiatement. La vision de moi toute petite me donne le vertige.

« Est-ce que c'était déjà là, quand tu es venu la première fois ? demande Crayton en se détournant un instant du mur.

— Oui, confirme Huit. Tout était là, exactement comme vous le voyez.

— Qui a pu faire ce dessin ? » La voix de Marina est remplie de crainte tandis qu'elle parcourt la paroi du regard.

« Je n'en sais rien. » Les mains sur les hanches, totalement décontenancé, Crayton contemple lui aussi les images. C'est troublant de le voir aussi égaré.

Dans le panneau suivant, une dizaine de silhouettes sombres évoquent des Mogadoriens. Ils ont des épées et des fusils, et celui du milieu est deux fois plus grand que les autres. Setrákus Ra. Les minuscules yeux et les bouches droites des Mogs sont tellement réalistes que je sens des frissons me parcourir tout le corps. Mon regard se porte vers la droite, et la scène suivante montre une fille étendue dans une mare de sang. Je compare son visage à ceux du premier tableau, et il s'agit à l'évidence de Numéro Un. Numéro Deux, également une fille, mais plus jeune que Un, est elle aussi à terre, plaquée au sol par le pied d'un Mogadorien. Morte. Mon estomac se retourne lorsque je vois Numéro Trois, un garçon, empalé sur une épée, dans la jungle. Le dernier panneau de la série du haut représente Numéro Quatre, en train d'échapper à deux soldats mogadoriens, bondissant par-dessus le rayon craché par l'un de leurs fusils. Malgré moi, je me retrouve bouche bée. Au fond est dessiné un grand bâtiment en feu.

« Bordel de merde. C'est l'école de John.

— Quoi donc ? » demande Marina.

De l'index, je tapote le mur. « L'incendie, là, c'est celui de l'école de John, juste après la bataille contre les Mogadoriens. J'étais là ! C'est l'école de John !

— Alors c'est toi, dans le ciel ? »

En y regardant de plus près, je distingue une petite silhouette aux cheveux longs qui plane au-dessus de la scène. « OK, là ça devient vraiment flippant. Je n'y comprends rien. Comment quelqu'un a-t-il pu…

— Regardez, est-ce que c'est Numéro Cinq ? » s'écrie Ella, penchée sur le premier panneau du bas. Perchée au sommet d'un sapin, une silhouette lance quelque chose contre trois Mogadoriens au sol.

« Incroyable. Tout est là, s'exclame Crayton. Quelqu'un avait tout prévu !

— Mais qui ?

— Oh, non, murmure Marina. Qui c'est, là ? Qui d'autre va mourir ? »

Je saute les deux scènes suivantes, où nous commençons tous à nous réunir, pour regarder de plus près celle où on nous voit toutes les deux, Marina et moi, au bord d'un lac. Et John qui sort en courant d'une grotte, avec un autre garçon. Je ne sais pas qui c'est, parce qu'il tourne la tête. Peut-être Sam. Puis j'atteins le dessin qui effraie tant Marina. Les bras en croix, un ou une Gardane se tient debout, une épée lui transperçant le corps. Impossible d'identifier la victime, car son visage a été gratté – comme le prouvent les éclats de pierre au pied du mur.

« Bon sang, qu'est-ce qui se passe, ici ? Pourquoi c'est le seul visage qui manque ? » Je me tourne vers Huit, qui reste silencieux, tête baissée. « C'est toi qui as fait ça ?

— Personne ne peut dicter ce qui va se passer, réplique-t-il.

— Alors tu t'es dit que tu allais le détruire ? Dans quel but, exactement ? Pour que ce soit moins vrai ? demande Crayton.

— Je ne savais pas ce que c'était, tout ça. Je ne connaissais aucun d'entre vous. J'ai cru que c'était simplement une légende, du moins jusqu'à ce que...

— Est-ce que c'est moi ? l'interrompt Marina. Est-ce que c'est moi, qui meurs ? »

Je me pose la même question. Est-ce moi, empalée sur cette épée ? J'en ai le frisson.

« Nous allons tous mourir un jour, Marina », assène Huit d'une drôle de voix.

Ella ramasse les morceaux de roche et les retourne dans sa paume.

Crayton se plante en face de Huit. « Ce n'est pas parce que tu as détruit ce dessin que ça ne va pas se produire. Nous cacher des informations ne changera rien à la réalité – si ça doit arriver, ça arrivera. Tu vas nous dire de qui il s'agit ?

— Je ne vous ai pas tous amenés ici pour inspecter un petit éclat dans le mur, se défend Huit. Il faut que vous regardiez la suite, les deux autres panneaux. »

Il réussit à capter notre attention. S'obstiner à essayer de deviner qui va se faire tuer ne sera d'aucun secours pour personne. Nous nous concentrons de nouveau sur la paroi. Dans le panneau que désigne Huit, Setrákus Ra gît à terre, une épée pointée sur la gorge. Impossible de dire qui le tient ainsi en respect. De part et d'autre, des cadavres de Mogadoriens. Dans le dernier carré apparaît une étrange planète coupée en deux. La partie supérieure ressemble à la Terre, et je reconnais l'Europe et la Russie, mais le bas est strié de lignes ondulantes et a l'air nu et mort. Un petit vaisseau approche le haut de la planète par la gauche, et un autre, le bas par la droite.

Tandis que j'essaie de comprendre ce que ça veut dire, j'entends Ella pousser un petit cri silencieux.

« C'est Huit. »

Nous faisons tous volte-face. Elle a rassemblé les pièces du puzzle, et reposé les morceaux sur le visage du Gardane. C'est Huit qui meurt sur cette image.

« Ça ne veut rien dire », affirme-t-il.

Marina lui pose gentiment la main sur l'avant-bras. « Hé, c'est juste un dessin.

170

— Tu as raison, renchérit Crayton d'une voix douce. C'est juste un dessin. »

Huit dégage son bras et retourne au centre de la grotte, tandis que nous restons tous vissés sur place, face à ce mur qui raconte des histoires qu'aucun de nous n'aurait pu ou dû savoir. Quelqu'un a prédit la mort de Huit. Compte tenu de la précision des autres panneaux, difficile de trouver un argument convaincant pour prétendre que seul celui-ci se tromperait. Pas étonnant que Huit passe son temps à blaguer, et à se comporter comme s'il n'avait pas à se montrer aussi prudent que nous. Il tente de se cacher du destin, ou bien de se précipiter vers lui. Je jette de nouveau un œil aux deux derniers dessins. Je suis d'abord soulagée de voir Setrákus Ra maîtrisé, mais le fait qu'il soit encore *en vie* me met en rage. Et que veut dire cette dernière image ? À l'évidence, elle montre une confrontation qui n'est pas achevée, et dont l'issue n'est pas claire. Et pourquoi cette planète est-elle coupée en deux ? Qu'est-ce que ça signifie pour l'avenir ?

Crayton ramasse le coffre de Marina, puis se dirige vers Huit pour lui passer le bras autour des épaules, et se met à lui parler à voix basse.

« Qu'est-ce que tu crois qu'il lui dit ? chuchote Marina en se tournant vers moi. Qu'est-ce qu'il peut bien *trouver* à lui dire pour qu'il se sente moins mal ? »

Au moment où je m'apprête à rejoindre Crayton pour réconforter Huit, une explosion retentit et une vague de feu pénètre dans la grotte. Marina m'agrippe le bras et j'entends Ella hurler à l'autre bout de la pièce. Les colonnes branlantes qui soutiennent le plafond se fissurent, puis se mettent à osciller et à se désintégrer. Un énorme bloc s'affaisse sur Ella et je me sers de la télékinésie pour la protéger, en projetant la pierre au loin. Je me tourne vers Crayton juste à temps pour voir Huit disparaître.

« Qu'est-ce qui se passe ? s'écrie Marina en nous protégeant toutes deux des débris par la télékinésie, pendant que je maintiens un bouclier au-dessus d'Ella.

— Je ne sais pas. » J'essaie frénétiquement d'y voir quelque chose à travers la fumée et la poussière. Soudain, Huit réapparaît au milieu de la pièce. Il a le visage hagard, et le sang fuse d'une plaie à son flanc. « Les Mogadoriens ! hurle-t-il. Ils sont ici ! »

CHAPITRE SEIZE

Je suis allongé dans un lit, à me féliciter d'avoir choisi cette chambre, avec tous ces coussins moelleux. Je commence à somnoler quand j'entends la porte d'entrée s'ouvrir, puis Neuf s'adresser à quelqu'un à voix basse. Je me redresse, alarmé, le cœur me battant aux tempes, avant de me rappeler que c'est sans doute le gars de l'accueil qui a remonté les paquets. Je me rallonge. Bernie Kosar me lèche la plante des pieds et me dit qu'il va se chercher quelque chose à manger.

« Je te rejoins tout de suite », je réponds. Les mains croisées derrière la tête, je fixe le plafond.

Je remarque que la surface n'est pas complètement lisse. Je me sens de nouveau les paupières lourdes. Soudain, je me retrouve dehors, sous la neige.

« Concentre-toi, John ! » me lance quelqu'un derrière moi. Je me retourne et vois Henri, armé d'une série de couteaux de cuisine. Il en tient un au-dessus de l'épaule, prêt à être lancé.

« Henri ! Où est-ce qu'on est ?

— Tu t'es cogné la tête, ou quoi ? » Il est vêtu d'un jean et d'un pull blanc, déchirés et tachés de sang. Quelque part derrière lui, j'aperçois une lueur bleutée, mais lorsque j'essaie de la distinguer plus clairement en tendant le cou, Henri se met en colère. « Allez, John ! On dirait que tu n'es pas avec moi. Il faut que tu te concentres ! Immédiatement ! »

Sans me laisser le temps de répondre, Henri me lance le couteau et je le fais dévier de mon visage à la dernière seconde. Il m'en envoie un autre, puis un troisième et un quatrième. Je les bloque tour à tour, mais Henri semble en avoir une réserve inépuisable. Je tiens bon, mais le rythme devient difficile. Les couteaux filent de plus en plus vite. Trop vite.

« On n'avait pas besoin de fuir tout le temps ! » je lui crie en esquivant deux lames à la fois.

Le coup suivant est si rapide qu'après avoir repoussé le couteau, je me rends compte que j'ai la main qui saigne. « On ne peut pas tous vivre à Chicago dans les nuages, John ! » me rétorque Henri.

Quand il lance de nouveau, j'attrape le couteau par le manche et le plante dans le sol. Autour du point d'impact, la neige se met à noircir. Je fais de même avec le projectile suivant. « Si on avait trouvé le bon endroit, on aurait pu avoir un vrai foyer ! On n'a même pas essayé ! Et tu as opté pour Paradise ? Parmi tout le choix que tu avais ?

— J'ai fait de mon mieux ! Et c'est là qu'était Malcolm Goode ! Et puis, tu as trouvé la tablette, John ! Tu ne t'en es même pas encore servi ! » s'indigne Henri. Dans son dos, la lumière bleue s'éteint, et la noirceur de la neige commence à se répandre tout autour de nous, jusqu'à ce que j'aie l'impression de sombrer dans une mer d'ébène. Henri brandit un énorme couteau et me le lance. Lorsque je tente de me défendre, je me retrouve les mains collées au corps. Je regarde la lame fendre l'air en tournoyant et je sais qu'elle va m'atteindre entre les deux yeux. Quand elle ne se trouve plus qu'à un mètre, une main gigantesque apparaît et l'attrape. C'est Setrákus Ra. D'un geste fluide il s'empare de l'arme et la lance par-dessus son épaule, droit sur moi.

À l'instant où la pointe s'enfonce dans mon crâne, Setrákus Ra s'écrie : « Ta pizza est en train de refroidir ! »

Je me redresse en sursaut, droit dans mon lit, dans la tour Hancock. Je suis trempé de sueur et j'ai le souffle court. Neuf se tient dans l'embrasure de la porte, une pizza entière posée sur une assiette. Il a la bouche pleine et il ajoute, tout en mâchant : « Sérieux, mec, il faut que tu manges tant que c'est chaud. Et puis je veux m'entraîner avant notre rendez-vous de ce soir.

— J'ai revu Setrákus Ra. » J'ai la voix morne et la langue pâteuse. « Et Henri. »

Neuf avale et agite la main en l'air, sans lâcher sa part de pizza entamée. « Ah ouais ? Oublie ça, c'est juste un rêve. C'est ce que je me dis, et en général ça passe sans problème.

— Et je peux savoir comment ? » Mais il est déjà parti. Je m'extirpe du lit et remonte le couloir en trébuchant. Je vois Bernie Kosar en train d'attaquer un bifteck décongelé à même le sol de la cuisine. Ma pizza fume sur la table. Cela faisait tellement longtemps que je n'avais plus rêvé d'Henri que j'ai du mal à me détacher de cette vision. Tout en mangeant, je repense aux couteaux volants, à la neige, au fait que nous hurlions pour nous parler – et soudain, ça me revient. Henri a évoqué la tablette. Je n'ai pas fait grand-chose, à part la regarder. Et j'ai surtout passé mon temps à me lamenter qu'elle ne fonctionne apparemment pas. Je récupère mon coffre sur le fauteuil et l'ouvre pour en sortir l'objet.

Il est toujours aussi muet, et je ressens la même frustration que les autres fois que je l'ai eu entre les mains. Ce n'est rien d'autre qu'un carré de métal blanc avec un écran. Vide, mort, inutile. Malgré mes efforts, je ne parviens pas à la réveiller. Je la retourne pour examiner les ports. Ils sont triangulaires, et je n'en ai jamais vu de semblables auparavant.

« Neuf ! je hurle à travers la cuisine.

— Ici ! » me répond sa voix, en provenance de la salle de surveillance.

La tablette sous le bras, je me fourre le reste de ma part de pizza dans la bouche et la mâche tout en remontant le couloir. Neuf est assis sur une chaise à roulettes, les pieds posés sur la longue table entre les écrans. La plupart se divisent en quatre. Neuf tape sur le clavier installé sur ses genoux et les images effectuent une rotation. Aucune ne montre quoi que ce soit d'intéressant.

Neuf sourit jusqu'aux oreilles. « Tu veux que je cherche quelque chose pour toi ?

— Ouais. Tape un nom. Sarah Hart. »

Neuf attrape une mèche de ses longs cheveux noirs. « Aaargh ! Sérieux, mec ? C'est hallucinant, cette fixation que tu fais. Avec tous les trucs de dingue qui nous arrivent, la seule chose à laquelle tu penses, c'est ça ?

— C'est tout ce qui me vient à l'esprit. Fais-le, c'est tout. »

Neuf entre le nom et, à ma grande déception, rien n'en ressort à part une liste d'activités scolaires. Je lui fais alors chercher « Paradise, Ohio », « Sam Goode », « John Smith » et « Henri Smith ». Rien de ce qui apparaît à l'écran n'est nouveau pour moi : l'école en ruine ; l'accusation de terrorisme ; la récompense offerte pour tout renseignement permettant notre capture. Je glisse la tablette blanche sur le bureau. « Écoute, Neuf, j'ai besoin de ton aide. » Je lui raconte ma vision, dans laquelle Henri mentionnait l'appareil.

« Mon pote, il faut vraiment que tu te détendes. J'avais oublié que tu prenais ces rêves tellement à cœur. Je vais essayer quelque chose, avec ton truc, là.

— Fais comme chez toi », je soupire.

Il la retourne deux ou trois fois entre ses mains, prend soin de palper tout l'écran. Puis il examine les ports triangulaires sur le côté et fait claquer sa langue. « Je crois… » Il ne termine pas sa phrase et fait pivoter sa chaise. Il se dirige vers un coin de la pièce, où sont empilés des cartons marron. Il fouille dans les deux du dessus. « Je leur ai demandé de remonter ça de la réserve, quand ils ont apporté les paquets pour Sandor. Je voulais voir si on trouverait quelque chose d'intéressant, qui me donnerait une idée du moyen de communiquer avec les autres… » Il met de côté les deux boîtes et tire la troisième vers lui. Il l'ouvre, en sort deux ordinateurs portables neufs et s'écrie « bingo ! ». Il se relève, l'air triomphant, un fin fil noir à la main. L'une des extrémités du câble est en forme de triangle.

« D'où tu sors *ça* ?

— J'en sais rien. C'est Sandor qui avait tous ces gadgets avec lui, sur le bateau qui nous a amenés ici. Je n'ai même pas eu l'occasion d'en voir le dixième, encore moins d'apprendre à m'en servir. Je me suis souvent demandé l'utilité de ce truc, mais Sandor se montrait très mystérieux. Il faut dire que, la plupart du temps, je ne sais pas faire la différence entre le matériel terrien et le nôtre, alors ça n'aide pas. »

Il approche le triangle de la fiche femelle de la tablette et nous retenons notre souffle – puis poussons tous deux un soupir de soulagement en constatant qu'il s'encastre parfaitement. Ensuite, en prenant son temps, il branche l'autre extrémité dans l'un des ports USB de l'ordinateur le plus proche. Une ligne noire horizontale apparaît sur l'écran de la tablette et, quelques secondes plus tard, nous avons sous les yeux un planisphère. Un par un, sept points bleus se mettent à clignoter : deux à Chicago, quatre en Inde ou en Chine, et un probablement en Jamaïque.

« Euh, vieux, murmure Neuf, hébété. Je crois bien que c'est nous. Je veux dire, nous *tous*.

— Bon sang, tu as raison. Avec ce truc, on n'a même plus besoin des macrocosmes.

— Attends une seconde, il y a sept points, alors qu'on n'est plus que six, objecte-t-il en fronçant les sourcils.

— Je t'ai dit qu'il y avait un autre vaisseau, pas vrai ?

— Ouais, ouais, et je vois soudain à son regard perçant qu'il est tout ouïe.

— Eh bien, on sait qu'il y avait un bébé, à bord. Ce qui veut dire qu'il ou elle est arrivé sur Terre, finalement ! Ce qui signifie que…

— Setrákus Ra va se retrouver avec sept d'entre nous contre lui pour le prix de six, m'interrompt Neuf. Plus on est de fous, plus on rit. »

Tandis que nous assimilons cette nouvelle information, une petite boîte apparaît en haut à droite de l'écran, avec un triangle vert à l'intérieur. J'appuie dessus et deux petits points verts apparaissent sur la carte. Le premier au sud-ouest des États-Unis, le second en Afrique du Nord, peut-être en Égypte.

« C'est quoi, d'après toi ? je demande. Des ogives nucléaires ? Des bombes mog ? Merde, tu ne penses pas qu'ils vont faire sauter la Terre, quand même ? »

Neuf me donne une claque dans le dos. « Réfléchis un peu. Une carte qui nous montre aussi clairement a forcément été faite, ben, pour nous. Les bombes mog, c'est une autre affaire. Nan, je crois que ce sont nos vaisseaux, mec ! »

J'en reste sans voix. Je dois avouer que ça se tient. Si c'est vrai, cela signifie qu'un autre rêve fou est peut-être possible, même si c'est trop beau pour que j'ose y croire : une fois que nous aurons tué Setrákus Ra et sauvé la Terre, nous aurons vraiment les moyens de retourner sur Lorien. Nous pourrions la sortir de son hibernation. *Nous pouvons rentrer chez nous.* Brusquement, j'ai désespérément besoin de connaître l'emplacement exact du point le plus proche de nous, au sud-ouest des États-Unis. « C'est où, ça ? » je demande en le désignant.

Neuf fait apparaître une carte sur un écran. « Celui à l'ouest est au Nouveau-Mexique, et l'autre, en Égypte. »

En l'entendant dire « à l'ouest », je repense aux dernières paroles de l'agent spécial Walker. Ma décision est immédiate, et sans appel. « C'est là qu'on doit aller. Au Nouveau-Mexique. »

CHAPITRE DIX-SEPT

À la seconde où je le vois réapparaître au milieu de la pièce, le sang jaillissant de sa blessure, je me précipite vers Huit et applique les mains sur la plaie. Son sang me dégouline entre les doigts et le long des poignets, et lorsqu'une nouvelle explosion secoue la grotte, nous sommes tous deux projetés à terre. « Je suis désolé, murmure-t-il. C'est ma faute.

— Chut. Je peux te soigner. C'est mon Don. Il faut juste que tu te détendes quelques secondes. » L'onde glacée glisse du bout de mes doigts sur ses côtes et Huit se raidit instantanément de douleur. Les explosions se multiplient et chacune le fait grimacer ; je plante mon regard dans le sien pour lui intimer de rester avec moi. « Tout va bien. Six est là. Elle va s'en sortir. On va *tous* s'en sortir. » Mon ton est catégorique, et c'est aussi moi que j'essaie de convaincre.

« Peut-être que le dessin avait raison. Peut-être que c'est maintenant que je meurs. »

J'appuie plus fort et je sens enfin sa blessure se rétracter, en réponse à mon contact. « Non », j'affirme en secouant fermement la tête.

Au milieu de tout ce chaos, je vois Six pousser Ella et Crayton derrière un gros tas de pierres. Elle lance un regard dans notre direction et, dans la seconde qui suit, nous sommes soulevés du sol et nous flottons en l'air à travers la grotte. Six nous dépose auprès du reste du groupe. « Vous tous, vous restez là pendant que je me rends invisible pour aller voir ce qui se passe dehors. Répare-le, Marina », ajoute-t-elle en m'adressant un clin d'œil. Sa voix me dit que tout ira bien, à condition que chacun de nous se rappelle clairement ce qu'il sait faire. Notre seule chance de survivre, c'est de nous ressaisir.

« J'essaie. » Mais elle a déjà disparu. Sous mes mains, les poumons de Huit luttent pour tenir bon, et il blêmit. Je sens ses entrailles bouger, comme si elles résistaient à mes pouvoirs. Ce qui n'est pas le cas. C'est impossible. Il est juste plus grièvement blessé que je ne le pensais. Ou bien mon Don décline. Mais je ne peux pas me le permettre. Je sens la panique monter et fais tout pour résister à la nausée qui m'envahit. Je dois me concentrer sur Huit, sans me laisser distraire par ce qui nous entoure.

J'entends des coups de feu et les cris des Mogadoriens, au loin. J'ose à peine imaginer ce que Six est en train de leur faire subir. C'est une guerrière sans pitié, incroyablement dangereuse, dès que quiconque la menace – elle, ou bien nous.

« Comment va-t-il ? » demande Crayton, et son regard passe du visage torturé de Huit à mon expression affolée.

Ella attrape la main de Huit pour canaliser son attention. « Tout va bien. Ça va faire mal, mais après tu te sentiras mieux. Fais-moi confiance. » Huit se laisse bercer par ces mots apaisants, et hoche la tête entre deux rictus.

Un craquement assourdissant résonne au-dessus de nous, et le plafond de la grotte se constelle de lézardes qui s'étirent et s'élargissent à vue d'œil. Le dôme forme un puzzle de pièces qui menacent de s'effondrer à tout instant. Soudain, la première se détache, et une masse de la taille d'une voiture plonge droit sur nous. Je ne veux pas briser le contact avec Huit, je dois pourtant retirer mes mains pour concentrer toute mon énergie à faire dévier cette pierre. Lorsque je pose de nouveau les paumes sur la blessure, j'ai l'impression de recommencer de zéro. Je cherche un peu de réconfort dans le dessin sur le mur de la grotte. Certes, il montre la mort de Huit, mais pas ici, pas comme ça.

« Où est le coffre de Marina ? demande Ella. Peut-être qu'on y trouvera quelque chose qui pourrait nous aider. »

Crayton se lève. « Les deux coffres sont à l'autre bout de la grotte. Je vais les chercher.

— Non ! » Ella l'agrippe par la manche, mais Crayton est plus rapide. J'assiste à la scène, impuissante. Des morceaux de plafond continuent à pleuvoir tout autour de nous et Ella hurle à Crayton de revenir et d'attendre Six. J'ai l'esprit en ébullition. Six est dehors à repousser à elle seule une armée entière de Mogadoriens, et je sais que je dois oublier tout ça pour ne me préoccuper que de la guérison de Huit. Je sens son corps céder à la douleur et aux dégâts que je n'arrive pas à réparer assez vite pour le sauver. Je ferme les paupières le plus fort possible, priant pour qu'il soit sensible à mon Don ; en rouvrant les yeux, je constate toutefois que la blessure a repris sa taille originale, comme si je ne l'avais pas touchée.

« Ella. » Je me tourne vers elle, les yeux embués de larmes. « Ça ne fonctionne pas. Je ne sais pas quoi faire.

— On a besoin de lui, Marina, répond-elle d'une voix décidée. Concentre-toi, c'est tout. Tu peux y arriver. »

Je retiens mon souffle et vois Crayton éviter de justesse un rocher tranchant. « Huit, tiens bon. Je vais y arriver. Bientôt tu te sentiras mieux. » Il ferme les yeux. Je me coupe comme je le peux du vacarme environnant et de l'hystérie qui me gagne, et je me répète comme un mantra : *Je peux guérir Huit. Je vais le soigner et Six se chargera des Mogs. Nous avons une mission et elle ne s'arrête pas ici.* Je me redresse et ma respiration ralentit jusqu'à retrouver un rythme normal. Je sens comme une boule de glace se former au creux de mes omoplates. Elle dévale ma colonne vertébrale et fuse dans mes doigts, avec une puissance qui me renverse presque, mais je garde les mains fermement appuyées sur la blessure. C'est alors que je sens qu'il se passe quelque chose dans le corps de Huit, et mon cœur s'accélère, au point que j'ai l'impression qu'il va exploser. Brusquement, Huit ouvre les yeux.

« Ça marche ! » s'écrie Ella.

Un vertige s'empare de moi. Je vacille mais ne tombe pas, et je sens la plaie se refermer. Au bout de quelques secondes, je cède et me rassieds. Je suis tellement épuisée que j'ai du mal à maintenir les yeux ouverts. J'inspire profondément, et Huit se relève. Il touche l'ancien emplacement de la blessure, se palpe les côtes puis se penche pour me prendre la main.

« *Jamais* je n'avais ressenti une chose pareille, me dit-il, l'air encore incrédule. Je ne sais pas comment te remercier. » Je m'apprête à répondre lorsque Six réapparaît subitement.

Elle a un canon mogadorien entre les mains et le visage recouvert de cendre noire. Elle est essoufflée, mais en pleine possession de ses moyens. « Je les ai repoussés, mais je ne dirais pas non à un coup de main.

— Pas de problème. » Huit se hisse sur ses pieds.

« Je pensais plutôt à Marina », précise Six après avoir brièvement évalué la situation, et conclu que Huit n'était pas en état d'aider qui que ce soit. Je suis honorée qu'elle veuille que je combatte à ses côtés, même si je me sais trop faible pour me lever. « Où est Crayton ? » ajoute-t-elle en parcourant la pièce du regard.

J'étais tellement concentrée sur Huit que je l'avais oublié. Je fais volte-face et l'aperçois qui extirpe nos coffres de sous un tas de gravats. Puis il se les hisse sous les bras et se dirige vers nous. Au moment où Six s'avance pour l'aider, une explosion massive fait voler en éclats ce qui restait du plafond. D'énormes blocs de pierre recouverts de neige tombent dans la grotte, suivis de centaines de balles. Huit se précipite au-dessus d'Ella pour faire dévier les débris et les projectiles. Six riposte avec le fusil mog par le trou béant. Une autre explosion résonne plus haut et, quelques secondes plus tard, un vaisseau argenté comme celui que j'ai vu au fond du lac s'écrase contre la montagne au-dessus de nous. Un soldat mogadorien ensanglanté essaie frénétiquement de s'extraire du cockpit. Je me relève tant bien que mal en le voyant passer le poing à travers le pare-brise et, avant qu'il ait pu sortir, j'utilise la télékinésie pour l'écraser entre deux rochers. Un nuage de cendre retombe au sol.

Une roquette pénètre dans la grotte et pulvérise le mur le plus proche de Crayton. Le panneau qui nous fascinait tant il y a quelques minutes à peine est anéanti. Sous la violence de l'explosion, Crayton est projeté jusqu'au centre de la grotte et atterrit à côté du bloc de Loralite. Les deux coffres glissent au sol. Il ne bouge plus. Je suis sous le choc – tout s'est passé si vite.

« Papa ! » s'écrie Ella.

Les murs ont beau s'écrouler tout autour de nous, je me précipite avec Ella auprès de Crayton. Elle lui prend la main. Je pose les miennes sur son corps et ferme les paupières, en quête d'un souffle de vie, du moindre signe auquel me raccrocher pour le soigner, mais il n'y a rien.

« Sauve-le ! me hurle Ella, son petit visage tordu par l'angoisse. Marina, je t'en supplie, tu peux le faire ! Tu peux le remettre sur pied !

— J'essaie. » Ma réponse sort comme un sanglot. Il est déjà mort. Son Cêpane nous a quittés.

« Concentre-toi, comme tu l'as fait avec Huit ! Tu peux le refaire ! » Ella est dans un état second, elle caresse la tête de Crayton et lui tapote la main.

Du coin de l'œil, je vois Six foncer vers nous tout en tirant en direction du ciel avec son fusil mog. Huit se téléporte à côté de moi. Il se penche vers Crayton. « Tu peux le réparer. Allez, Marina. »

Je me mets à pleurer. Je n'y arrive pas. Je sais qu'il n'y a plus rien à soigner, j'essaie pourtant de tout mon cœur, je supplie mon Don de fonctionner. Malheureusement, Crayton est mort, et mon Don n'a plus rien à quoi se connecter. Je déplace les mains tout le long de son torse et de son ventre broyés. Je sens chacun de ses os brisés sous mes doigts. Ella se place dans mon dos et me pousse sur les épaules, m'appuyant les paumes plus fort sur le corps inanimé.

Six arrête de tirer et m'attrape le bras. Elle me regarde droit dans les yeux, et je secoue la tête.

Ella tombe à genoux, secouée de sanglots. Elle se traîne jusqu'à Crayton et lui murmure à l'oreille : « Laisse Marina te guérir. S'il te plaît, ne t'en va pas. Je t'en prie, Papa. » Elle lève les yeux vers moi, les joues baignées de larmes. « Tu n'as même pas essayé, Marina ! Pourquoi tu ne veux pas essayer ? » Dans sa voix, la colère est palpable.

Je m'essuie les yeux sur mon épaule. « J'ai essayé, Ella. J'ai tout tenté, mais il n'y avait plus rien à faire. Il était déjà parti. Je suis désolée. » Je m'assieds sur mes talons, sans retirer les mains du corps de Crayton.

Une roquette percute le mur du fond, le détachant totalement du reste de la montagne. Pour l'avoir longé en montant jusqu'ici, nous savons tous que derrière se trouve un précipice de plus de six cents mètres. Une bourrasque glaciale s'engouffre et nous enveloppe. Huit se tourne

vers Six. « Donne-moi le fusil. Je reviens tout de suite. »
Six hésite une seconde avant de lui tendre l'arme. Huit
disparaît et, en levant les yeux, je le vois qui escalade le
bord friable du trou, sautant de pierre en pierre à mesure
qu'elles s'écroulent. Même en plein saut, il fait feu sans
arrêt. Bientôt, deux vaisseaux argentés mog explosent en
flammes.

Je continue à parcourir le corps de Crayton de mes
paumes, mais Six me force à me relever. « Arrête. C'est
fini. » Je baisse les yeux vers le visage déchiqueté, les
sourcils broussailleux, et je me rappelle la première fois
que je l'ai vu, dans ce café, en Espagne. Je l'avais pris pour
mon pire ennemi, alors qu'il me sauvait la vie. J'étends
les mains pour une dernière tentative, quand Six me serre
contre elle. Je sens ses larmes me couler dans le cou. Ses
lèvres me touchent l'oreille lorsqu'elle me chuchote :
« On ne peut plus rien faire. »

Effondrée de chagrin, Ella prend la main gauche de
Crayton pour l'embrasser et la poser contre sa joue. « Je
t'aime, Papa.

— Je suis tellement désolée », je répète.

Elle lève le regard vers moi et essaie de parler, sans
succès. Avec douceur, elle repose la main de Crayton sur
son torse et la caresse une dernière fois avant de se relever. Huit se téléporte près de nous et rend son canon à
Six. Une autre rafale glacée nous balaie et soulève un des
pans du blouson de Crayton. Nous l'apercevons tous en
même temps – l'enveloppe blanche dans sa poche intérieure. Elle porte l'inscription POUR ELLA.

Six s'en empare et la fourre entre les mains d'Ella.
« Ella. Écoute-moi. Je sais que tu ne veux pas l'abandonner. Aucun de nous ne le veut. Mais si on ne part pas
immédiatement, on va mourir aussi. Tu sais que Crayton
voudrait qu'on fasse le nécessaire pour survivre, pas

vrai ? » Ella hoche la tête. Six se tourne vers Huit. « Très bien. Maintenant, comment on fait pour ficher le camp d'ici ? Est-ce que la montagne est trop détruite pour que ça marche ?

— Ella, prends mon coffre ! Marina, ramasse le tien, ordonne Huit en nous poussant toutes vers la Loralite bleue pulsatile. Six, il va falloir que tu t'accroches au bras de quelqu'un, pour qu'on puisse tous partir en même temps. » Il jette un dernier regard navré sur le champ de bataille. « J'espère vraiment que ça va fonctionner. »

Il nous attrape par la main Ella et moi. Six s'arrime par le coude à mon autre bras. Je contemple les fragments de murs qui nous parlaient de notre passé et de notre avenir. Je pense à tous les Lorics qui ont parcouru ce lieu avant nous, je suis triste que nous soyons les derniers à le voir. Mais je songe aussi à la responsabilité que cela implique pour nous, d'être les derniers Lorics. Je lance un regard d'adieu à Crayton, pour le remercier de tout ce qu'il a fait.

« OK. On y va », annonce Huit. Et tout devient noir.

CHAPITRE DIX-HUIT

Soudain, Neuf se retrouve pratiquement debout sur son siège. « Bordel ! Quatre ! Regarde un peu ça. Ils ont bougé.

— Qui a bougé ? » Je lui prends la tablette des mains. Les points bleus qui nous représentent tous ont changé de position. Du moins, certains d'entre eux. Il en reste toujours un en Jamaïque et deux à Chicago, mais j'en aperçois maintenant trois sur la côte africaine, et un au Nouveau-Mexique. Je me détends un peu en comptant qu'il y en a toujours sept, cependant la rapidité avec laquelle ces quatre-là se sont déplacés me laisse perplexe. « Comment ils ont fait *ça* ?

— Aucune idée. C'est comme s'ils s'étaient téléportés, ou avaient fait un bond dans l'espace. Peut-être qu'ils ont découvert un portail spatio-temporel, ou un truc dans le genre ? »

Je secoue la tête.

« Henri disait que les portails spatio-temporels n'existaient pas.

— Ouais, les extraterrestres venus d'une autre planète non plus, si l'on en croit *certains*. La majorité des gens, en fait. »

Il a raison. Peut-être qu'Henri se trompait. « Il y a un Gardane au Nouveau-Mexique, Neuf. Non loin de ce qui d'après toi pourrait être notre vaisseau. Ça ne peut pas être une coïncidence. Tu crois qu'ils le cherchent ?

— Mec, j'espère que non. C'est *vraiment* pas le moment : c'est beaucoup trop tôt. On a un tas de conneries à régler, avant de quitter la Terre. »

Je fixe le point bleu qui palpite au Nouveau-Mexique, puis j'appuie sur le triangle vert, pour revoir où sont camouflés les vaisseaux en provenance de Lorien. Impossible que ce Gardane ait atterri aussi près par accident. Si j'ajoute à ça qu'on m'a dit que Sarah était dans ce secteur, peut-être même avec Sam, je suis convaincu.

« Je ne plaisante pas, Neuf. C'est là qu'on va. Au Nouveau-Mexique. Maintenant. Tout ce qu'on a vu et appris nous y mène, et le plus vite possible. » Je me précipite hors de la pièce, fais claquer le couvercle de mon coffre et le dépose près de la porte d'entrée. « BK ? » Bernie Kosar apparaît en trottinant, l'os de son morceau de viande dans la gueule.

« Mec, ralentis, me lance Neuf en me suivant. On ne va pas foncer comme ça au Nouveau-Mexique ! *Surtout* après ce qu'on vient de voir ! Ces gars sont capables de se téléporter n'importe où. Le temps qu'on monte dans l'ascenseur, ils seront peut-être en Antarctique ! Ou en Australie ! Il y a encore trop de choses qui restent dans le flou. On n'est même pas certains que c'est bien notre vaisseau. Et si c'était un piège ? » Neuf se place devant la porte et croise les bras en travers de sa poitrine. Je sais bien que je dois avoir l'air d'un fou furieux, à tambouriner sur le bouton d'appel de l'ascenseur, en faisant semblant de ne pas voir que Neuf me barre le passage.

Je réponds à toute vitesse. « On doit y aller quand même. Même si le Gardane qui y est en ce moment disparaît entre-temps. Le Nouveau-Mexique reste la destination la plus évidente, la seule valable. » J'essaie désespérément de le rallier à ma cause. « On peut prendre des fusils à toi. » J'ai la tête qui tourne. Je me précipite dans le cou-loir. Je suis en train d'enjamber les tapis d'entraînement pour atteindre le placard à munitions, quand j'entends du bruit au-dessus de ma tête. Neuf atterrit devant moi et lève les bras.

« Waouh. Calme-toi deux secondes, vieux. Respire. » Il a toujours les bras en l'air, paumes tournées vers moi. « Ce que je crois, c'est qu'on devrait aller à Paradise.

— Non mais tu te fous de moi, ou quoi ? *Maintenant* tu veux aller à Paradise ? » Je vais tuer ce mec.

« J'y ai réfléchi, pendant que tu dormais. On doit retour-ner à l'endroit où tu as trouvé la tablette. Tu disais qu'il y avait des papiers, là-dedans, sans parler du squelette et des cartes. Je pense qu'on rate quelque chose d'important, la clef pour vaincre Setrákus Ra.

— Tu ne piges pas, je rétorque en l'écartant de mon chemin. Il se passe des trucs au Nouveau-Mexique *en ce moment même*. Tu as une voiture ? »

Il me pousse dans le dos, fort. Je manque de trébucher, mais je retrouve mon équilibre et reste dos à lui, furax. « Oui, j'ai une bagnole. Mais on va d'abord à Paradise. La priorité, c'est de réunir tout ce qui pourra nous aider à nous battre.

— Tu peux rêver. » Je me retourne, le pousse à mon tour et, en une seconde, nous nous retrouvons tous les deux les bras bloqués au-dessus de la tête. D'un coup de pied, Neuf me fauche du sol et je bascule à terre.

Bernie Kosar se met à aboyer, nous ordonnant de nous arrêter.

« Du calme, BK, lui lance Neuf en lui adressant un signe de la main. Dis-toi qu'on s'entraîne un petit peu avant notre départ pour l'Ohio.

190

— C'est ça, on s'entraîne, je vocifère en me remettant debout. Avec tout ce qu'on vient d'apprendre. »

Neuf balance un direct, que je contre. Je ne suis toutefois pas assez rapide contre son crochet du droit. J'ai l'impression qu'on me défonce les côtes au bélier. Je tombe à genoux en me tenant le ventre et il me frappe le sternum d'un coup de pied de côté ; je me retrouve allongé de tout mon long sur le dos.

« Allez, mec ! hurle-t-il au-dessus de moi. Qu'est-ce que t'attends pour répliquer ? Ça se croit capable de foncer dans le désert pour affronter n'importe quel ennemi, et c'est même pas foutu de me maîtriser, moi ? »

Je me relève et le prends par surprise d'un coup de poing dans le ventre. Il se plie en deux, et je lui envoie un coup de genou dans la bouche.

« Ça y est, tu commences à piger, Quatre ! » Sa lèvre fendue saigne, mais il me sourit de toutes ses dents. Face à face, nous nous tournons autour sans nous quitter des yeux. « Je vais te dire : puisque finalement tu as l'air de savoir te battre, je vais te proposer un marché. Si tu gagnes, on va au Nouveau-Mexique. Sur-le-champ. Je te laisserai même conduire. Mais si c'est moi qui l'emporte, on passe encore quelques heures ici, on se dégotte un foutu plan qui tienne la route, et *ensuite*, on file à Paradise voir ce qu'il y a sous ce puits.

— Et c'est *moi* que tu traites de lâche. »

Nous continuons à tourner comme des boxeurs, distribuant à tour de rôle des coups d'une force inouïe. J'entends une des côtes de Neuf produire un bruit sec sous l'impact de mon coude droit, mais avant que j'aie pu frapper avec l'autre, il m'atteint au genou gauche. Le cartilage craque et la douleur fuse dans toute ma jambe. Tout en boitant, je réussis à lui balancer encore quelques coups de poing, mais je ne peux plus bouger, ce qui lui confère un avantage considérable. Il saute derrière moi et fauche ma seconde jambe. Ma tête percute le sol et tout devient blanc. Lorsque je reprends mes esprits, Neuf me plaque au sol, les genoux en appui sur mes bras. Le combat est terminé. Et avec lui, nos chances de retrouver le Gardane qui se trouve au Nouveau-Mexique.

« Je vais chercher une pierre guérisseuse », annonce Neuf en se relevant lentement. La vision trouble, je le regarde quitter la pièce en se tenant le côté. J'entends Bernie Kosar couiner.

« Tu sais quoi ? C'est des conneries, tout ça ! je crie dans le dos de Neuf. Tu ne peux pas décider des choses comme ça ! Ce Gardane au Nouveau-Mexique pourrait mourir tout seul, et tu t'en fiches complètement ! »

La voix de Neuf tonne à travers l'appartement. « On est des soldats, Johnny ! Et les soldats, ça meurt. On a été envoyés ici pour s'entraîner et se battre, et certains d'entre nous ne s'en sortiront pas. C'est l'essence même de la guerre. »

Je rejoins le salon à cloche-pied sur ma jambe valide. À travers les baies vitrées, je vois que le soleil se couche. BK est assis par terre dans le dernier rayon de lumière, et il me fixe. Il nous supplie de nous asseoir et de réfléchir à un plan, la tête froide.

Neuf revient avec une pierre guérisseuse appliquée contre les côtes. Il me la lance et je la pose immédiatement sur mon genou gauche. Je sens le cartilage se remettre doucement en place. L'action est quasiment instantanée, et bientôt la douleur a complètement disparu. La paume contre le montant d'une fenêtre, je propose un marché. « Si on ne va pas au Nouveau-Mexique, alors allons régler son compte à Setrákus Ra. Tous les deux. Toi et moi. Peut-être que si on l'extermine, le reste des Mogs mourra, et alors on sauvera deux mondes au lieu d'un. »

Neuf s'assied sur un canapé en cuir et pose les pieds sur la table basse en verre. Il ferme les paupières en soupirant. « Désolé, Johnny, mais même si Setrákus Ra meurt, les Mogs continueront à se battre. Tout comme nous, on continue à se battre, malgré la mort de Pittacus Lore. Arrête de chercher une issue facile et regarde les choses en face. On va devoir lutter jusqu'à ce que le dernier y passe. »

Sans quitter la ville des yeux, je rassemble mon courage pour annoncer ce qui m'obsède depuis que j'ai lu la lettre d'Henri. « Pittacus n'est pas mort. Je suis Pittacus.

— Quoi ? »

Je me retourne pour lui faire face. « J'ai dit : C'est moi, Pittacus. »

Neuf explose de rire, et dans son élan il manque de basculer du canapé en arrière. « C'est *toi*, Pittacus ? Qu'est-ce qui peut bien te faire croire un truc pareil ?

— Je le sens. C'est pour ça que Lorien hiberne. Pittacus est toujours vivant à travers moi.

— Ah ouais ? Tu sais quoi ? Je crois bien que je le sens, moi aussi », réplique-t-il d'un ton ironique en portant la main à son torse. Il se lève et s'approche de moi d'un pas autoritaire. « Mais, dis-moi, si tu es bien Pittacus, le plus fort et le plus *sage* de tous les Lorics, alors je viens juste de *botter le cul* de Pittacus. Du coup je suis quoi ?

— Juste un gars qui a eu de la chance. » Je regrette déjà de lui avoir parlé.

« Ah ouais ? On dirait bien que quelqu'un ici veut sa revanche. »

Ça suffit, intervient Bernie Kosar. *Fini de se battre. Gardez vos forces.*

J'ignore ses conseils. « Très bien. Va pour une revanche.

— Si tu veux qu'on remette ça, alors il va y avoir un petit changement de décor. Et pour rendre la chose encore plus intéressante, *Pittacus*, je suggère qu'on prenne chacun un objet dans notre coffre.

— Parfait. »

J'ouvre le mien, et j'en sors sans hésiter la dague. Au contact de ma main, le manche se met à vibrer et s'enroule autour de mon poignet. De la cendre mog est incrustée dans la garde, et son odeur fait monter en moi la rage de me battre.

Neuf s'empare de la petite baguette en argent, et je sens la nervosité me gagner. J'ai vu comment il a décimé un troupeau entier de pikens avec cet engin, en Virginie-Occidentale. En voyant le poignard, il pointe le doigt vers mon bras. « Ah, ah, ah. J'ai dit *un* objet.

— J'ai mon poignard, c'est tout. Et je n'ai besoin de rien d'autre.

— Et ton ravissant petit bracelet, alors ?

— Hum, je l'avais oublié. C'est sans doute un meilleur choix. Merci. » Je range la dague dans le coffre.

« Par ici », ordonne Neuf. Une nouvelle fois, j'ignore les suppliques de Bernie Kosar et suis Neuf sans un mot, jusque devant l'ascenseur. Je suppose que le combat se déroulera dans la cave sombre de l'immeuble, nos pouvoirs bien cachés à l'abri des regards entre des murs en ciment. Je constate toutefois que nous montons. L'ascenseur s'immobilise et Neuf tape un code sur un petit clavier, sur la porte face à nous. Elle s'ouvre dans un déclic. Nous sommes sur le toit du John Hancock Center.

« Pas question, tu m'entends ? Pas *question*. N'importe qui peut nous voir, là-haut ! » Je secoue la tête et recule vers la porte intérieure.

« *Personne* ne peut nous voir, rectifie Neuf en s'avançant sur le toit. C'est ça qui est génial, quand on est au sommet de l'un des plus hauts gratte-ciel de la ville. »

Pour ne pas avoir l'air de me dégonfler, je le suis, beaucoup moins fier que je ne veux le faire croire. Je ne suis cependant pas préparé au vent violent qui m'accueille et manque de me renverser sur le pas de la porte. Neuf continue à avancer, imperturbable, ses cheveux noirs claquant autour de sa tête. Son T-shirt blanc se gonfle d'air et forme un ballon autour de son torse, aussi le retire-t-il d'un mouvement brusque, et le vêtement s'envole par-dessus la rambarde. Une fois au milieu du toit, Neuf donne un brusque coup de poignet : la baguette argentée s'allonge aux deux extrémités jusqu'à mesurer plus de deux mètres de long et se met à rougeoyer. Il se tourne vers moi et replie les doigts au creux de ses paumes, me faisant signe d'approcher. Comme un funambule, j'inspire profondément et mets un pied devant l'autre dans sa direction. Nous nous tenons dans l'ombre gigantesque de l'antenne blanche tout au bout du toit et, alors que je m'approche de lui, Neuf fait volte-face et fonce dans la direction opposée.

Je n'ai aucune idée de ce qu'il prépare, aussi je m'arrête et l'observe. Sans ralentir, il se met à remonter le long de l'antenne, jusqu'au sommet. La tige de métal oscille dans le vent, et rien qu'à le regarder en train de vaciller là-haut, j'en ai le vertige. Il brandit la barre rouge au-dessus de sa tête et, avant que j'aie eu le temps de réagir, il l'envoie. Dès la seconde où elle quitte sa main, il plonge à son tour droit sur moi, et je me retrouve face à deux projectiles au lieu d'un. Je réussis à éviter de justesse la lance acérée en roulant sur le côté et je la regarde se planter dans une poutrelle d'angle. Je me retourne d'un bond pour affronter Neuf sur le point de me saisir à bras-le-corps, et je le frappe avec une telle force qu'il vole à l'autre bout du toit.

Je cours extirper la lance de la poutre dans laquelle elle s'est fichée. Jamais Henri ne m'a entraîné avec une arme de ce genre, mais j'improvise et la fais tourner au-dessus de ma tête tout en chargeant. Debout face à moi, Neuf se prépare à l'impact. Je le frappe au ventre, mais il contre du poignet et s'en prend immédiatement à mon genou fraîchement réparé. J'esquive et il rate son coup, réussissant néanmoins à empoigner la lance. Nous nous battons pour la récupérer, en tournant et en alternant les attaques, en se baissant et en donnant des coups de pied. Il se sert de la télékinésie pour me faire décoller du sol. Je commence par résister, puis me rends compte que je peux utiliser sa tactique à mon avantage, du fait de la direction du vent. En coordonnant soigneusement mon mouvement avec une forte rafale, j'effectue un salto avant sans lâcher prise. En une fraction de seconde, je me retrouve dans le dos de Neuf, et je le cravate avec la lance.

« On devrait déjà être en route pour le Nouveau-Mexique », j'annonce en le faisant reculer en direction de l'ascenseur.

Neuf m'assène un coup dans le nez avec l'arrière de son crâne, et je perds prise sur la lance. Il s'en saisit tandis que je trébuche en arrière et percute un boîtier électrique.

« C'est toi qui me parles, Johnny ? Ou bien est-ce que c'est *Pittacus* ? » s'exclame-t-il d'un ton moqueur en envoyant la barre métallique.

J'active le bouclier à mon poignet juste à temps pour esquiver le coup, et la lame pourfend le boîtier en deux. Des étincelles volent en tous sens, y compris à l'intérieur de mon bouclier. Lorsqu'elles rebondissent sur ma chemise, je laisse le feu prendre et s'étendre. Le bouclier se rétracte et Neuf me fixe, abasourdi par la vision de mon corps en flammes.

Il finit par se ressaisir. « Pourquoi tu ne t'es pas transformé en boule de feu quand on était dans le même camp ? » me hurle-t-il.

Tout autour de moi, le feu craque et bourdonne dans le vent déchaîné. Neuf a l'air de trouver qu'on s'amuse bien. Pas moi. « On a terminé, là ?

— Pas tout à fait. » Un sourire narquois se dessine sur ses lèvres.

Dans ma paume, je forme une boule de feu. Je décide de la lui envoyer dans les jambes, histoire de faire clairement passer le message, mais il la repousse avec la lance, comme avec une crosse de hockey. J'en fais voler deux autres à l'autre bout du toit en accélérant leur vitesse, il les dévie par la pensée. La première roule sur le côté et se consume par terre, et la deuxième va s'échouer juste à côté d'un conduit de ventilation. La chaleur fait fondre le coffrage, et le vent l'emporte avec violence, exposant l'énorme machine à ciel ouvert.

Je lève les mains au-dessus de la tête pour former une boule enflammée de la taille d'un frigo, et tandis qu'elle prend de l'ampleur, Neuf charge droit sur moi, la lance à l'épaule. Il en enfonce une extrémité dans le sol, se cambre puis se projette, les pieds en avant, contre mon torse. Lorsque la plante de ses pieds entre en contact avec mon corps en flammes, il pousse un hurlement de douleur, et je suis propulsé en arrière. Le jaune et le rouge qui m'entourent se transforment en bleu et gris et, dans ma dernière rotation, je comprends que je suis en train de foncer en plein dans le ventilateur. Au tout dernier moment, j'étends les bras et les jambes et trouve une prise, à quelques centimètres à peine des lames. Le souffle de l'engin achève presque d'éteindre les flammèches qui m'enveloppent, et je plonge et roule sur le ciment.

« On prend le frais ? » Neuf me regarde, les mains sur les hanches, comme s'il évaluait ma technique. Il a envoyé balader ses chaussures à moitié fondues.

« Au contraire, je commence juste à m'échauffer ! » Je bondis sur mes pieds et me mets en garde, prêt pour l'affrontement.

Neuf détale sur sa droite et je le suis. Il enjambe des tuyaux et bondit sur le rebord. Là encore, je ne le lâche pas. Nous nous retrouvons à quelques centimètres d'un vide de trois cents mètres, jusqu'à la rue en contrebas. Sous le choc, je vois Neuf sauter. Je pousse un cri et me penche pour le rattraper, mais je ne l'aperçois pas en train de chuter. Il se tient debout, à l'horizontale, sur le rebord d'une fenêtre, les bras croisés, avec ce même sourire provocateur. Je me suis penché trop loin, et je décris des moulinets frénétiques des bras pour retrouver mon équilibre. Je n'arrive toutefois pas à m'agripper au bord et je suis sur le point de basculer dans l'abîme. Neuf se met à courir à flanc d'immeuble et me cueille d'un uppercut à la mâchoire. Je suis projeté en arrière, mais n'ai pas l'occasion d'atterrir. Il me rattrape par le col, décrit une pirouette et me tient en suspens au-dessus du rebord.

« Maintenant, Numéro Quatre, tout ce que tu as à faire pour que je te repose sain et sauf, c'est de le dire. » De l'autre main, il tient la lance au-dessus de sa tête. « Dis que tu n'es pas Pittacus. »

Je riposte à coups de pied, mais il me tient à distance, juste hors de portée. Je me retrouve à me balancer comme un pendule.

« Dis-le », répète-t-il, les dents serrées. J'ouvre la bouche, incapable de me résoudre à renier ce que je ressens comme une vérité. Je suis persuadé d'*être* Pittacus Lore. Le seul qui peut et va mettre fin à cette guerre. « D'abord tu veux courir au Nouveau-Mexique chercher notre vaisseau, sans croire une seule seconde que ça puisse être un piège. Ensuite tu parles d'affronter Setrákus Ra, alors que tu es incapable de me battre, *moi*, au corps à corps. Ce n'est *pas* toi. Tu n'es pas Pittacus. Alors arrête tes conneries. Dis-le, Quatre. »

Il resserre son emprise autour de ma gorge. Ma vision se trouble. Je lève les yeux vers le ciel sans nuages et il devient rouge, comme la nuit où les Mogadoriens ont envahi Lorien. Par flashs, je vois les visages des Lorics qui se sont fait massacrer. Leurs cris me vrillent les tympans. Je vois les explosions, le feu, la mort partout. Des krauls tenant des enfants loric entre leurs crocs. La douleur que je ressens pour eux en cet instant est tellement accablante que je sais que je peux supporter ce qu'on m'inflige à moi – même Neuf en train de m'écraser la trachée.

« Dis-le !

— Je ne peux pas, je réponds dans un couinement.

— Mais je rêve, tu es un grand malade ! » hurle-t-il en serrant plus fort. À présent, je vois les bombes s'abattre sur Lorien, les corps déchiquetés de mes semblables, ma planète qu'on détruit. Au sommet d'un amas de cadavres, j'aperçois mon père mort, vêtu de sa combinaison bleu et argent. Neuf me secoue violemment, et mes pieds gigotent follement dans le vide. « *Tu n'es pas Pittacus !* »

Je ferme les paupières pour échapper au spectacle de carnage qui danse devant mes yeux, redoutant la suite. La lettre d'Henri me revient en mémoire : « *Lorsque vous êtes nés, tous les dix, Lorien a reconnu la force de votre cœur et de votre volonté, votre compassion, et en retour elle vous a assigné le rôle auquel vous étiez appelés : celui des dix Anciens originels. Ce qui signifie que ceux d'entre vous qui resteront deviendront beaucoup plus forts que tout ce qu'on a vu sur Lorien depuis la nuit des temps, bien plus puissants que les dix Anciens desquels vous avez reçu votre Héritage. Les Mogadoriens le savent, c'est pourquoi ils vous traquent avec une telle panique.* »

Quel que soit le sens de tout cela, je sais que Neuf ne veut pas réellement me tuer. Pittacus ou pas, chacun des Gardanes est trop important. Et surtout, la nécessité de nous réunir et de lutter ensemble comme notre nature même nous y appelle, cette mission va bien au-delà de toutes les querelles qui pourraient nous opposer lui et moi. Cela ne m'est pas d'un grand réconfort, sachant que je suis toujours suspendu dans le vide. Néanmoins, je sens soudain le vent changer légèrement. Autour de mon cou, les doigts se desserrent et j'ai un haut-le-cœur en me sentant tomber. Est-ce que je me serais trompé ? Mais, dans la seconde qui suit, je sens mes pieds toucher le sol. Je rouvre les yeux et constate que je suis revenu sur le toit. Neuf s'éloigne, tête baissée. Il donne un coup de poignet et la longue lance rougeoyante se rétracte en une petite tige d'argent. Par-dessus son épaule, il me crie : « La prochaine fois, je te lâche ! »

CHAPITRE DIX-NEUF

Je gis face contre terre dans le sable brûlant. J'en ai dans la bouche et dans les narines, j'arrive à peine à respirer. Je sais que je devrais me relever, essayer de rouler sur le côté, mais j'ai trop mal aux os. Je ferme les paupières de toutes mes forces pour essayer de bloquer la douleur qui me transperce le corps tout entier. Je finis par trouver la force de me redresser. Toutefois, lorsque je pose les mains par terre pour me hisser debout, le sable me brûle les paumes. Je me laisse retomber en arrière.

« Marina ? » Ma voix n'est qu'un grondement rauque.

Elle ne répond pas. Je ne peux toujours pas ouvrir les yeux, alors j'écoute attentivement, en quête du moindre signe de vie. Je n'entends que le vent et le sable qui me cinglent la peau.

J'essaie de nouveau de parler, pourtant rien d'autre ne sort qu'un murmure. « Marina ? Je vous en prie, aidez-moi. Huit ? Ella ? Il y a quelqu'un ? » Dans ma confusion, j'appelle même Crayton. Tandis que j'attends une réaction, je suis brusquement frappée par le souvenir du cadavre de notre dernier Cêpane, et toute la scène se rejoue dans ma mémoire. Les larmes d'Ella. L'attaque mog. Ma main au creux du coude de Marina et Huit qui dit : « On y va. »

Le soleil tape si fort que j'ai l'impression que mes cheveux sont une couverture en feu qui me brûle les épaules

202

et le cou. Je réussis à rouler sur le dos, puis à lever le bras pour me protéger de la lumière aveuglante. Lentement, je bats des paupières et les entrouvre. Je ne vois personne. Rien que du sable. Je me relève tant bien que mal, et l'écho de la voix de Huit chante dans ma tête : « J'espère vraiment que ça va fonctionner. Je n'ai jamais essayé d'emmener quelqu'un. »

Eh bien, il semblerait que ça n'ait *pas* fonctionné. Ou bien si, mais pas pour moi, pas pour tout le monde. Où Marina et Ella ont-elles atterri ? Sont-elles ensemble ? Est-ce que Huit est avec elles ? Est-ce qu'on se trouve tous à différents points du globe ? Ou bien suis-je la seule isolée ? Mon cerveau passe frénétiquement en revue tous les cas de figure. Si on a non seulement perdu Crayton mais qu'en plus on est séparés, c'est comme si on avait fait machine arrière. Je me sens dans un tel état de frustration et de panique que j'en ai la nausée. Tout ce pour quoi on a travaillé, tout ce qu'on a sacrifié pour aller en Inde retrouver Huit – ce n'était pas pour rien, c'était pour *encore moins* que rien.

Je suis seule sous un ciel sans nuages et un soleil de plomb, sans aucune idée de l'endroit où j'ai échoué, ni de comment je vais bien pouvoir trouver âme qui vive, Gardane ou pas Gardane. Je scrute les alentours dans toutes les directions, peut-être pour voir Marina dévaler une dune en titubant et en agitant la main, Ella sur ses talons, ou bien Huit faire la roue sur le sable en riant ; je ne vois que le désert nu, à des kilomètres à la ronde.

Je me remémore ce que nous a dit Huit, sur le fonctionnement de la téléportation. Quel que soit cet endroit, je ne dois pas être loin d'une des pierres de Loralite. Et, même sans le Don de Huit, j'espère pouvoir me servir du minerai d'une manière ou d'une autre. Je tombe à genoux et me mets à creuser furieusement. Si je n'ai aucun moyen de savoir où elle se trouve, où commencer à chercher, je suis néanmoins prête à tout. Au point que je sens à peine le sable qui me brûle les doigts.

Les seuls cailloux que j'exhume sont minuscules, craquelés et tout à fait ordinaires. Hors d'haleine, la sueur me dégoulinant dans les yeux, je finis par abandonner et me redresse. Je ne peux pas me permettre de gaspiller aussi bêtement le peu d'énergie qui me reste. Je dois trouver de l'eau. Je penche la tête pour écouter le vent dans l'espoir qu'il véhicule un signe, n'importe lequel, mais il n'y a rien ni personne. Rien que du sable, des dunes à perte de vue. Il ne me reste plus qu'à marcher. Je lève les yeux vers le soleil, m'oriente d'après mon ombre et me mets en route.

Je prends la direction du nord. Je suis sans protection contre les rayons mortels, la transpiration m'irrite les yeux et mon corps tout entier est fouetté par le sable bouillant. Je me sens vulnérable, comme jamais je ne l'ai été auparavant. Où que je me tourne, la vue est rigoureusement identique, et je sais que mon organisme ne pourra endurer très longtemps une chaleur pareille. Je lutte pendant quelques pas encore, puis me rends invisible pour échapper aux rayons accablants. Du même coup j'anéantis la moindre chance qu'on me trouve ; ce n'est pas comme si j'avais le choix. Puis je me sers de la télékinésie pour flotter au-dessus du sol, rien que pour me soulager de la brûlure du sable. Même de plus haut, le constat est le même : du sable et rien d'autre. Chaque fois que je franchis une dune, je plisse les paupières en espérant distinguer une route ou un signe quelconque de civilisation. Les seules variations à cette étendue monotone sont des cactus fleuris et des morceaux de bois pétrifiés. Le ciel clair et uniforme se rit de moi, ne m'offre pas même un lambeau de nuage que je pourrais transformer en orage. Lorsque j'éventre le premier cactus que je croise, je constate avec désespoir qu'il ne contient qu'une très faible quantité de liquide.

Alors que mon énergie et mon moral atteignent leurs limites, je vois enfin apparaître des montagnes à l'horizon, et avec elles, la perspective de m'en tirer. Elles semblent au moins à une journée de marche, même s'il est presque impossible d'évaluer les distances. Ce qui est certain, c'est que je ne pourrai pas y arriver aujourd'hui, et je sens ma résistance s'effondrer. Il faut impérativement que je trouve un abri.

Je redeviens visible. En relevant la tête, je distingue mon premier groupe de nuages de la journée. Mon cœur fait un bond et je trouve un petit regain d'énergie dont je ne me serais pas crue capable. Je me concentre pour créer un orage, même minuscule, juste au-dessus de ma tête. L'averse est brève, mais le soulagement est extraordinaire, et j'y puise la force de ne pas m'écrouler et baisser les bras.

Je continue à avancer et je finis par tomber sur une barrière en fil barbelé, au-delà de laquelle je distingue un vague sentier. C'est le premier signe de présence humaine que je rencontre, et je suis tellement folle de joie que je réussis même à accélérer l'allure pour y arriver. Je suis ce chemin sur un peu plus d'un kilomètre avant d'atteindre une petite colline, que je réussis à franchir. Et par miracle, de l'autre côté, j'aperçois le contour de plusieurs petits bâtiments. Je n'en crois pas mes yeux. C'est forcément un mirage.

Mais non. Plus j'approche, plus je suis convaincue que ces signes de vie, ces formes sont bien réels. Malheureusement, je constate également que les murs sont criblés de trous et en ruine, que ce ne sont plus que des squelettes de bois abandonnés à l'érosion implacable du désert. Ces vestiges, c'est l'image même de ce qu'on devient, coincé dans un lieu pareil. J'ai atterri dans une ville fantôme.

Au lieu de me laisser abattre, je me concentre sur ce qui a pu être abandonné là, avant que les fantômes ne s'emparent des lieux. Des canalisations ? Un puits ? J'erre en trébuchant entre les murs, en quête d'une source d'eau, car c'est de cet unique ingrédient que dépend ma survie. Je dois trouver à boire. Tout le monde a besoin d'eau, alors il doit obligatoirement y en avoir quelque part !

Il semble que non. Du moins, je suis incapable de la trouver. On a bien dû creuser un puits, par le passé, mais il a disparu. Enfoui sous le sable, emporté par des aliens venus de l'espace, qui sait ? Le désespoir qui m'envahit ne ressemble à rien de ce que j'ai connu jusqu'ici. Seule, sans eau et sans nourriture, sans abri digne de ce nom. Je me mets à hurler à pleins poumons. « Il y a quelqu'un ? Je vous en prie ! Répondez ! Qui que vous soyez ! »

Quelque part sur ma droite, une poutre craque bruyamment – pas vraiment la présence que j'espérais.

J'inspecte chaque bâtiment : comme je m'y attendais, ils sont plus vides les uns que les autres. Une fois que je suis bien certaine que je me trouve dans la solitude la plus absolue, je repère le reste de devanture de ce qui a dû être une épicerie, et je m'y repose un moment. Pour tuer le temps, j'essaie d'imaginer les lieux remplis de nourriture et d'eau. Je me raconte que je vais préparer un gigantesque festin pour les Gardanes encore en vie. J'invente une longue table, autour de laquelle Marina a pris place, entre Huit et Ella. J'installe John à une extré-mité, et moi à l'autre. Neuf et Numéro Cinq sont là aussi. Ils blaguent entre eux, en se racontant tous les endroits où ils sont passés. Tout le monde rit et me félicite pour mes talents de cuisinière, et je leur réponds que je suis bien contente qu'ils s'en soient tous sortis.

« Quel est votre meilleur souvenir sur Terre, jusqu'ici ? demande Marina à la tablée.

— Ici, en ce moment, affirme John. En sécurité, avec vous tous. »

Nous approuvons tous et levons nos verres à notre réunion. Numéro Cinq quitte la pièce et revient les bras chargés d'un énorme gâteau au chocolat. On pousse des hourras en faisant passer les assiettes au bout de la table. Je sens le goût de la première bouchée sur ma langue, et je n'ai jamais rien mangé d'aussi bon de toute ma vie.

Évidemment, rien de tout ça n'est réel. Je ne suis qu'une pauvre folle solitaire, assise dans une épicerie en ruine et abandonnée en plein désert. Je dois avoir perdu la tête, car je me rends compte que, tout absorbée par mon rêve, je suis en train de mastiquer. Je mâchonne de l'air en souriant comme une béate. Je secoue la tête pour empêcher les larmes de monter. Je n'ai pas combattu les Mogs, survécu à la torture pendant des mois et vu Katarina mourir pour que tout s'arrête au milieu de nulle part, dans la solitude. Je remonte les genoux contre ma poitrine et y appuie mon front. Je dois mettre un plan sur pied.

Lorsque je quitte la ville fantôme, il fait toujours aussi chaud que dans un four. Je me suis reposée à l'abri du soleil quelque temps, pourtant je sais que je dois reprendre la marche avant d'avoir définitivement perdu mes forces. Au bout d'un kilomètre ou deux dans le sable brûlant, en direction des montagnes, je ressens soudain des crampes intolérables aux jambes et au ventre. Je concentre le peu d'énergie mentale qui me reste à arracher quelques cactus, dont je tire une unique gorgée de liquide.

Je fais appel à mon Don pour essayer de provoquer un autre orage à partir des vagues lambeaux de nuages au-dessus de ma tête, mais tout ce que je réussis à faire, c'est à soulever une gerbe de sable qui s'abat sur moi, m'enterrant jusqu'aux genoux.

Pour la première fois, je ne suis pas seulement nerveuse quant à la suite – j'ai aussi peur de mourir ici. Il ne me reste plus rien. Les Anciens m'ont élue comme guerrière pour sauver notre race, et je vais périr au milieu du désert.

Je sens la panique me gagner et ma santé mentale vaciller. Il me reste toutefois une lueur de lucidité, juste assez pour savoir que je ne dois pas baisser les bras – je suis tellement vulnérable que ce serait la fin. Pour lutter contre le désespoir, je retourne dans mon rêve de banquet avec le reste des Gardanes, et je réfléchis à ce que moi je leur dirais, en cet instant.

Hé, Marina, comment ça va ? Moi ? je suis en plein désert, j'avance vers des montagnes. J'imagine que je dois me trouver au Nouveau-Mexique, si j'en crois ce que disait Huit au sujet de la téléportation. Je m'affaiblis à chaque seconde, Marina. Je ne sais pas combien de temps je vais pouvoir tenir. Et j'ignore où tu es, mais je t'en supplie, trouve un moyen de venir me chercher.

Ella ? Si tu savais comme je suis désolée, pour Crayton. Je sais combien ça t'a fait souffrir, de le voir mourir, de devoir l'abandonner. Tu vengeras sa mort, je te le promets, et je serai en première ligne. Si je sors vivante de ce désert, je vengerai Lorien tout entière.

Huit, je n'ai pas trouvé la Loralite. Je ne vois aucune trace de nourriture, d'eau ou d'un abri quelconque, et pas le moindre signe de civilisation. Je suis toute seule. Peux-tu me dire où est la Loralite ? Je veux sortir d'ici ; je veux vous retrouver, les amis.

Je ne me sens même pas stupide, à discuter dans ma tête avec des gens qui se trouvent très vraisemblablement à l'autre bout de la planète. Je ferme les yeux en espérant de tout mon cœur que quelqu'un va me répondre. Mais il n'y a rien, naturellement. Alors j'avance. Il devient de plus en plus difficile de mettre un pied devant l'autre. Je commence à tituber, je penche à droite, puis à gauche, me rattrapant toujours au dernier moment. Je finis cependant par ne plus pouvoir garder l'équilibre, et je bascule en avant. Je me résous à ramper et continue ainsi pendant un moment, les paupières closes pour me protéger du soleil ardent. Je rouvre les yeux pour vérifier sa position dans le ciel, quand je crois de nouveau avoir des visions – à quelques dizaines de mètres se dresse un gros portail métallique. Il mesure six ou sept mètres de haut et est surmonté d'une couronne de barbelés. Même de si loin, j'entends le bourdonnement du courant électrique. Ce qui achève de me convaincre qu'il ne s'agit pas d'un mirage.

J'ai beau n'avoir aucune idée de ce qui se trouve derrière, j'ai besoin d'aide, et j'en suis arrivée à un point où je me moque de savoir qui me la procurera. Je me traîne jusqu'à la grille et réussis à m'asseoir. J'agite les mains au-dessus de ma tête, dans l'espoir que les lieux soient sous surveillance.

« S'il vous plaît, aidez-moi. » J'ai la gorge qui râpe comme du papier de verre.

Les portes demeurent closes et personne n'apparaît. Je me laisse glisser sur le sable. J'essaie de réunir le peu de force qui me reste pour faire une nouvelle tentative. Je roule sur le ventre et me remets lentement debout. Je décide de tester le circuit. Quel mal peut me faire une petite décharge, après des heures à mourir de faim et de soif ? Je parcours les environs du regard et repère un petit cactus. Je le fais flotter en l'air et le laisse tomber sur la barrière ; instantanément, il crépite et éclate. Les restes calcinés tombent au sol en fumant.

Je me laisse de nouveau tomber sur les genoux, puis sur le côté, et finis par rouler sur le dos. Je ferme les paupières. Je sens mes lèvres desséchées se craqueler. J'entends vaguement un bruit mécanique derrière moi, mais je suis trop faible pour lever la tête. Je sais que je suis en train de perdre conscience. Un écho tourbillonne dans mes oreilles, puis un martèlement grave. Quelques secondes plus tard, je suis persuadée d'entendre la voix d'Ella.

Où que tu sois, Six, j'espère que ça va pour toi.

Un rire rauque s'échappe de ma gorge, suivi d'un sanglot. S'il me restait une once d'humidité dans le corps, je suis sûre que les larmes couleraient.

Je suis en train de mourir dans le désert, Ella. Celui avec les montagnes. On se reverra sur Lorien un jour, Ella.

J'entends de nouveau sa voix, mais cette fois-ci je ne parviens pas à distinguer ce qu'elle dit. Elle est couverte par un nouveau bruit dans ma tête, saccadé et désagréable. Et c'est alors que je la sens, la grande bourrasque qui me plaque les cheveux sur le visage. J'ouvre lentement les yeux et reconnais trois hélicoptères au-dessus de moi. Des voix d'hommes me hurlent de mettre les mains sur la tête ; tout ce que je réussis à faire, c'est à refermer les paupières.

CHAPITRE VINGT

Ella flotte au-dessus de moi. Les yeux écarquillés, elle est en pleine crise de panique, et des bulles lui sortent de la bouche. J'essaie de comprendre ce qui se passe, comment elle s'est retrouvée là, et pourquoi il y a tant d'eau. Je tends la main vers la sienne, mais mes bras refusent d'obéir. Que m'est-il arrivé, pendant la téléportation ? Je ne sens plus mon visage et la douleur derrière mes orbites est insupportable. Je tente de battre des jambes de toutes mes forces, sans succès. Je ne peux rien faire, hormis regarder Ella remonter peu à peu en s'éloignant de moi. D'où est venue toute cette eau ? Mon épaule gauche se met à bouger violemment, et il me faut une seconde pour me rendre compte que quelqu'un me secoue par le bras. C'est alors que j'aperçois Huit, ses boucles noires en auréole autour du visage. Il passe le bras sous mon aisselle et je m'efforce de ne pas m'affoler devant son air très inquiet. Il tente de nous remonter à la surface, malgré le coffre sous mon bras qui nous leste.

Je laisse l'eau glacée pénétrer dans mes poumons. C'est la seule chose que je puisse faire. D'un coup de pied, Huit dégage le coffre de mes bras paralysés et me hisse vers le haut. Nous commençons à remonter. Je cherche désespérément Six du regard, en vain.

Lorsque j'émerge à la surface, la première chose qui me frappe, c'est la chaleur brutale du soleil. Tout autour de moi, je ne vois que de l'eau. J'aperçois Ella qui fait du surplace non loin. Au bout de quelques minutes à l'air libre, mes poumons se remettent à fonctionner. Huit semble très occupé à maudire notre malchance.

« Où est Six ? » je m'écrie en toussant. Je tourne la tête de tous les côtés en cherchant ses cheveux blonds à la surface.

« Je ne l'ai pas trouvée sous l'eau ! hurle Huit. Je ne sais pas si elle s'en est sortie ou pas !

— Pourquoi elle ne s'en serait pas sortie ? » s'inquiète Ella, une pointe de panique dans la voix.

Huit se soulève lentement au-dessus de la surface et se retrouve debout sur l'eau. Cette fois-ci, l'exercice semble moins facile pour lui. L'air contrarié, il envoie un coup de pied à une petite vague qui passe. « Bon sang ! Je savais bien que je n'aurais pas dû tenter le coup avec autant de gens à la fois !

— Mais où est-ce qu'elle peut être ? Comment on va la retrouver ? gémit Ella.

— Je n'en sais rien. Aussi bien, elle est toujours coincée dans ce qui reste de la grotte. »

Je sens tout juste les sensations revenir dans mes membres et maintenir la tête hors de l'eau me demande beaucoup d'efforts. « Quoi ? Mais elle va se faire tuer, si elle est encore là-bas ! »

Ella lutte visiblement pour rester à flot, elle aussi. Huit la rejoint pour qu'elle puisse monter sur son dos, les bras solidement enroulés autour de son cou. « Six a aussi pu atterrir ailleurs, ajoute-t-il pour nous redonner de l'espoir. C'est juste que je ne sais pas où, exactement.

— Et *nous*, où est-ce qu'on est ?

— Ça, je le sais. » Huit est visiblement soulagé de pouvoir apporter une réponse précise. « On est dans le golfe

212

d'Aden. Et ça » – il pointe le doigt vers la côte qui se dessine au loin, et que je découvre – « c'est la Somalie.

— Comment tu le sais ? demande Ella.

— J'ai déjà échoué là, une fois », explique-t-il d'un ton morne. Il n'entre pas dans les détails, mais on sent qu'il ne dit pas tout.

Je ne sais pas grand-chose de la Somalie, si ce n'est qu'elle se situe en Afrique et qu'elle est perpétuellement déchirée par des guerres tribales et civiles brutales, sans parler de la misère qui frappe la population. Je ne sais pas si j'ai la force de me servir de la télékinésie ou même de nager sous l'eau pour arriver jusqu'à la côte. Et je suis encore moins sûre d'en avoir envie. J'ai besoin de m'éclaircir les idées.

« Vous savez quoi ? Je vais descendre sous l'eau un petit moment. Je pourrai recharger un peu mes batteries pendant qu'on réfléchit à ce qu'on va faire. » Au moment où je plonge, Ella m'appelle.

« Cherche Six ! »

Ses paroles me donnent un regain d'énergie. La perspective de trouver Six me propulse avec force. Une fois en profondeur, j'ouvre les yeux. Même si loin de la terre, l'eau est relativement bleue. Je perçois du mouvement en dessous et descends encore, pour découvrir un petit banc de thons. Je tourne lentement, dans l'espoir d'apercevoir la lueur dorée des cheveux teints de Six, et je me fais plusieurs fois tromper par des bouquets d'algues. En remontant, je distingue l'ombre de Huit à la surface. Faisant confiance à mes forces retrouvées, je replonge jusqu'en bas. En parcourant le fond et en scrutant l'eau alentour, je bute malgré moi contre un récif de corail et m'entaille le genou. La douleur vive m'immobilise quelques instants et je me penche pour guérir la plaie de ma main. Je constate que mon Don met plus de temps

213

que d'habitude à agir. Le processus de téléportation doit avoir une incidence sur nos pouvoirs et sur notre résistance physique. Heureusement, ma respiration paraît normale. J'espère de tout cœur que cet affaiblissement ne durera pas – je ne veux pas que nous soyons vulnérables.

Je continue à bouger et finis par retrouver mon coffre, près de celui de Huit ; je repère également la grosse pierre de Loralite bleue, à deux ou trois mètres. Je tente de soulever les coffres, mais je n'ai même pas la force de les déplacer. En levant la tête, je constate que l'ombre de Huit n'a pas bougé, et je remonte lui demander de l'aide. En chemin, je croise une colonie de poissons orange magnifiques.

Je réapparais à la surface. « Aucune trace de Six, mais la pierre de Loralite est au fond, juste à côté de nos coffres. On les récupère, et on file. On n'aura qu'à se téléporter ailleurs, pour voir si on peut retrouver Six là où elle a atterri.

— Est-ce qu'il ne faut pas qu'on soit *contre* la Loralite pour que ça fonctionne ? demande Ella. Comment je vais descendre si bas ? Je ne peux pas retenir ma respiration aussi longtemps.

— Pas besoin, répond Huit avec un grand sourire.

— Tu as aussi un Don qui te transforme en torpille pouvant prendre des passagers ? je demande.

— J'ai encore mieux que ça. » Huit fouille dans sa poche et en tire le cristal vert qu'il avait extrait de son coffre, en le récupérant la première fois. La pierre s'illumine de l'intérieur, et brusquement une bourrasque déchaînée s'en échappe. Huit la dirige vers l'océan. Un cratère se forme sous lui et il se laisse tomber dedans. « Venez ! Vite ! »

Ella et moi rejoignons le cratère à la nage. Huit me tend sa main libre et je la prends ; Ella s'accroche à moi de l'autre côté.

« Tenez-vous prêtes. La chute va être… rapide ! nous met-il en garde. Vous devez rester près de moi, parce que l'eau va se refermer derrière nous. Quand on arrivera au fond, Ella, prépare-toi à retenir ton souffle le temps que j'attrape les coffres.

— Et tout le monde garde un œil ouvert, au cas où on verrait Six », j'ajoute.

Ella me serre la main. « Si elle est là-dessous, on la trouvera. »

Huit dirige le cristal vers le fond. « On y va ! » hurle-t-il. Nous tombons à toute vitesse, dans le trou creusé dans l'eau par la pierre au fur et à mesure de notre chute, et qui se referme à un mètre derrière Ella. Nous sommes à l'intérieur d'une bulle qui fonce vers le fond. Huit pousse un cri de victoire, et je ne peux pas m'empêcher d'en faire autant.

Ella m'agrippe le bras. « Six a des ennuis ! Elle dit qu'elle est dans le désert !

— De quoi tu parles ? » Des poissons, des requins et des calmars défilent en une masse floue autour de nous. « Comment tu le sais ? »

Ella hésite une seconde. « Je ne peux pas vraiment t'expliquer, mais je lui ai parlé dans ma tête ! Elle dit qu'elle est en train de mourir !

— Si elle est dans le désert, c'est qu'elle est arrivée au Nouveau-Mexique ! s'exclame Huit.

— C'est là qu'on doit aller ! Sur-le-champ ! » je réplique.

Nous atteignons le fond et essayons de courir dans la vase, mais toute précipitation est impossible. L'eau s'engouffre derrière notre poche d'air et bientôt le cristal ne nous est plus d'aucune utilité, et son action se réduit à un petit tourbillon devant nous. Je vérifie qu'Ella retient bien son souffle. Lorsque je me retourne vers Huit, je le vois flotter sous la forme d'une pieuvre noire. Avec deux de ses tentacules, il saisit nos coffres, et nos mains avec deux autres. Puis il nous entraîne jusqu'au bloc de Loralite qui pulse au fond de l'eau. Avant d'avoir pu échanger un dernier regard avec Ella, je suis avalée par les ténèbres.

CHAPITRE VINGT ET UN

Neuf et moi reprenons l'ascenseur en silence. Je suis furieux et humilié, et ce n'est rien à côté des sentiments qui montent en moi. Lorsque nous pénétrons dans l'appartement, Bernie Kosar saute du canapé et vient nous demander si nous avons fini avec nos puérilités.

« Ça dépend pas de moi. Qu'est-ce que tu en penses, Johnny ? » marmonne Neuf. Il va prendre une part de pizza froide dans le frigo. Il en engouffre la pointe, croque une énorme bouchée et se met à mâcher bruyamment.

Je me baisse pour gratter le menton de BK. « J'espère, mon vieux.

— Emballe tes trucs de chien, BK, parce qu'on décolle. On retourne à Paradise City, là où les filles sont jolies. Et bon sang, Quatre, magne-toi de prendre une douche. Tu pues la fumée à plein nez, lance Neuf, la bouche pleine de pizza.

— La ferme. » Je m'affale sur le canapé. Bernie Kosar grimpe sur mes genoux et lève vers moi un regard triste.

Tout en se dirigeant vers le couloir, Neuf lance dans son dos : « Un marché, c'est un marché, mec ! On part pour Paradise dans deux heures, alors je te conseille de faire un petit somme, après ta douche. Hé ! On se fait un road trip ! C'est le kiff total ! »

Éreinté, je me traîne jusqu'à ma chambre. Un marché est effectivement un marché. Le lit gémit lorsque je me laisse tomber dessus. Au bout de quelques minutes, je ne supporte plus ma propre odeur, et je me décide à aller prendre une douche. Un des effets secondaires de mon Don, c'est que même l'eau bouillante me paraît froide. Debout sous le jet, titubant de fatigue, je me repasse en esprit le combat sur le toit. J'essaie de comprendre pourquoi j'ai perdu contre Neuf, mais je suis incapable d'aligner deux idées. Je suis tellement épuisé. Je me rends compte que je grommelle tout seul. Je coupe l'eau et reste un moment à écouter le *ploc ploc* des gouttes dans le bac en céramique. J'attrape une serviette et rampe jusqu'au lit. La priorité, c'est de dormir.

Je me glisse sous les draps et éteins la lumière par la télékinésie. J'entends les pas assourdis de Neuf qui va et vient dans la salle de surveillance, et je ferme les paupières. Au moment où le sommeil me gagne, j'entends un bruit : c'est Neuf qui frappe doucement à ma porte ouverte. Je suis dos à lui, et je reste immobile, même quand il se racle la gorge et prend la parole. « Euh, Johnny ? Je suis désolé, je peux être très con, parfois. Je pourrais mettre ça sur le compte de la captivité – être bouclé pendant si longtemps, ça te change un homme. Mais franchement, si je pousse tellement, sur ce coup-là, c'est parce que je suis persuadé d'avoir raison. Il *faut* qu'on aille à Paradise. *Immédiatement*. Alors j'espère qu'on finira par être amis. En tout cas, c'est ce que je veux. Et je suis content que tu sois là. »

Je n'ai pas bougé un cil pendant tout son discours, et je suis sidéré par cet éclair de sensibilité. Je ne sais pas trop quoi répondre, même après m'être retourné pour lui faire face. Je ne vois de lui qu'une ombre voûtée appuyée contre le chambranle de la porte. « Moi aussi, je suis content d'être là. Merci.

— Pas de quoi. »

Il tape deux fois le mur du plat de la main, baisse les yeux au sol, puis tourne les talons. Au son de ses pas dans le couloir, mes paupières se ferment. Au bout de quelques minutes, j'entends des chuchotements étouffés. Je sais qu'une vision ou un cauchemar s'annonce. J'ai conscience d'être allongé dans le lit, pourtant je suis pétrifié. Je me sens flotter, et lorsqu'une porte noire se dessine au-dessus de moi je me mets à tourner dans l'air à une vitesse inouïe. Je franchis la porte en trombe et, les bras collés au corps, je me retrouve dans un tunnel sombre. Le noir vire au bleu et les chuchotements gagnent en intensité – j'entends la même phrase répétée inlassablement : « Tu ne sais pas tout. »

Dans le tunnel, le bleu devient vert, puis de nouveau noir. Et tout à coup, je suis propulsé dehors, et mes pieds nus atterrissent sur un sol rocheux. J'agite les bras pour retrouver mon équilibre. Je suis de retour dans l'arène au sommet de la montagne. Je regarde de tous les côtés, à la recherche de Sam, mais je ne le vois nulle part, pas plus que l'autre Gardane. Tout est complètement vide, y compris les gradins.

C'est alors qu'au centre de l'arène une pierre noire se retourne et révèle un soldat mog accroupi, vêtu d'une cape en lambeaux et de bottes noires. Sa peau cireuse brille et l'épée qu'il brandit au-dessus de sa tête étincelle, comme éclairée de l'intérieur. Dès qu'il m'aperçoit, il se lève et pointe sa lame dans ma direction d'un air menaçant. Elle pulse comme si c'était une extension vivante de l'être maléfique qui la tient.

Sans une seconde d'hésitation, je me précipite droit sur lui et de mes paumes fuse un rayon puissant. Lorsque je ne me trouve plus qu'à dix mètres, je dirige le Lumen vers mes pieds et les enflamme. À l'instant où je bondis, le feu remonte le long de mon corps. Le soldat saute dans ma direction et, au moment de la collision, j'envoie mon poing à travers sa poitrine, où il laisse un trou béant et rougeoyant. Le Mogadorien explose en cendres avant même de toucher le sol.

À ma droite, une nouvelle pierre noire se retourne : derrière apparaît un autre Mog armé d'une épée. Deux autres surgissent à ma gauche, et j'en entends plusieurs derrière moi. Sous mes pieds, la roche se met à vibrer, et je plonge juste au moment où elle pivote pour laisser sortir un Mogadorien armé d'un fusil. Après avoir tué d'un coup de poing le soldat le plus proche, je me mets à lancer des boules de feu avec une force décuplée. Mon bracelet rouge s'anime et, en s'ouvrant comme une lame, décapite un soldat géant. En une minute, je les ai tous exterminés. L'adrénaline bondit dans mes veines, et je guette le glissement des pierres qui m'offrira une nouvelle tournée d'adversaires.

Une dizaine d'entre eux se retournent en face de moi, puis cinquante de chaque côté. Bientôt, je suis encerclé par les Mogs les plus massifs et les mieux armés que j'aie vus jusqu'ici. Je dessine un petit cercle de feu autour de moi et recule en le déplaçant jusqu'à atteindre le mur de l'arène. Pour une raison indistincte, malgré ce bouclier enflammé qui me protège, je ne me sens pas particulièrement en sécurité.

J'élargis le périmètre des flammes et elles engloutissent le premier rang des Mogs. Ils prennent feu, sans pour autant se désintégrer en poussière : ils franchissent le cercle en brandissant leurs armes. Je lance des dizaines de projectiles, qui cette fois se révèlent sans effet. Un objet rouge file au-dessus de ma tête, et je le vois se planter dans la poitrine d'un Mog, qui continue cependant à avancer. Je reconnais l'arme : c'est la lance de Neuf. Il bondit des gradins vides et atterrit juste à côté de moi. Même au milieu d'une vision et au plus fort du combat, je suis soulagé de le voir. Je me sens instantanément plus en sûreté, et prêt à croire que même ces Mogs résistant au feu ne sauront nous vaincre, maintenant que nous sommes tous les deux.

« Sympa de te joindre à moi ! » je hurle.

Il a beau se tenir à un mètre de moi, il n'a pas l'air de m'entendre. « Hé, Neuf ! » Toujours aucune réaction. Le regard planté droit devant lui, il observe les Mogs qui marchent sur nous.

Lorsqu'ils ne sont plus qu'à quelques mètres, le sol sous nos pieds se met à trembler. Je cherche à me raccrocher au mur, mais je perds l'équilibre. Dans la seconde qui suit, une déflagration monstre secoue l'arène, et des blocs de pierre noire nous dégringolent dessus. Neuf fait dévier un énorme rocher, qui vient percuter la paroi derrière moi, creusant un trou béant vers l'extérieur. À travers, j'aperçois le ciel bleu.

Au milieu de la poussière qui retombe et des débris qui pleuvent surgit une immense scène. Et, en son centre, Setrákus Ra. Je ne peux pas m'empêcher de penser qu'il ressemble à une star de rock diabolique. Au-dessus des trois pendentifs qui reposent sur sa poitrine, la cicatrice violette qui lui zèbre le cou est incandescente. Dès l'instant où il apparaît, je constate avec horreur que mon feu s'éteint. J'essaie d'illuminer de nouveau mes jambes avec le Lumen, et je découvre subitement que mes paumes refusent de s'allumer. Setrákus Ra frappe le sol de son spectre doré surmonté d'un œil et, d'un grondement atroce, exige le silence. Devant moi, les soldats se détournent de nous pour le regarder. Un par un, ils baissent leurs armes.

« Vous avez tous été choisis pour mettre un terme à ce combat ! tonne-t-il. Vous irez détruire les enfants loric. Quand ils seront tous morts, vous me rapporterez leurs pendentifs et leurs coffres. Vous anéantirez leurs complices humains. *Vous ne me décevrez pas !* »

Les soldats mog poussent des hourras en levant le poing à l'unisson.

Setrákus Ra donne un nouveau coup de bâton et le sol vibre. « Mogadore régnera sur cette galaxie ! Tout ce que possède chacune des planètes nous appartiendra ! » Les soldats l'acclament et brandissent leurs armes.

« Ensemble, nous combattrons. Je lutterai avec vous. Ensemble, nous gagnerons cette bataille et nous anéantirons toute vie sur Terre ! »

Je tente une nouvelle fois d'actionner le Lumen, sans succès. Puis j'entreprends par la télékinésie de soulever une pierre pointue à mes pieds, et de la lancer contre Setrákus Ra. Elle ne bouge pas d'un centimètre. Mon bracelet-bouclier s'est rétracté et paraît inerte. Mes Dons – et mon Héritage – m'ont quitté.

Les soldats se tournent de nouveau vers nous et nous mettent en joue. Sans nos Dons, nous sommes perdus. Il faut impérativement qu'on décampe.

« Neuf ! Par ici ! »

Il semble enfin percevoir ma présence et tourne brusquement la tête dans ma direction. Nous nous précipitons vers le trou dans le mur. Debout sur le rebord dans un rayon de soleil, j'avise la vallée qui s'étend à nos pieds, plusieurs centaines de mètres en contrebas. Je jette un œil par-dessus mon épaule : les soldats ont décidé de charger.

« On marchera à flanc de montagne, suggère Neuf. Tiens. Prends ma main. »

Je m'exécute. Nous avons à peine fait quelques pas sur le sommet enneigé que nous nous rendons compte que le Don de Neuf a disparu, lui aussi. Au lieu de sentir la roche sous nos pieds, nous sommes dans le vide. Je lance un regard à Neuf et lis la stupéfaction sur son visage encadré de cheveux noirs qui claquent au vent. En dessous de nous, deux portes noires se rapprochent à toute allure. L'estomac retourné par la vitesse, je me prépare à un impact violent. À ma grande surprise, je fonce tête la première à travers la porte de gauche et poursuis ma chute pour me retrouver dans un tunnel sombre secoué de grondements de tonnerre et d'éclairs. Je perçois de nouveau des chuchotements, et ensuite, lorsque tout vire au vert, puis au bleu avant de redevenir noir, la voix rauque que j'ai entendue au début de la vision s'exclame : « Nouveau-Mexique. »

Mes yeux s'ouvrent brusquement et je me redresse, le visage trempé de sueur. J'arrache les draps qui me collent à la peau. *Le Nouveau-Mexique.* Je saute du lit et bondis dans le couloir en direction de la chambre de Neuf, bien décidé à le convaincre, une bonne fois pour toutes. Et s'il faut se battre pour ça, j'en passerai par là, jusqu'à ce que je gagne.

Je m'immobilise devant la porte de Neuf et allume le Lumen, surtout pour vérifier que mes Dons ne m'ont pas effectivement abandonné. Je frappe et pousse la porte. Je suis surpris de le trouver assis sur son lit, la tête entre les mains. J'appuie sur l'interrupteur.

223

« Neuf, je suis désolé. Je sais qu'un marché est un marché, et que c'est toi qui m'as battu. Mais on doit aller…

— Au Nouveau-Mexique. Je sais, Johnny. Je sais. » Il secoue la tête, et je ne peux pas dire si c'est pour achever de se réveiller, ou parce qu'il est atterré par son propre revirement. Sans doute un peu les deux. « Laisse-moi juste une seconde pour émerger.

— Alors tu as changé d'avis ? »

Il pose un pied par terre, puis l'autre. « Non, je n'ai pas *changé d'avis*. Mais quand on est en train de dégringoler d'une montagne en ayant perdu tous ses Dons et qu'une espèce de fantôme n'arrête pas de répéter "Nouveau-Mexique", on finit par piger.

— Toi aussi tu as eu une vision ? » Le soulagement que j'ai ressenti en le voyant apparaître – c'est parce qu'il était *vraiment* là. Je mesure soudain que Neuf et moi sommes liés, et que je devrais lui manifester plus de respect que je ne l'ai fait jusqu'ici. Je dois arrêter de le considérer comme un adversaire. Nos vies en dépendent.

Il enfile une chemise et me lance ce regard condescendant que je connais bien. « Non, andouille. Tu n'as toujours pas compris, hein ? Je n'ai pas eu une vision *aussi*. On était dans *la même*. Ça fait déjà une semaine que ça dure. Réveille-toi, tu veux ? »

Je suis dans tous mes états, et je n'arrive pas à le cacher. « Pourtant, chaque fois que je t'en ai parlé, tu m'as envoyé bouler. Tu n'arrêtais pas de répéter que ce n'étaient que de simples rêves, et ainsi de suite. Tu voyais bien combien ces visions me torturaient, Neuf ! Tu m'as traité comme un dingue, tout ça parce que je les prenais au sérieux !

— Primo, tu crois être Pittacus Lore, alors, techniquement parlant, tu *es* dingue. Secundo, je ne te racontais pas de salades. Au début, je les ai effectivement repoussées : les miennes *et* les tiennes. J'ai vraiment cru que c'étaient des conneries. Quand Setrákus Ra m'a demandé de me rendre, tout comme il vous l'a demandé, à toi et à l'autre garçon, je me suis dit que les visions étaient une manipulation mentale mise au point par les Mogs. Je ne croyais pas qu'il fallait faire confiance à leur contenu, et donc pas question d'aller là où elles nous disaient d'aller. En fait, je pensais même que le plus sûr, c'était de faire *tout l'inverse* de ce qu'elles recommandaient. Mais cette fois-ci... » Il marque une pause. « Cette fois-ci, ça ressemblait à une mise en garde. Le genre qu'il ne faut pas prendre à la légère. Maintenant je suis persuadé qu'il y a vraiment des trucs graves sur le point de nous tomber dessus, Quatre. »

J'ai beau me sentir soulagé qu'il consente finalement à m'écouter, je suis frustré qu'il lui ait fallu si longtemps. « C'est ce que je m'échine à te dire ! OK, dans ce cas, allons-y ! Tu as réfléchi au moyen d'arriver là-bas ? Par pitié, mec, dis-moi que Sandor et toi, vous aviez votre propre hélicoptère ou votre jet privé planqué quelque part !

— Désolé, vieux. Cela dit, on y pensait. » Il bâille et s'étire. « Mais j'ai une voiture au garage. Et *j'adore* conduire. Vite. »

*

Nous emportons tout ce que nous pouvons dans la salle des armes et remplissons deux grands sacs de fusils, de pistolets et de grenades. J'attrape un lance-roquettes, mais

Neuf fait remarquer qu'il ne rentrera pas dans le coffre. Nous avons besoin de la place qu'il reste pour les munitions. Puis nous filons récupérer la tablette dans la salle de surveillance.

Neuf s'assied derrière un ordinateur et se met à taper à toute vitesse sur le clavier. « Il faut que j'éteigne toutes ces machines. Je ne voudrais pas que ça serve à quelqu'un qui ne serait pas le bienvenu. Rends-moi service. Pendant que je m'occupe de ça, vérifie où sont les autres Gardanes, avec la tablette. »

J'appuie sur le cercle bleu dans le coin supérieur et j'attends. J'identifie nos deux points bleus à Chicago, puis un dans le nord du Nouveau-Mexique, et toujours celui en Jamaïque. J'attends encore quelques secondes de voir apparaître les trois derniers, mais ils demeurent invisibles.

« Euh, Neuf ? Je n'en vois plus que quatre. » J'entends la panique dans ma voix. « Il n'y a plus que quatre points bleus ! »

Il m'arrache la tablette des mains. « Laisse-moi voir. Ils ont dû échapper au radar, d'une manière ou d'une autre. » Brusquement, il n'a plus l'air très sûr de lui. Il appuie sur le triangle vert et les points verts se mettent à palpiter au Nouveau-Mexique et en Égypte, comme auparavant. « Au moins, les trois qui manquent n'ont pas pris les vaisseaux. »

J'y regarde de plus près et pose de nouveau l'index sur le cercle bleu. Je m'aperçois alors que le point bleu au Nouveau-Mexique se trouve à l'emplacement exact du point vert. « Le Gardane au Nouveau-Mexique, il est perché sur le vaisseau en ce moment même. Si c'est *bien* un vaisseau.

— J'espère qu'il se rend compte qu'il se sentirait *très seul*, pour le voyage du retour. » Je secoue la tête d'un air atterré et me concentre sur l'écran, dans l'espoir d'y lire la stratégie à adopter.

Et soudain, je percute. « Attends. Le gouvernement est impliqué dans tout ça, pas vrai ? Qu'est-ce qu'il y a d'autre, au Nouveau-Mexique ? La Zone 51 ! Est-ce que c'est là que se trouve ce point vert ? Le lieu le plus connu pour ses apparitions d'ovnis ? » Tout commence à prendre sens.

Neuf rapproche le clavier et se met à taper encore plus vite. « Retiens les chevaux, cow-boy. Tout d'abord, la Zone 51 se trouve dans le Nevada. Ensuite, nous autres *extraterrestres* savons très bien que c'est un leurre. C'est plus ou moins un pauvre hangar à avions, rien de plus. » Une carte du Nouveau-Mexique apparaît sur l'écran central et Neuf zoome sur la région nord. « OK. Attends un peu. » Son regard passe de la tablette au moniteur. « Voilà qui est intéressant. Tu n'étais pas si loin du compte, finalement. Ce n'est pas la Zone 51, mais là où on va, c'est tout aussi top secret.

— Comment ça ? » Je me demande pourquoi j'ai toujours un temps de retard, avec ce gars.

Neuf repousse sa chaise en arrière avec un sourire de satisfaction irritant. « Bordel de merde. Tout s'explique, maintenant. » Il tapote l'écran du bout du doigt. « Dans cette zone du Nouveau-Mexique se trouve une ville au milieu du désert appelée Dulce. Ça te dit quelque chose ? Non ? Dulce, comme la tristement célèbre Base de Dulce, dirigée par le gouvernement des États-Unis, lui-même ! C'est forcément là que se trouve notre vaisseau. Parce que je suis maintenant certain qu'il s'agit bien de nos vaisseaux, qui clignotent là-dessus ! Dans sa très grande sagesse, le gouvernement américain a alimenté des rumeurs sur la

Zone 51 pour que tous les fanatiques d'ovnis ne s'approchent pas de Dulce. »

Je n'arrive pas à retenir un sourire. « Si je résume, maintenant on va dans une base secrète du gouvernement ?

— C'est ce que j'espère. » Neuf éteint l'ordinateur. Il a l'air très fier de lui, d'avoir deviné tout ça. « Même si elle a la réputation d'avoir le système de sécurité le plus performant du monde, et d'être aussi imprenable qu'Alcatraz. Ce qui en fait l'endroit idéal pour cacher notre vaisseau.

— Ou bien les créatures extraterrestres que tu croises au cours de tes voyages », j'ajoute.

Depuis que je me suis réveillé de ma vision, tout me semble sens dessus dessous. Nous ne perdons pas une minute et empilons les armes, nos coffres et les vivres dans l'ascenseur. BK se glisse *in extremis* avant que les portes coulissent, et je crois rêver quand j'entends Neuf dire d'une voix douce et chargée d'émotion : « Au revoir, Chicago. C'était bon d'habiter ici. J'espère te revoir. »

Tandis que nous descendons à vive allure, je me tourne vers lui. « Hé, mec. N'oublie pas que notre *vrai* chez-nous est encore plus cool. Et de loin. » Il ne répond rien, néanmoins je vois ses épaules se relâcher.

Les portes s'ouvrent sur un parking en sous-sol. Nous inspectons prudemment les alentours avant de décharger. Une fois assurés que la voie est libre, nous balançons les sacs par-dessus nos épaules et Bernie Kosar sort à son tour. Je suis Neuf vers un véhicule caché sous une bâche poussiéreuse. Vu le standing de l'appartement, je me prépare à découvrir une merveille. J'imagine déjà une Ferrari jaune vif, ou peut-être une Porsche blanche décapotable. Ou même une Lotus noire.

Neuf lit visiblement dans mes pensées. Il m'adresse un clin d'œil en tirant d'un coup sec sur la bâche. Dessous, dans toute sa splendeur, apparaît une vieille Ford Contour beige cabossée. Pas vraiment le carrosse flashy auquel je m'attendais. Cependant, me balader dans une voiture qui manque de clinquant est bien le cadet de mes soucis, en ce moment. Ma seule inquiétude, c'est de savoir si cet engin peut démarrer.

« Tu es sérieux ? » Je ne prends même pas la peine de dissimuler mon dégoût.

Neuf me jette un regard innocent. « Ben quoi ? Tu aurais préféré une Chevrolet Camaro ?

— Pas vraiment. J'espérais juste quelque chose de moins rouillé. Un truc qui n'aurait pas l'air sur le point de rendre l'âme.

— Ferme-la et grimpe, Johnny, dit-il en balançant ses sacs dans le coffre. Tu n'as encore rien vu. »

CHAPITRE VINGT-DEUX

Lorsque je reviens à moi, je sens que je suis ballottée d'avant en arrière. J'ai mal partout. Mon corps tout entier est cuit par le soleil : ma gorge, ma peau, mes pieds et ma tête. J'ai les lèvres tellement desséchées que je n'arrive même pas à les fermer. Le pire, ce sont mes paupières, qui refusent de s'ouvrir malgré mes tentatives désespérées. Je saisis tout à coup que je dois me trouver dans un véhicule en mouvement. J'essaie de lever les mains et découvre que je suis attachée aux bras et aux jambes. Brusquement, je suis bien réveillée et je me force à ouvrir les yeux ; je ne vois autour de moi que les ténèbres, et me dis que le soleil a dû me rendre aveugle.

Je tente d'appeler au secours, mais il ne sort de ma gorge qu'un sifflement suivi d'une quinte de toux. J'entends un écho et me concentre sur l'air qui m'entoure. Je tousse de nouveau et comprends que je suis dans un espace confiné, dans un contenant métallique. Je me sens comme dans un cercueil et j'en ai un haut-le-cœur.

Et alors je commence à paniquer. Et si je n'étais pas aveugle ? Si j'étais réellement morte ? C'est impossible. J'ai beaucoup trop mal pour être morte. Je me sens en revanche comme enterrée vive.

Ma respiration s'accélère dangereusement quand, tout à coup, j'entends une voix d'homme dans un haut-

parleur, puissante et électronique. Je retrouve instantanément mon sang-froid. « On se réveille ? »

Je n'arrive pas à répondre, à cause de ma gorge trop
sèche. Je tapote les doigts sur le banc et me rends
compte qu'il est lui aussi en métal. Quelques secondes
plus tard, j'entends un bruit sur ma droite, et je sens
qu'on dépose quelque chose à côté de moi.

« Il y a un verre d'eau avec une paille, à côté de toi.
Avale une gorgée. »

En tournant la tête, je trouve la paille avec ma bouche.
Quand j'essaie de refermer les lèvres autour, ma peau se
craquelle. En avalant, je sens l'arrière-goût métallique du
sang et mes oreilles se mettent à bourdonner, comme
quand j'étais près du portail. La boîte dans laquelle je me
trouve doit être électrifiée, elle aussi.

« Qu'est-ce que tu faisais devant cette grille ? »
demande l'homme. Chaque fois qu'il parle, je suis frappée
par la neutralité de sa voix, ni amicale ni menaçante.

« Perdue, je chuchote. Je m'étais perdue.

— Comment tu t'étais perdue ? »

J'avale une nouvelle gorgée avant de répondre. « Je ne
sais pas.

— *Tu ne sais pas*. Je vois. Ton numéro est le six, n'est-
ce pas ? »

Je manque de m'étouffer, et me maudis de ne pas avoir
mieux anticipé le coup. En général, je me maîtrise mieux,
mais j'ai le cerveau complètement ramolli par le soleil.
S'il avait des doutes sur la réponse à sa question, ce qui
est sûr c'est que, maintenant, il n'en a plus. Je décide de
me ressaisir, afin d'éviter les erreurs stupides de ce
genre.

La voix est de retour. « Eh bien, Numéro Six. Tu es plutôt
célèbre, par ici. Entre la vidéo de tes exploits au secondaire
de Paradise, et le sort que tu as réservé à ces hélicoptères

231

dans le Tennesse… Impressionnant. Sans oublier le son et lumière de la semaine dernière, à D.C., quand tu as fait échapper John Smith et Sam Goode d'un établissement d'État. Une vraie petite princesse guerrière, pas vrai ? »

Je n'en reviens toujours pas qu'il sache qui je suis ; c'est comme s'il avait été aux premières loges de ma vie, ces derniers temps. Brusquement, je suis déportée vers la gauche – le véhicule a dû prendre un virage serré. Dieu sait où on m'emmène. Du front, je pousse contre la sangle de cuir qui me retient la tête – rien. J'essaie de me servir de la télékinésie, mais dès l'instant où je me concentre, la douleur qui me vrille le corps est telle que je suis sur le point de vomir.

« La seule chose à faire, c'est de te détendre. Te débattre ne te mènera nulle part. Tu es déshydratée et tu souffres vraisemblablement d'insolation. Tu vas te sentir K-O pendant un moment.

— Qui êtes-vous ? je réussis péniblement à articuler.

— Agent David Purdy, FBI. » Je me sens un tout petit peu mieux en sachant que je suis entre les mains du gouvernement américain, plutôt que prisonnière des Mogs. Je ne pourrais pas traverser ça une nouvelle fois, surtout maintenant que le sortilège qui me protégeait la première fois a été rompu. Avec le FBI, mes chances de survie viennent de remonter en flèche. S'ils sont capables de se montrer agressifs, ce ne sont pas des monstres pour autant. Il faut juste que je fasse preuve d'un peu de patience ; l'occasion de m'échapper viendra. Purdy l'ignore, et pense sans doute que c'est impossible. Pour l'instant, je vais me contenter de suivre ses conseils. Me détendre. Me réhydrater. Attendre. Et lui soutirer toutes les informations qu'il voudra bien lâcher – je dois découvrir ce qu'il sait exactement sur moi, sur nous.

« Où est-ce que je suis ? »

232

Des larsens grincent dans le haut-parleur. « Dans un véhicule de transport. On ne va pas loin. »

Je tente la télékinésie pour me libérer les jambes ; malheureusement, je suis encore trop faible et la nausée monte de nouveau. J'avale quelques gorgés d'eau pour gagner du temps. « Où est-ce que vous m'emmenez ?

— On a prévu une petite réunion avec un ami, ou plutôt devrais-je dire un ami de John Smith. Tu l'appelles comment ? John ? Ou bien tu préfères Numéro Quatre ? »

Je prends bien le temps de répondre. « Je ne sais pas de quoi vous parlez. Je ne connais aucun John Quatre. »

Tout à coup, ce qui s'est passé dans le désert juste avant que je m'évanouisse devant la grille me revient en mémoire. J'étais dans un tel état que je n'étais même pas certaine que les hélicoptères que je voyais atterrir sur le sable étaient bien réels. Je me rappelle avoir entendu la voix d'Ella. Non. Je n'ai pas seulement entendu sa voix : nous nous sommes *parlé*. Elle a posé une question, et j'ai répondu. Sachant que je suis détenue par le FBI, il est fort probable qu'il y ait bien eu des hélicoptères. Et s'ils étaient réels, peut-être que ma conversation avec Ella aussi. Est-ce que ce serait un nouveau Don ? Pile au bon moment, alors.

Ella ? Est-ce que tu m'entends ? Je retente le coup, au cas où. *Je suis aux mains du FBI, un agent du nom de Purdy m'a enfermée dans une espèce de véhicule. Il prétend qu'on ne va pas loin.*

« Comment t'es-tu retrouvée dans le désert, Numéro Six ? m'interrompt la voix de Purdy. Aux dernières nouvelles tu étais en Inde, avec tes amis, non ? Ça te revient ? Comme les autres gamins, tu t'es fait kidnapper à l'aéroport avec tes livres de classe. »

Où a-t-il appris tout ça ?

« Comment as-tu su où se trouvait la base ? » Sa voix est soudain un peu moins neutre. Je crois déceler un soupçon d'impatience.

« Quelle base ? » J'ai du mal à reprendre mes esprits.

« Celle devant laquelle on t'a retrouvée mourante. Comment as-tu su où elle était ? »

J'essaie de me rendre invisible mais, une fois encore, aussitôt que je me concentre, mon estomac se tord de douleur. Je n'ai qu'une envie, c'est de me rouler en boule, pourtant les sangles me maintiennent plaquée à plat et la douleur me coupe le souffle.

« Bois ton eau », me conseille l'agent. Il a retrouvé sa voix monocorde.

Comme la première fois, j'obéis et j'attends. La douleur finit par se calmer, rapidement remplacée par un vertige presque insupportable. J'ai l'impression que mon esprit est une voiture dont j'aurais perdu le contrôle et qui zig-zaguerait dans tous les sens. Des pensées plus incohé-rentes les unes que les autres se bousculent dans ma tête. Les événements des derniers jours défilent devant mes yeux. Je me revois prendre le bras de Marina, juste avant la téléportation. Je me remémore le corps sans vie de Crayton. Et nos au revoir, avec John et Sam. J'en oublie presque où je me trouve. Enfin, jusqu'au moment où la voix me ramène brutalement dans le présent.

« Où est Numéro Quatre ? » Je dois reconnaître qu'il est opiniâtre, ce type.

« Qui ? » Je m'efforce de rester concentrée sur ce qu'il dit, pour éviter de commettre une nouvelle erreur.

Soudain, son calme apparent vole en éclats et il se met à hurler dans le haut-parleur. « Où est Numéro Quatre ? » Le bruit me fait grimacer.

« Allez au diable. » Pas question de lui dire quoi que ce soit.

Ella ? Marina ? Quelqu'un m'entend ? Je vous en prie, dites quelque chose. J'ai besoin d'aide. Je suis dans le désert. Tout ce que je sais, c'est que je me trouve non loin d'une base du gouvernement américain, et que c'est le FBI qui me retient prisonnière. On se dirige quelque part, mais je ne sais pas où. Et ça ne va pas bien – impossible de me servir de mes Dons.

« Qui était avec toi en Inde, Numéro Six ? Qui étaient cet homme et ces deux filles ? »

Je garde le silence. Je me représente le visage d'Ella. La plus jeune Loric encore en vie. Je sais à quel point ce doit être pesant, pour elle. Et maintenant, elle est sans Crayton. Il y a vingt-quatre heures à peine, j'étais jalouse de ce qu'ils partageaient, et à présent, il est mort.

« C'étaient quels numéros ? Qui étaient ces filles ? » Purdy s'impatiente, même si sa voix a quelque peu retrouvé son calme.

« C'est mon groupe. Moi je suis à la batterie. Elles font les chœurs. J'adore *Josie et les Pussycats*, pas vous ? Les vieux dessins animés, ça m'éclate. Comme tous les gosses. » Je souris, et mes lèvres se fendent et se remettent à saigner. Mais je m'en moque. En sentant le sang sur ma langue, je souris encore plus.

« Six ? » m'interpelle le gars d'une voix douce. J'imagine qu'il va me faire le numéro du bon flic. « Est-ce que c'étaient Numéro Cinq et Numéro Sept, à l'aéroport, avec toi, en Inde ? Et l'homme, qui est-ce ? Qui sont ces filles ? »

Brusquement, c'est comme si je ne pouvais plus contrôler ce qui sort de ma bouche. J'entends ma voix sans la reconnaître. « Marina et Ella. Elles sont gentilles. Très gentilles. J'aimerais juste qu'elles soient un peu plus fortes. » Qu'est-ce que je raconte ? Pourquoi je lui dis tout ça ?

« Est-ce que Marina et Ella sont de la même race que toi ? Pourquoi faudrait-il qu'elles soient plus fortes ? Et quel numéro est Marina ? »

Cette fois-ci, je me retiens juste avant de répondre, éberluée de constater que les mots allaient de nouveau sortir tout seuls. Je concentre toute mon énergie à retrouver ma voix ; c'est comme si une guerre se livrait à l'intérieur de moi. « Je ne sais pas de quoi vous parlez. Pourquoi vous n'arrêtez pas d'énumérer des chiffres ? »

La voix de Purdy explose dans la cabine. « Je sais qui tu es ! Tu viens d'une autre planète ! Je sais que vous avez tous des numéros ! On a votre vaisseau, Bon Dieu ! »

À ces mots, j'ai la tête qui se met à tourner et je me retrouve projetée dans le passé, au jour où nous avons quitté Lorien. Je me revois toute petite, en route vers la Terre, en train de contempler le vide intergalactique à travers la vitre. Je suis assise à une longue table et je regarde les huit autres gamins, chacun accompagné de son Cêpane. Il y a un garçon aux longs cheveux noirs qui rit et balance de la nourriture. À côté de lui, une fille blonde mange sagement un fruit. Au bout de la table, les Cêpanes surveillent attentivement les enfants. Je vois Marina petite, qui pleure, assise sous un panneau de contrôle, les genoux repliés contre la poitrine. Sa Cêpane est agenouillée près d'elle et essaie de la convaincre de se relever. Je me rappelle avoir eu des ennuis avec un garçon aux cheveux noirs et courts.

Le visage suivant est celui de Numéro Quatre, jeune.

Il a une longue chevelure, blonde et ondulée. Il est pieds nus et il envoie des coups dans le mur, comme s'il était en colère. Il fait volte-face pour attraper un coussin, qu'il jette par terre. Il relève les yeux, remarque que je le regarde et rougit violemment. Je lui tends un jouet que je lui ai volé. La honte ressentie sur le coup me revient avec force. Les autres visages dans la pièce deviennent flous.

Puis je me revois dans les bras de Katarina, à notre arrivée sur Terre. Les portes du vaisseau s'ouvrent.

D'où viennent tous ces souvenirs ? J'ai souvent cherché à me rappeler notre voyage, sans jamais rien me remémorer, hormis quelques petits détails. Jamais je n'avais eu de flashs aussi précis.

« Tu m'écoutes ? braille Purdy. Nous avons parlé aux Mogadoriens. » Je retombe brusquement dans la réalité. « Tu étais au courant ?

— Ah ouais ? Et qu'est-ce qu'ils avaient à dire ? » Je tente de prendre un air détaché, cependant je regrette instantanément d'avoir réagi. Pourquoi fallait-il que je reconnaisse savoir qui sont les Mogs ? Je n'ai pas le temps de trop m'apitoyer sur mon erreur – mon esprit repart vers le vaisseau et ses portes qui s'ouvrent. Un humain brun avec de grosses lunettes nous attend. Il tient une mallette et une tablette blanche à la main, et derrière lui est posé un grand carton rempli de vêtements. Instinctivement, je sais qu'il s'agit du père de Sam. Sam. Oh, j'ai tellement envie de le revoir.

« Je veux voir Sam. » J'ai la voix traînante, comme si j'avais bu. J'ai beau ne rien vouloir dire à cet agent, je ne peux pas m'en empêcher. J'ai le cerveau ralenti et embrumé, et je comprends soudain que l'eau devait contenir de la drogue. C'est pour ça que je ne peux pas garder une pensée pour moi, que je n'arrête pas de replonger dans le passé et que j'ai si mal, dès que j'essaie de me servir de mes Dons.

J'ai embrassé Sam. J'aurais dû l'embrasser pour de vrai, mais j'avais trop peur de ce que pourrait penser John.

John. J'ai aussi embrassé John. Quand je me rejoue la scène, mon estomac se met à se tortiller – le moment où John m'a attrapée par les épaules pour me tourner vers lui. Il a baissé le visage vers le mien, mais juste avant que nos lèvres se touchent, la maison a explosé. Je sens mon menton se lever vers lui, et je me repasse cet instant en boucle. Sauf que cette fois-ci, quand la maison explose, nous nous embrassons. Et c'est un baiser parfait.

« Sam ? » lance l'agent Purdy. Bon sang, c'était bien, de se remémorer ce baiser. « Tu veux parler de Sam Goode, j'imagine ? »

Je ne vois plus que le visage de Sam et ma tête se remet furieusement à tourner. « Ouais, c'est ça. Je veux voir Sam Goode. » J'entends ma voix partir dans le vague.

« Est-ce qu'il est l'un des vôtres ? Quel numéro est Sam Goode ? »

Mes paupières deviennent lourdes et je me rends compte que je m'endors. Enfin un effet positif de leur drogue.

« Six ! hurle l'autre. Hé, Six ! réveille-toi ! On n'en a pas terminé ! »

Ses cris me font sursauter violemment, et les sangles me rentrent dans la peau.

« Six ? Six ! Où est Sam Goode ? Où est John Smith ?

— Je vais vous tuer », je murmure. La colère et la frustration de me retrouver attachée comme un animal me redonnent soudain de l'énergie. « Je vous retrouverai, et je vous tuerai.

— Je ne doute pas que tu essaieras », réplique l'agent en riant.

Je tente désespérément de m'éclaircir les idées, de me concentrer sur l'instant présent. Alors, tout se met à tourner et je perds connaissance.

*

La pièce est minuscule, avec des murs en ciment. Il y a des toilettes et un bloc de béton avec un matelas ligoté dessus et une couverture trop courte pour me couvrir les pieds. Je suis réveillée depuis deux heures, peut-être plus. J'ai du mal à rassembler mes pensées. Je m'efforce de retracer la chronologie depuis le moment où je me suis retrouvée au milieu du désert, puis où j'ai découvert la grille, où je me suis réveillée entravée, jusqu'à cet interrogatoire de cauchemar. J'ai besoin de savoir où j'étais, combien de temps s'est écoulé et quelles informations j'ai laissé filtrer.

Ce n'est toutefois pas une tâche facile. Depuis que j'ai repris conscience dans cette cellule, les néons au-dessus de ma tête m'éblouissent comme un stroboscope. La migraine me vrille le cerveau. J'ai la bouche sèche et je me tiens le ventre en essayant de me concentrer sur ma conversation avec cet agent.

Je réussis à me rendre invisible, mais je suis aussitôt submergée par la même nausée que pendant le voyage, alors je me rematérialise immédiatement. Ou bien j'ai encore de cette substance dans le corps, ou bien c'est autre chose qui provoque cet état.

Je ferme les paupières quelques minutes, pour échapper aux éclairs de lumière. Ils sont tellement éblouissants que je n'arrive pas à m'en protéger totalement. Je me rappelle avoir entendu l'agent Purdy annoncer qu'il était en contact avec les Mogadoriens. Pourquoi le gouvernement américain ferait-il une chose pareille ? Et pourquoi me l'avoir dit ? Est-ce qu'ils n'ont pas compris que les Mogs étaient nos ennemis à tous ? Ce que je n'arrive pas à mesurer, c'est ce que savent réellement les officiels, à mon sujet et au sujet des Gardanes en général. Dès que

239

les Mogadoriens nous auront rayés de la surface de la Terre, ils s'empresseront de tuer tous les humains jusqu'aux derniers. Est-ce que le gouvernement l'ignore vraiment ? J'imagine que les Mogs se sont présentés à eux sous un jour très différent.

J'entends une voix d'homme, quelque part au-dessus de moi. Ce n'est pas Purdy. J'ouvre les yeux et cherche un haut-parleur ou un conduit quelconque, mais avec les néons, je ne vois rien.

« Prépare-toi pour le prochain voyage, Numéro Six. » Au milieu de la porte métallique, un petit clapet s'ouvre. Je rampe jusque-là et trouve un gobelet en plastique sur une petite étagère. Il est rempli d'un liquide mauve. À sa vue, mes intestins se mettent à gargouiller. Pourquoi cette couleur ? Est-ce qu'il s'agit de la même drogue que la dernière fois ?

« Pour faire ce voyage, tu dois boire l'eau. Si tu refuses de l'avaler, nous serons contraints de te l'injecter d'une manière ou d'une autre.

— Allez au diable ! je hurle au plafond.

— Bois », répète la voix. Elle n'invite pas franchement à la discussion.

Je prends le gobelet et me dirige vers les toilettes. Puis je le brandis bien haut et en renverse ostensiblement le contenu dans la cuvette. À peine la dernière goutte disparue, j'entends la porte de la cellule s'ouvrir à la volée. Plusieurs hommes armés de matraques et de boucliers se précipitent sur moi. L'acide me brûle l'estomac et j'essaie de me ressaisir, car je sais que je vais devoir faire appel à mes Dons, pour me battre. Je décide que, cette fois-ci, je vais y arriver. Et peut-être que je peux même utiliser ces néons stroboscopiques à mon avantage.

Je cueille le premier d'un uppercut à la gorge. Alors qu'une matraque s'abat sur moi par la gauche, je saisis l'attaquant par le poignet et le lui tords un bon coup, et j'entends l'os craquer. L'homme pousse un hurlement et lâche son bâton. À présent, j'ai une arme.

Les policiers forment un cercle autour de moi ; dans la lumière saccadée, nous avons l'air de bouger au ralenti et il est difficile de coller à l'action. Je choisis un adversaire au hasard et donne l'assaut en le frappant aux deux genoux. Il s'écroule et je bondis sur son voisin. L'épuisement physique me soulève le cœur, je fais cependant de mon mieux pour endiguer le malaise. À présent que j'ai réussi une première offensive, le reste devrait suivre plus facilement. Du manche de ma matraque, j'attaque l'homme à la tempe. Je reçois un choc à l'arrière du crâne et un autre type m'attrape violemment par les cheveux. Par la télékinésie, j'en prends un pour assommer l'autre. Le choc les fait s'écrouler tous les deux, et je leur balance un coup de pied.

La nausée continue d'aller et venir, néanmoins je sens que mes forces sont de retour. Armée de deux matraques, je repousse trois hommes. Lorsqu'ils dégainent leurs Tasers, j'immobilise les ondes crépitantes en plein vol et les retourne à l'envoyeur. Pour finir, la voie est dégagée et personne ne semble vouloir venir en renfort. Au moment de sortir de la cellule, je réunis tout mon courage et me rends invisible. C'est le point d'orgue de la nausée et de la douleur, pourtant je me sais capable de surmonter cette épreuve. Tout ce que j'ai à faire, c'est à tenir encore un peu, jusqu'à ce que je puisse sortir et retrouver les autres.

CHAPITRE VINGT-TROIS

J'atterris face contre terre dans l'herbe humide. Je relève la tête et appuie les paumes au sol pour me redresser. J'entends Huit grogner au loin. Ella m'appelle, mais j'ai trop mal à la tête pour m'asseoir et la chercher.

« Six ? je chuchote. Tu es là ?

— Je ne la vois nulle part, Marina », répond Ella en venant s'asseoir à côté de moi. Je repose la joue dans l'herbe et me laisse aller sans bouger pendant quelques minutes. Ella écarte une mèche de cheveux de ma joue ; je suis tellement engourdie que je ne sens rien. La nausée me remonte dans la gorge, et j'entends Huit qui continue de grommeler. Ella ne semble pas affectée. Je ne veux *plus jamais* me téléporter.

Je regarde autour de moi. Ma vision n'arrête pas de se dédoubler, et je dois lutter pour distinguer quoi que ce soit. Vu le vert ambiant, il est évident que nous n'avons pas atterri là où nous espérions. « Ce n'est pas le Nouveau-Mexique, n'est-ce pas ?

— Rien à voir », murmure Ella.

J'ai enfin l'impression de pouvoir bouger, lentement. Je lève les yeux vers Ella. Dans l'obscurité, son regard noisette est difficile à déchiffrer, et j'en déduis que ce doit être la nuit. Par-dessus son épaule, je vois le ciel étoilé. En pensée je retourne en arrière, dans l'océan, quand Huit s'est changé en pieuvre noire. Puis je me

rappelle ce qu'a dit Ella, juste avant que l'on se téléporte.

« Ella, est-ce que j'ai rêvé, ou bien tu as dit que tu
avais *parlé* à Six ? » Elle hoche la tête. « Avec ton esprit,
c'est ça ?

— Je suis sûre que tu me prends pour une folle,
répond-elle en détournant le regard. Je n'arrête pas de
me demander si ça s'est vraiment produit. Peut-être que
c'est parce que je le *voulais* tellement... » Puis elle secoue
la tête et baisse les yeux vers moi, le visage grave. « Non,
ce n'était pas juste dans mon imagination. Je *sais* que je
lui ai parlé. Elle a dit qu'elle était dans un désert. Ça veut
forcément dire qu'elle est arrivée au Nouveau-Mexique,
non ?

— Ella, tu n'es pas folle. Toi et moi, on le sait. »
J'appuie le bout de mes doigts contre mes tempes dou-
loureuses pour dissiper ce bourdonnement et ces élance-
ments qui m'empêchent de réfléchir clairement. « Ça doit
être un Don en train de se déclarer. L'important, c'est
d'établir ce qui se passait quand c'est arrivé, pour pouvoir
le refaire. »

Ella écarquille les yeux. « Tu crois vraiment que c'est
un Don ? Et il s'appelle comment ? demande-t-elle, tout
exaltée.

— La télépathie », confirme la voix de Huit derrière
moi.

Je roule sur le dos en grimaçant de douleur et je lève
les yeux vers lui. Il se tient sur une énorme pierre soute-
nue par deux rochers gris plus massifs encore. Je me
redresse en position assise, puis me hisse à quatre pattes
avant de me mettre tant bien que mal debout. Les mains
sur les hanches, j'inspecte les environs, et je me rends
compte que le décor est terriblement familier. Non pas
parce que je suis déjà venue, mais parce que je l'ai vu des

243

centaines de fois dans les livres. Je me tourne vers Huit. « Sans rire, on est vraiment à...

— Stonehenge ? Oh oui.

— Waouh. » Je fais lentement un tour sur moi-même pour apprécier la scène. Ella se dirige vers une pierre qui doit mesurer huit mètres de haut, et bascule la tête en arrière tout en posant les paumes sur la roche. « Incroyable, pas vrai ? »

Je comprends son impulsion de toucher. Quand même, c'est *Stonehenge* ! Je la rejoins et, sous mes doigts, c'est doux et froid ; le simple contact du monolithe me donne l'impression d'avoir trois mille ans. Certains sont parfaitement conservés alors que d'autres ont dû être beaucoup plus gros. Nous déambulons tous les trois pendant un moment, profitant d'un spectacle que la plupart des gens ne verront que dans les livres.

« Huit ? C'est quoi, la télépathie, exactement ? Tu sais comment on s'en sert, et comment je peux la contrôler ? » Ella ne tient pas en place.

« La télépathie est la faculté de transférer des pensées d'un être à un autre. Pour simplifier, ça signifie que tu communiques avec le cerveau de quelqu'un d'autre. Vas-y, essaie avec moi. »

Ella vient se planter en face de Huit, puis ferme les yeux. Je ne peux pas m'empêcher de penser que ce serait fantastique, si Ella possédait réellement ce Don. Il nous permettrait d'entrer en contact avec les autres Gardanes, n'importe où dans le monde. Au bout de quelques secondes, Ella rouvre les yeux et fixe Huit. « Tu m'as entendue ?

— Non. » Il secoue la tête d'un air triste. « Mais tu dois persévérer. Ça prend toujours du temps, de comprendre comment fonctionnent nos Dons. Ce sera pareil avec la télépathie. »

Je vois les épaules d'Ella s'affaisser sous le coup de la déception. « Vos coffres sont par là-bas, au fait », nous informe-t-elle en les désignant du doigt.

Huit se tourne vers moi en s'étirant de tout son long. « Il me faut juste un petit moment pour récupérer. Je veux recouvrer autant de force que possible pour la prochaine tentative. » Il grimpe sur un rocher.

Je pousse un soupir. « Je ne sais pas. Je me suis retrouvée tellement mal, ce coup-ci. Être blessé, c'est une chose – mais la téléportation me rend malade. Je ne suis pas certaine de pouvoir recommencer. Qu'est-ce qui nous garantit qu'on ne va pas se retrouver encore une fois au fond de l'océan ? Pendant ce temps, Six a visiblement de gros ennuis et nous on se balade. On n'atterrira peut-être jamais au Nouveau-Mexique !

— Je sais, je sais, admet Huit en sautant de son rocher et en époussetant son pantalon. Je mesure combien c'est frustrant. Cela dit, au moins, on agit, et ça vaut mieux que de rester là à se tourner les pouces. Et tout ce qu'on peut faire, c'est continuer d'essayer de tomber au bon endroit. On va rester ensemble tous les trois, on va poursuivre nos efforts et on retrouvera Six. » Je ne sais pas où il puise ce calme et cette conviction.

Du coin de l'œil, je vois Ella s'éloigner en direction d'un groupe de pierres ; je poursuis néanmoins la discussion avec Huit. « Tu sais, il y a d'autres moyens de se rendre d'un point à un autre. On pourrait par exemple trouver un aéroport et prendre un vol pour le Nouveau-Mexique. »

Huit se gratte le menton et se met à marcher, absorbé dans ses pensées. Je le suis au centre du monument. « Si Six est vraiment en difficulté, l'avion n'est pas la solution. On mettrait une éternité à la rejoindre. » Il s'arrête et pivote vers moi. « Par ailleurs, je nous vois la trouver. »

Je lui lance un regard interrogateur, lui se contente de hausser les épaules avec un large sourire.

« Huit. Tu as eu une vision ? Qu'est-ce que tu as vu d'autre ? *Qui* tu as vu ? »

Nouveau haussement d'épaules. « Je ne peux pas t'en dire beaucoup plus. Je le vois, c'est tout. Ou je le sens. Je pense que c'est un Don qui ne s'est pas encore déclaré. La seule manière de le décrire, c'est de dire que ça ressemble à un sixième sens.

— C'est comme ça que tu as su qu'on venait en Inde ?

— Ouais. Je n'ai aucun contrôle là-dessus. Ces flashs, ces images, ils me viennent comme ça. »

Nous continuons à déambuler et trouvons Ella assise toute seule contre une pierre. En nous voyant approcher, elle lève les yeux vers nous. « Je n'arrête pas d'essayer de parler à Six, sans qu'il se passe rien. Peut-être que ça n'est *jamais* arrivé. »

Je m'agenouille près d'elle et lui passe le bras autour du cou. « Les Dons prennent du temps, Ella. Je sais que quand les miens sont apparus, c'était généralement dans un moment où j'étais contrariée, ou bien en danger. Ils se révèlent à nous quand on a le plus besoin d'eux, quand notre vie en dépend. Le Don qui me permet de respirer sous l'eau m'est venu alors que j'étais en train de me noyer. Et puis, cette téléportation a pu affecter tes capacités, alors il faudra peut-être un certain temps pour que ça fonctionne comme avant. » Je lui serre affectueusement le bras.

« C'est vrai, renchérit Huit. La première fois que je me suis téléporté, c'est quand mon Cêpane a failli se faire renverser par un taxi. Je me suis retrouvé à ses côtés, comme ça. » Il claque des doigts. « C'était le seul moyen de le tirer de là à temps.

— Crayton me manque tellement, soupire Ella. Il m'aidait toujours, avec ces trucs-là. Et si je ne suis d'aucune utilité aux autres Gardanes ? Parfois, je regrette d'avoir été choisie par les Anciens. » Elle se tait et se recroqueville sur elle-même, l'air totalement désespéré.

Huit fait un pas vers elle. « Ella. Ella, regarde-moi. Il ne faut pas penser comme ça. On est heureux que tu sois là. On a besoin de toi. Si tu n'étais pas là, c'est *toi* qu'on chercherait, en ce moment. Tu es exactement comme tu dois être. Pas vrai, Marina ?

— Ella, tu te rappelles ce qu'on disait, à l'orphelinat ? On forme une équipe. Ça a du sens. Ça veut dire qu'on prend soin les uns des autres. » Tout en marchant, je mesure ce que mon aversion pour la téléportation a d'égoïste. Notre seul espoir de trouver les autres, c'est d'arriver au Nouveau-Mexique. Et le moyen le plus sûr et le plus rapide, c'est la téléportation, même si pour ça il nous faut atterrir encore une fois ou deux au mauvais endroit. Je ne laisserai pas ma peur mettre qui que ce soit en danger. Quand l'un de nous est affaibli, le reste du groupe doit se montrer plus fort. Je serre l'épaule d'Ella. « On ira au Nouveau-Mexique, on trouvera Six et on continuera à se battre. »

Ella hoche la tête sans prononcer un mot.

Nous marchons un moment tous les trois, perdus dans nos pensées. Je sais que j'ai besoin de temps pour m'éclaircir les idées, pour retrouver mes forces mentales et physiques, avant que nous repartions. Ce lieu est tellement paisible et silencieux que c'est le cadre idéal pour réfléchir. Environ une heure plus tard, je reviens au centre du cercle et trouve Huit en train de soulever une pierre, avant de la laisser retomber au sol.

« Huit ! Mais qu'est-ce que tu fais ? je m'écrie, alarmée. Tu te rappelles où on est ? Dans un lieu historique, sacré, et *millénaire* ! Tu ne peux pas t'amuser à déplacer les pierres comme ça ! Remets-les en place ! »

Avant qu'il ait eu le temps de répondre, je me sers de la télékinésie pour le faire moi-même. Je veux quitter cet endroit dans l'état exact où nous l'avons trouvé.

Huit me dévisage, surpris par ma colère. « Je cherche le bloc de Loralite. Je sais qu'il est à moitié enfoui dans le sol, et il faut qu'on le localise, si on veut bouger d'ici.

— Dans ce cas, veille bien à tout remettre *strictement* comme avant, quand tu auras terminé, je ronchonne. Stonehenge est l'un des monuments les plus célèbres sur cette planète. Faisons en sorte de ne pas le saccager. » J'en ai assez de semer la destruction partout où je passe.

Huit en rajoute en soulevant très délicatement la pierre suivante et en la reposant encore plus doucement, après avoir regardé dessous. « J'aimerais juste ajouter que, si Stonehenge existe, c'est grâce aux Lorics. Reynolds m'a dit que c'était nous qui l'avions construit comme cimetière pour les nôtres, morts au combat sur Terre.

— Vraiment ? C'est un cimetière ? s'étonne Ella en s'approchant derrière moi et en inspectant les alentours avec curiosité.

— En effet, confirme Huit en flattant de la main un monolithe. Pendant des millénaires, du moins. Puis les humains se sont mis à creuser partout, pour ces fouilles qu'ils affectionnent tellement. Rien de tel qu'une bonne quête pour tout comprendre, même s'il n'y a *rien* à comprendre. Bref. J'ai bien l'intention d'*honorer* ses pierres et leur emplacement. » Il continue à se mouvoir sur la pointe des pieds, comme au milieu d'une plate-bande de tulipes.

« Je vais te donner un coup de main. » Je m'avance précautionneusement parmi les rocs et l'aide à chercher, en soulevant plusieurs pierres de quelques centimètres, avant de les remettre scrupuleusement au même endroit.

Alors que je passe à une autre zone, j'entends des cris, au loin. En me penchant, j'aperçois deux hommes en uniforme qui courent vers nous et des faisceaux lumineux qui fendent les ténèbres. Avec Ella, nous nous accroupissons derrière la plus grosse pierre.

« Vite ! je chuchote. Tous aux abris. »

Nous voyons le rayon des lampes torches scruter le sol et, dès que l'un d'eux s'approche trop près de nous, nous rampons derrière le monolithe suivant.

« Je te dis que j'ai entendu du bruit. Des voix d'enfants, dit le plus petit des deux gardiens.

— OK. Alors, où ils sont, tes enfants ? » demande l'autre d'un air incrédule, en regardant tout autour de lui.

Ils restent silencieux pendant un moment. Je me penche légèrement et vois le plus grand faire le tour, agacé de ne pas trouver de preuves d'une présence quelconque. Puis quelque chose que je ne distingue pas attire son attention. Qu'a-t-il bien pu trouver ? « Bill ? Viens un peu par là jeter un œil. D'où ça vient, d'après toi ?

— Euh, j'en sais rien. Ce qui est sûr, c'est que c'était pas là tout à l'heure. »

Je frôle la crise cardiaque quand Huit se matérialise juste à côté de moi. « Ils ont découvert nos coffres, murmure-t-il. Je vais envoyer ces gars dans les vapes, OK ? On doit absolument trouver cette Loralite, et pas moyen tant qu'ils seront dans les parages. Et hors de question qu'ils embarquent nos coffres. » À sa voix, il est évident qu'il ne plaisante pas.

Je m'apprête à lui répondre que ce n'est pas une bonne idée, lorsque je sens comme un grésillement dans mon cerveau. Au bout de quelques secondes, j'entends la voix d'Ella dans ma tête : *Je peux faire diversion pendant que vous cherchez la Loralite.* Je me tourne vers elle, abasourdie, les yeux écarquillés.

Ella me prend la main et chuchote : « Je peux faire diversion...

— Je sais, je t'ai entendue ! Ella, je t'ai entendue dans ma tête ! »

Elle m'adresse un large sourire. « Je me disais bien que ça avait marché, cette fois-ci ! Waouh ! J'y suis arrivée ! s'exclame-t-elle, tout excitée.

— Hé, toutes les deux, baissez d'un ton, intervient Huit. Est-ce qu'on a un plan ?

— J'ai une idée », répond Ella. Elle rapetisse jusqu'à la taille d'une enfant de six ans et se met à courir à découvert, au-delà du cercle le plus large, puis se dirige vers les deux hommes. Elle prend sa plus belle voix de petite fille. « Papa ? Où tu es ?

— Il y a quelqu'un ? appelle un des gardiens. Qui est là ? »

Huit disparaît et je reste à regarder Ella. Elle se tient immobile, en se protégeant les yeux de la lumière crue. Elle a un avenir d'actrice : on la croirait vraiment perdue et inquiète. « Je cherche mon papa. Vous l'avez vu ?

— Qu'est-ce que tu fabriques ici, ma petite ? Où sont tes parents ? Tu sais l'heure qu'il est ? »

Ils font mine de s'approcher d'elle, et Ella se met à sangloter. Les deux hommes s'arrêtent net. « Allons, allons, calme-toi, pas besoin de pleurer », dit le plus grand d'un ton apaisant.

Ella ouvre grand les vannes et lance d'une voix plus forte : « Ne me touchez pas !

— Eh, eh, personne ne te touche », répond son collègue. Les deux gardiens échangent un regard, visiblement perplexes et ne sachant pas quoi faire d'elle.

« Psst, Marina », susurre Huit. Il est planté derrière moi, un coffre sous chaque bras. « Il faut qu'on trouve la

Loralite. Maintenant ! Elle ne va pas pouvoir les retenir indéfiniment ! »

Nous nous précipitons au cœur du cromlech et nous passons au peigne fin tous les rocs, aussi vite que possible. Il n'en reste plus que quelques-uns à vérifier lorsque nous entendons les deux hommes revenir vers nous, suivis d'Ella en train de renifler.

« Très bien, je pense que le moment est venu d'envoyer une deuxième diversion », annonce Huit en disparaissant à nouveau. Il se matérialise à l'extérieur du cercle le plus large, pose les deux mains bien à plat sur une pierre verticale, et pousse fort. Horrifiée, je reste pétrifiée à regarder la scène. L'énorme bloc tremble et bascule lentement en arrière, puis la dalle horizontale qu'il soutenait fait de même, et alors Huit se met à hurler : « Au secours ! Au secours ! Les pierres s'écroulent ! Stonehenge tombe en ruine ! » Je vais le *tuer*. Je serre les poings de rage, et me rends compte que j'ai toujours un caillou dans la main. Je me penche et le repose précautionneusement à sa place.

Les gardiens bondissent dans la direction de la voix de Huit et, lorsque les faisceaux de leurs lampes illuminent la catastrophe en cours, ils poussent un hurlement de panique. Le plus petit des deux se rue entre deux pierres verticales, mais il est trop tard. Elles entrent en contact et s'entraînent l'une l'autre dans leur chute. La dalle en appui entre les deux atterrit au sol avec un bruit sourd. Bouche bée, je vois les mégalithes s'incliner un par un, et choir comme des dominos.

« Code noir ! Code noir ! » hurle le plus costaud dans son talkie-walkie, avant de le jeter par terre. De ses deux bras, il enveloppe un des blocs encore debout, essayant de toutes ses forces de l'empêcher de suivre les autres. En vain. L'effondrement est inévitable.

251

Huit réapparaît à mes côtés et trébuche sur deux cailloux plus petits, et soudain, une lueur bleue remonte le long de ses jambes. « Je l'ai trouvée ! Par ici ! » chuchote-t-il d'un ton surexcité. Si je suis soulagée par la nouvelle, je reste trop atterrée par la destruction de Stonehenge pour m'en réjouir. Je n'arrive pas à croire qu'il ait pu faire une chose pareille. Je suis furieuse. Ella passe en courant devant moi et je me précipite sous l'un des rares rocs encore intacts ; par la télékinésie, je ralentis la chute des autres.

Le grand gars plaque le dos contre la prochaine pierre sur le point de basculer et son collègue le rejoint, pendant que j'enroule mon esprit autour pour la maintenir immobile. Lorsque sa voisine la heurte, j'empêche qu'elle ne tombe à son tour. Les deux gardiens se laissent glisser sur l'herbe, éberlués par leur force soudaine. Ensuite j'inverse le mouvement en cours, si bien que les blocs déjà à terre se redressent pour relever ceux qui les précèdent, et je les stabilise dans leurs positions premières. Avec le peu d'énergie qui me reste, je soulève les dalles horizontales tombées à terre et les repose sur leurs socles.

Les deux gardiens observent la scène, ébahis, sans se soucier des voix inquiètes qui grésillent dans leurs talkies-walkies.

« Marina, m'appelle Ella à voix basse. Hé, Marina, il faut qu'on y aille. Et vite. Allez. »

Je recule jusqu'au milieu du cercle, soulagée et prête à partir, à présent que j'ai réussi à tout remettre en place.

Je me dirige vers Huit pour récupérer mon coffre d'un geste sec. Toujours furieuse, incapable de le regarder, je lui prends la main. Ella attrape le coffre de Huit et fait de même. Ainsi réunis, nous nous plaçons au-dessus de la Loralite. Au moment où les ténèbres nous engloutissent, j'ai juste le temps d'entendre le plus grand des deux gardiens – pressé d'en finir avec cette aventure – répondre d'une voix lasse dans le talkie-walkie qu'il a ramassé : « Fausse alerte. »

CHAPITRE VINGT-QUATRE

Je me tapis derrière une rangée de casiers alignés le long d'un couloir interminable, et je redeviens visible. La douleur et la nausée provoquées par l'activation de mon Don sont tellement intenses que je dois me plier en deux en m'enfonçant les deux matraques dans les côtes pour ne pas hurler. J'appuie mon front trempé de sueur contre le ciment froid du mur et tente de reprendre mon souffle, en espérant que les haut-le-cœur vont rapidement se dissiper. À force de descendre et de remonter des couloirs, j'ai bien peur d'être en train de tourner en rond. Jusqu'ici, je n'ai trouvé qu'un hangar vide et une quantité de portes électroniques verrouillées. Depuis que John et Sam ont été détenus par la police, je sais que notre télékinésie ne fonctionne pas sur l'électricité. Je pense à eux, à Marina et aux autres. J'espère qu'ils vont bien ; ou, du moins, qu'ils souffrent moins que moi. J'imagine John et Sam en train de m'attendre au point de rendez-vous qu'on s'est fixé – on est censés s'y retrouver dans quelques jours. Que vont-ils penser, en constatant que je n'y suis pas ? Je me sens tellement frustrée – et effrayée – que j'en ai le souffle coupé. Comme cogiter ne sert à rien, j'essaie de me concentrer sur le moyen de sortir de cette fichue souricière.

Au même instant, une alarme se déclenche et braille à pleine force tout autour de moi. Je sais ce que ça signifie – il faut que je trouve une solution. Et vite. Tout le monde me cherche. Des soldats armés défilent dans les longs couloirs dans de petits véhicules ouverts. Chaque fois qu'il en passe un, je suis tentée de les sortir de là de force pour bondir au volant et m'enfuir. Cependant, je me doute que je n'irais pas bien loin, et que je perdrais le seul avantage que je possède pour l'instant : ils ne savent pas où je me trouve.

J'ai arrêté d'essayer de communiquer avec Ella. De toute évidence, je me suis fait des idées. Je suis livrée à moi-même. Je ne dois pas perdre mon temps à parler toute seule, plutôt trouver quelque chose pour faire bélier et exploser une de ces portes. J'ai l'impression que je suis sous terre. La question, c'est à quelle profondeur.

Dans le couloir, les néons s'allument. Comme je l'ai découvert plus tôt, ça signifie que les détecteurs de mouvement ont été activés. Presque aussitôt, j'entends un moteur qui vient dans ma direction. Je serre le ventre, me rends invisible et affronte la vague de douleur qui m'assaille et fait ruisseler les larmes sur mon visage. Je me plaque contre le mur et vois un véhicule avec trois hommes armés à son bord rouler vers moi. Au moment où ils me dépassent, je frappe le chauffeur avec une matraque. Bon sang, ce que ça saigne, au visage ! Le nez, la bouche, le front, trois geysers écarlates. Par réflexe, il appuie sur l'accélérateur et fonce droit sur le mur. Le chauffeur est K-O et les deux autres descendent. Ils examinent le visage du troisième et, ne voyant aucune trace de ce qui a pu causer des blessures pareilles, ils se saisissent de leurs talkies-walkies. J'ai anticipé leur réaction : j'empoigne le plus proche par les cheveux et lui cogne la tête sur le capot de la voiturette tout en lui fauchant les jambes d'un coup de pied. Son collègue se penche pour voir ce qui se passe, et je l'assomme à son tour. Puis je m'empare d'un de leurs badges et je détale en courant.

Je dois absolument décider où je vais. Je ne peux pas rester indéfiniment invisible.

Je me sers de la carte électronique pour franchir une des portes, et me retrouve dans un couloir complètement différent des précédents. Pour mettre fin à la nausée et à la douleur, je redeviens visible et me sens instantanément mieux. J'inspecte les alentours pour comprendre où je suis. Le couloir est plus large, avec un plafond voûté creusé dans le grès. Deux gros tuyaux jaunes courent en haut de la paroi, flanqués de lignes électriques qui pendouillent. J'arrive à un tournant et jette un œil de l'autre côté. Ne voyant personne, je me plaque dos au mur et avance. Je me retrouve face à une porte rouge portant l'inscription : DANGER. RÉSERVÉ AU PERSONNEL AUTORISÉ. NAVETTE 1.

J'essaie d'ouvrir par la télékinésie en dominant ma douleur, mais le cadenas est électrique. Je suis sur le point de tenter avec le badge lorsque j'entends quelqu'un courir dans ma direction. Je redeviens invisible ; cette fois, mon estomac me fait tellement souffrir que je m'écroule à terre. Je ne pourrai pas supporter tout ça plus longtemps. Impossible. Au coin, une voix s'écrie : « Je crois entendre quelqu'un par là ! »

Depuis le sol, parvenant à peine à rester invisible, j'attrape par la cheville le garde qui passe en courant. Il tombe face contre terre, ce qui me donne juste le temps de glisser mon badge volé dans le boîtier électronique de la porte. Elle s'ouvre dans un déclic et je me faufile à l'intérieur.

Je me retrouve sur une plateforme métallique, au-dessus de trois voies ferrées qui disparaissent dans un tunnel circulaire. Un tramway vide à trois wagons estampillés de divers logos du gouvernement américain est à l'arrêt sur les rails les plus proches du quai. Dans mon dos, de l'autre côté de la porte, j'entends le garde hurler des ordres à un groupe d'hommes qui vient de le rejoindre. Je descends un escalier étroit en trébuchant et saute dans le tramway par une porte ouverte ; là, je tire sur le premier levier que je trouve.

Le train démarre comme une fusée, si vite que j'en ai la tête projetée en arrière. Tout devient flou dans le tunnel, et je vois défiler des lumières rouges et de longues ombres noires ; à deux reprises, je passe sans ralentir sous des grilles métalliques comme celle sur laquelle je suis arrivée. Soudain, les voies s'enfoncent en tournant vers la droite et je roule au-dessus d'un canal rempli d'eau. J'ai l'espoir fugitif que cette course folle me ramène au milieu du désert. Pourtant, le tram ralentit et s'immobilise sous un autre quai. Sans doute y a-t-il des arrêts automatiques. Les portes s'ouvrent et je gravis l'escalier au pas de course. Je suis de nouveau visible et je savoure l'absence de douleur tant qu'elle dure. Je vais avoir besoin de mes Dons pour sortir d'ici.

J'inspire profondément et m'approche prudemment de la porte en haut de l'escalier. Elle n'est pas verrouillée. Je la pousse de quelques centimètres pour épier l'autre côté, quand brusquement elle s'ouvre à la volée, me percutant violemment à l'épaule. Face à moi apparaît un soldat qui porte en bandoulière une arme que je ne connais que trop bien – un canon mogadorien. Dès que le garde l'empoigne, le fusil s'anime et une nuée d'étincelles se met à danser à l'intérieur. Avant qu'il ait pu appuyer sur la détente, je le plaque contre le mur en pierre. Le type bondit alors sur moi et essaie de m'attraper par la taille entre ses bras épais. J'esquive au dernier moment et le frappe aux jambes, qui se dérobent sous lui. En heurtant le sol, son crâne émet un horrible craquement. Je grimace, mais je n'ai pas le temps de m'arrêter. Je me dépêche de pousser son corps à l'entrée du tunnel et referme la porte. J'attrape son fusil et détale à toute allure.

J'enregistre ce qui m'entoure. D'énormes colonnes lisses soutiennent le plafond du tunnel qui serpente et je slalome entre les piliers en guettant l'arrivée de renforts. J'ai l'esprit en ébullition et je tente de reconstituer le puzzle. Avant toute chose, pourquoi ce gars avait-il un canon mogadorien ? L'a-t-il pris à un prisonnier ? Ou bien les Mogs fournissent-ils des armes au gouvernement américain ? Je ralentis en arrivant en vue d'une bifurcation ; j'hésite. Je ne vois rien qui m'aide à choisir mon chemin, alors je remonte à la dernière fois où je me suis retrouvée dans cette situation. C'était dans l'Himalaya, l'embranchement qui avait pris le commandant Sharma par surprise. Je tourne à gauche.

La première porte que je croise est tout en verre. À travers, je vois des scientifiques en blouse blanche et portant un masque déambuler dans ce qui ressemble à un vaste jardin, grouillant de gigantesques plantes vertes. Du plafond pendent des centaines de projecteurs surpuissants.

Une femme rousse en tailleur sombre y pénètre par une autre entrée et se dirige vers l'un des types en blanc, sur le devant de la pièce. Elle a le bras droit en écharpe et un pansement sur la joue. Elle regarde le chercheur verser une fiole de liquide sur un plant. Sidérée, je vois les pieds grandir instantanément de plus d'un mètre et leur extrémité s'ouvrir. Des tentacules blancs se dispersent dans toutes les directions, tissant un dais épais au-dessus de leurs têtes. Le scientifique prend des notes sur son carnet, puis se tourne pour répondre à la femme. Je n'ai pas le temps de m'accroupir et nos regards se croisent à travers la porte vitrée. Je lève doucement le canon mog vers lui et secoue la tête. Je n'ai plus qu'à espérer qu'il se considère comme une entité pacifique et préfère rester en dehors de l'affrontement. On peut rêver. Il glisse la main dans sa poche, et je comprends qu'il actionne un mécanisme. J'entends du bruit au-dessus de moi et je manque de me faire écraser par une plaque de métal qui glisse le long de la porte en verre. Des sirènes se déclenchent et je sais que toute la zone est bouclée. Pas question de me laisser capturer. Je m'arme contre la douleur qui m'attend et me rends invisible.

In extremis. Des soldats déboulent dans le tunnel et je me colle au mur pour les éviter. Je remarque soudain que je ne ressens ni douleur ni nausée. Quelle que soit la drogue qu'ils m'ont administrée, elle ne doit plus faire effet. Une vague de soulagement m'envahit, je n'ai toutefois pas le temps de m'appesantir. Une porte s'ouvre sur ma droite. Sans réfléchir, je bondis et me retrouve dans un couloir blanc et étroit, jalonné d'entrées. Au milieu du passage, je vois un soldat sortir d'une pièce.

« Par pitié. Ferme-la, lance-t-il en tirant la porte. Et tu devrais vraiment manger quelque chose. »

Il fait tourner le verrou et s'éloigne. Mais je suis sur son chemin et je le cueille d'une droite à la mâchoire. J'aperçois un trousseau de clefs à sa ceinture, je le lui arrache et tente frénétiquement de rouvrir la porte qu'il vient de verrouiller en essayant les clefs une à une, jusqu'à ce que je trouve la bonne. Qui qu'elle soit, la personne à qui il parlait n'a pas l'air d'être dans son camp, et j'ai bien besoin d'un allié. J'entre en espérant me faire bientôt un nouvel ami.

Sous le choc, je retiens mon souffle. Je ne sais pas ce que je m'attendais à trouver, mais certainement pas la

259

fille tapie dans un coin. Elle est couverte de crasse et ses poignets sont striés d'ecchymoses rouges ; je la reconnais pourtant instantanément. Sarah Hart. La petite amie de John, celle qui l'a dénoncé à la police, la nuit où nous sommes retournés à Paradise.

Elle se relève en tremblant et en s'appuyant contre les murs, prête à affronter le nouvel arrivant. À la peur que je lis dans ses yeux, je comprends que, lorsque la porte s'ouvre, elle passe toujours un sale quart d'heure. Je reste invisible le temps de traîner le soldat inconscient dans la cellule. Sa présence dans le couloir donnerait l'alerte, et je préfère éviter d'attirer les foules. Je le fourre dans un coin en espérant qu'il soit hors de portée, s'il y a des caméras. Je referme la porte.

« Sarah ? » je chuchote.

Elle fait volte-face en regardant dans ma direction, visiblement perplexe. « Qui est là ? Où êtes-vous ?

— C'est Six. » Elle fixe le vide, bouche bée.

« Numéro Six ? Où es-tu ? Où est John ? » demande-t-elle, toute tremblante.

Je ne lève pas la voix, de peur que nous ne soyons pas seules. « Je suis invisible. Rassieds-toi comme tu étais tout à l'heure et fais comme si je n'étais pas là. Baisse la tête, pour qu'on puisse parler. Je suis prête à parier que tu es filmée. »

Elle se laisse glisser au sol et remonte les genoux contre sa poitrine. Elle baisse la tête et ses cheveux lui tombent devant le visage, masquant complètement sa bouche. Je vais m'asseoir à côté d'elle.

« Où est John ? dit-elle tout bas.

— *Où est John ?* » Je ne peux pas masquer ma colère. « Pour l'instant, tu peux oublier John, Sarah. Tu devrais le savoir, où il est. Après tout, c'est toi qui l'as dénoncé, pas vrai ? À cause de toi, il a atterri en prison. Et là, c'est *moi* qui suis allée le chercher. Ce que je veux savoir, c'est ce que *toi*, tu fais ici.

— Ce sont eux qui m'ont amenée, répond-elle d'une voix chevrotante.

— Qui ça, eux ? »

Ses épaules tressautent et elle se met à pleurer en enfouissant la tête entre ses genoux. « Le FBI. Ils n'arrêtent pas de me demander où est John et je leur répète que je n'en sais rien. Il faut que tu me dises où il est, sinon ils vont tuer tous les gens que je connais ! » Elle a l'air totalement désespérée.

Je ne peux pas dire que la compassion m'écrase. « C'est ce qui arrive quand on retourne sa veste, Sarah. Tu savais ce que John ressentait pour toi, et combien il te faisait confiance. Et tu t'en es servie pour aider ces gens. Et maintenant, ce sont eux qui se servent de toi. Dis-moi ce que tu leur as appris au sujet de John, et vite !

— Je ne sais pas de quoi tu parles », nie-t-elle en pleurant plus fort. Je n'y peux rien – à la voir comme ça, j'ai le cœur qui se serre. Que lui ont-ils fait ? Avec ses longs cheveux qui lui recouvrent le visage et les bras, elle semble si jeune et si petite. Je sens ma colère fondre et je pose ma main sur son dos.

« Je suis désolée », je murmure.

À mon contact, elle retient son souffle et tourne la tête vers moi. Je ne vois que ses yeux bleus, gonflés et injectés de sang. Pour lui redonner un peu de force, je me rends visible une seconde pour lui montrer le fusil mog que je tiens entre les mains, avant de disparaître de nouveau. Un tout petit sourire se dessine sur ses lèvres, puis elle regarde devant elle. Elle pousse un soupir, inspire profondément. « C'est bon de te voir, dit-elle d'une voix beaucoup plus ferme. Tu sais où on est ?

— D'après moi, au Nouveau-Mexique, dans une base souterraine. Tu es là depuis combien de temps ?

— Je n'en ai aucune idée. » Du revers de la main, elle essuie une larme le long de sa jambe.

Je me relève pour aller écouter à la porte. Aucun bruit. Je sais que je gaspille des minutes précieuses, mais il faut que je sache. « Je ne pige pas, Sarah. *Pourquoi* est-ce que tu as dénoncé John ? Il est amoureux de toi. Je croyais que tu tenais à lui. »

Elle sursaute comme si je l'avais giflée, avant de répondre d'une voix vibrante : « Vraiment, je ne sais pas de quoi tu parles, Six. »

Je dois fermer les paupières quelques secondes et inspirer à fond pour endiguer la colère qui menace de me submerger. « Eh bien, je vais te le dire. Je parle de la nuit où il est venu t'avouer son amour éternel. Ça te revient ? Tu as reçu un texto à deux heures du matin, et dans la seconde qui a suivi, la police a déboulé. *Voilà* de quoi je parle. Tu as brisé le cœur de John, en le dénonçant. » Elle relève le menton pour me répondre, mais je lui fais signe de garder la tête baissée.

Elle reprend la position et réplique, d'une voix monocorde : « Ce n'est pas ce que j'essayais de faire. Je n'avais pas le choix. Je t'en prie. Où est-il ? Je dois lui parler.

— Figure-toi que, moi aussi, j'aimerais bien lui parler. J'aimerais leur parler à tous ! Mais la première chose à faire, c'est de trouver un moyen de déguerpir d'ici. » J'entends l'urgence dans ma voix.

« Il n'y a aucun moyen de sortir, répond-elle, abattue. À moins que tu ne sois prête à affronter un millier de Mogadoriens.

— Quoi ? » Je reviens vers elle. C'est censé être une base fédérale, pas un camp mog. « Tu les as vus ? Les Mogs ? Ils sont ici ? »

Son regard devient vitreux. Elle ne ressemble plus à la fille que j'ai rencontrée à Paradise, à l'humaine dont John est tombé amoureux et pour qui il était prêt à tout. Je n'ose même pas imaginer ce que le FBI et les Mogs lui ont fait. « Oui. Je les vois tous les jours. »

J'ai l'impression que le sol se dérobe sous mes pieds. C'était une chose d'avoir des soupçons – c'en est une autre de les voir confirmés. « Eh bien, je suis là, maintenant, j'annonce en essayant de lui insuffler un peu de confiance. Je te promets que le prochain Mog que tu verras, il sera à l'autre bout de ce fusil. »

Je l'entends rire à mi-voix. Pour la première fois depuis que j'ai pénétré dans la pièce, ses épaules se détendent. « Ça me rassure un peu. Six, je t'en prie, tu peux me dire où est John ? Est-ce qu'il va bien ? Est-ce que je vais pouvoir le voir ? »

Je sais qu'elle s'inquiète pour Quatre, mais ses questions commencent à me taper sur les nerfs. « Pour être tout à fait honnête, Sarah, je ne l'ai pas vu, récemment. On s'est séparés. Il est parti avec Sam et Bernie Kosar, pour récupérer son coffre, et moi je suis allée en Espagne pour retrouver un des nôtres. On était censés se retrouver dans trois jours, mais c'est mal engagé.

— Où ça ? Où est-ce que vous êtes censés vous retrouver ? Je dois le savoir. Ça me tue, de ne pas pouvoir imaginer où il est. »

J'explose. « Pour l'instant, peu importe le lieu de rendez-vous, puisque *je n'y serai pas*. On doit se concentrer sur notre évasion. »

En entendant ma colère, Sarah se recroqueville. Mais elle n'abandonne pas. « Et les Autres, où sont-ils ? Où est Numéro Cinq ? »

Je décide de l'ignorer – à l'évidence, elle ne m'écoute pas. Je retourne près de la porte et, cette fois-ci, j'entends des pas – plus d'une personne – qui remontent le couloir. Je passe en revue les choix qui s'offrent à moi. Ou bien je les attire dans la cellule, ou bien je les affronte là où ils sont. Quoi qu'il en soit, je dois leur régler leur compte, rendre Sarah invisible et choisir dans quelle direction fuir.

Sarah se lève. « Et Numéro Sept, Numéro Huit et Numéro Neuf ? Où sont-ils ? Est-ce qu'ils sont ensemble ? »

Si elle ne baisse pas la voix, elle va nous faire capturer, ou pire encore. « Sarah ! Ça suffit ! Tais-toi ! » j'ordonne d'un ton cassant. J'appuie l'oreille contre la porte et comprends immédiatement que quelque chose cloche. Le couloir grouille d'hommes. Nous sommes piégées. Je pivote pour avertir Sarah, mais elle est comme en transe. Pétrifiée, je la vois se convulser par terre.

« Sarah ! » Je redeviens visible et me précipite pour l'empêcher de s'assommer sur le sol en ciment. Est-ce qu'ils l'ont droguée ?

Les spasmes sont tellement violents et rapides que sa silhouette devient floue. Impuissante, je vois une ligne blanche se dessiner autour d'elle. Je tends la main. Avant que j'aie pu la toucher, elle noircit. Je me concentre sur Sarah pour essayer d'enrayer les convulsions mais, à la première tentative, j'ai le cerveau en feu, comme si une vague d'énergie maléfique se répandait dans mon crâne. Je bascule en arrière en me tenant la tête et en fermant les paupières de toutes mes forces. Lorsque je les rouvre, je reste bouche bée. Sous mes yeux, Sarah Hart est en train de grandir, et atteint bientôt plus de deux mètres. Ses cheveux blonds se rétractent jusqu'à former un casque noir et dru. Son visage se métamorphose en une face monstrueuse et démoniaque. Une cicatrice violette apparaît d'un côté de son cou épais, et s'étire jusqu'à faire tout le tour de sa gorge. Puis elle se met à pulser.

Sous mes yeux sidérés, Sarah Hart vient de se transformer en Setrákus Ra. Si je ne l'ai jamais vu, j'en ai toutefois assez entendu sur son compte pour comprendre à qui j'ai affaire.

La porte s'ouvre à la volée et, l'espace d'une seconde, je suis aveuglée par un flash de lumière bleue émanant du corps de Setrákus Ra. Quand j'y vois de nouveau, une dizaine de soldats mogadoriens se ruent dans la pièce, prêts à faire feu.

J'essaie de disparaître, sans que rien se passe. Je n'ai pas le temps de réfléchir pourquoi. Je me saisis du canon que j'avais posé à terre pour aider Sarah, je bondis et tire sur l'un des Mogs. Il tombe à mes pieds dans un nuage de poussière. J'en tue deux autres, et, au moment où je me tourne vers ma prochaine victime, je sens qu'on m'agrippe par-derrière et qu'on m'étrangle avec mon pendentif – je peux juste bouger la tête pour voir que c'est l'infâme créature qui s'est fait passer pour Sarah. Setrákus Ra me fait pivoter, m'arrache le fusil des mains de son autre patte massive et m'attire vers lui. De si près, je constate que sa peau sombre est crevassée de cicatrices, comme s'il avait été défiguré à coups de rasoir.

Je me concentre pour soulever mon arme du sol, mais elle ne bouge pas d'un centimètre. Aucun de mes Dons ne fonctionne plus ! Sans eux, je suis vulnérable. Je suis pire que ça. Je ne baisse pourtant pas les bras.

« Dis-moi où ils sont ! » rugit Setrákus Ra. Il serre encore la chaîne autour de ma gorge. Je vois sa cicatrice violette pulser lorsqu'il répète : « Où sont-ils, Numéro Six ?

— Il est trop tard, je murmure avec autant d'assurance que je le peux. Nous sommes trop forts, maintenant, et nous sommes après toi. Lorien ressuscitera, et nous t'exterminerons. »

Il me gifle avec une telle brutalité que j'en ai la joue et les oreilles qui bourdonnent. Je me force à continuer de le fixer. Ses lèvres craquelées s'entrouvrent sur deux rangées de dents tordues et acérées. Il se tient si près de moi que j'en ai la vision troublée, aussi je cherche un détail sur lequel faire le point. Je choisis un chicot cassé en deux duquel s'écoule un liquide noirâtre. Je ne sais pas pourquoi mais, soudain, il me paraît moins effrayant. Il est juste répugnant.

« Dis-moi où tu es censée retrouver Numéro Quatre dans trois jours.

— Sur la Lune.

— Tu mourras sous leurs yeux. Je te tuerai de mes propres mains. »

Je ne réagis pas, j'ignore le fait même qu'il m'adresse la parole, et il resserre encore son emprise. Le pendentif que John et moi avons trouvé dans ce puits dans l'Ohio, sur cet énorme squelette, me rentre dans la peau de la nuque. Tandis qu'il persiste à m'étrangler, je repense au visage de John pendant notre entraînement, je visualise les Gardanes assis autour de la grande table blanche dans le vaisseau, et je souris. Je suis fière d'avoir été choisie par les Anciens. Par respect pour eux, je ne supplierai pas ce monstre abject de me laisser la vie sauve.

« Ah, te voilà, Numéro Six. » Je reconnais immédiatement cette voix. L'agent Purdy. J'ouvre les yeux et tombe sur un vieil homme avec un bras dans le plâtre et le visage couvert de bleus. Quand il s'avance vers moi, je constate qu'il boite.

Une fois qu'il est assez près, je crache sur ses chaussures en cuir. Setrákus Ra m'éclate de rire dans l'oreille.

L'agent Purdy regarde par-dessus moi pour s'adresser à la créature. « Vous avez obtenu les informations que vous vouliez ? Vous savez où ils se trouvent ? »

Setrákus Ra laisse échapper un grondement et m'envoie contre le mur en guise de réponse. Ce sont mes genoux qui amortissent la chute sur le ciment. J'ai à peine touché le sol que je suis instantanément relevée en arrière par la chaîne du pendentif. Je sens que mes côtes ont encaissé le choc, et que quelques-unes sont fêlées. J'ai du mal à respirer. Je fais une nouvelle tentative avec la télékinésie, en vain.

« Comme c'est gentil à toi de te joindre à nous, Six, me lance Purdy. Je vois que tu as rencontré Setrákus Ra.

— Espèce de lâche », je chuchote. Dons ou pas Dons, j'ai bien l'intention de le démolir. Même si ce doit être au prix de ma vie.

« Lâche, moi ? C'est *toi* qui me fuies », réplique Setrákus Ra d'un air méprisant.

Je plante mon regard dans ses yeux bordeaux. « C'est ce que tu fais en ce moment, qui prouve ta couardise. Tu dois te savoir incapable de me tuer quand je suis en pleine possession de mes pouvoirs. C'est pour ça que je te traite de *lâche*. »

La balafre de Setrákus Ra se met de nouveau à briller, cette fois-ci beaucoup plus violemment. À ma grande surprise, la chaîne autour de mon cou se desserre. « Enfermez-la avec la fille », ordonne-t-il en passant le pendentif par-dessus ma tête. En le voyant pendre de sa main, j'ai le cœur au bord des lèvres. Il me regarde et sourit. « Je t'affronterai, Six. Seule. Et tu mourras. C'est pour très bientôt. »

On me traîne hors de la cellule et le bout de mes pieds frotte sur le ciment. Puis je reçois un coup violent sur la nuque et je ferme les yeux – autant qu'ils croient m'avoir assommée, il me sera plus facile de mémoriser le trajet. On tourne une fois à droite, puis deux fois à gauche. J'entends une porte s'ouvrir et on me pousse en avant.

Je trébuche et finis ma course contre quelque chose de mou. Les paupières toujours closes, je sens des bras s'enrouler autour de moi. Lorsque je rouvre les yeux, j'ai la surprise, pour la seconde fois en moins d'une heure, de me retrouver nez à nez avec Sarah Hart.

CHAPITRE VINGT-CINQ

Notre Ford Contour beige fonce sur l'autoroute, et c'est Neuf qui est au volant. Je contemple les longues rangées de maïs dans les champs en essayant de m'imaginer à quoi elles ressembleraient, vues de l'espace. Je n'arrête pas de penser à notre vaisseau, enfoui quelque part dans le désert du Nouveau-Mexique. Après toutes ces années de cavale et d'entraînement, tout est pratiquement en place. Les Gardanes ont développé leurs Dons et sont en train de se réunir, Setrákus Ra est arrivé sur Terre pour se battre, et quand tout sera terminé, nous aurons un vaisseau pour nous ramener sur Lorien.

« Je m'ennuie, dit Neuf. Raconte-moi une histoire. Parle-moi de Sarah. Elle est comment, d'ailleurs ?

— Oublie, mec. Elle est beaucoup trop bien pour toi.

— Quatre, si *toi* tu as pu l'approcher, je suis presque certain que j'aurais eu ma chance. Surtout avec cette bagnole. »

Cette bagnole. Neuf m'a laissé me lamenter en la voyant pour la première fois. Avec tout ce que j'avais vu de la vie qu'ils avaient menée, Sandor et lui, il était naturel que je m'imagine rouler dans un modèle un peu plus clinquant. Mais les apparences peuvent être trompeuses. Cette Ford-là cachait bien son jeu.

De l'extérieur, elle ressemble plutôt au genre de tas de ferraille qu'on bricole dans une arrière-cour, posée sur des parpaings. À l'intérieur, en revanche, c'est le plus beau bijou technologique que j'aie vu de ma vie. J'ai l'impression d'être James Bond. Il y a un détecteur de radars, un brouilleur laser et des vitres teintées blindées. Quand Neuf est fatigué de conduire, c'est la machine qui prend le relais. Il lui suffit d'appuyer sur un bouton, et une tourelle à grosse mitrailleuse sort du capot. Tout ça contrôlé depuis le volant, bien sûr. Neuf m'a fait une petite démonstration sur une bretelle déserte, dans le sud de l'Illinois ; il a même vidé un chargeur sur une grange désaffectée. Mon expérience des voitures se limitait jusque-là aux pick-up bousillés et autres tas de boue que nous dégottait Henri — le genre de véhicule qu'on n'aurait eu aucun regret à abandonner en une seconde. Jamais il n'aurait conçu un engin de ce genre. Il aurait laissé trop de preuves, s'il avait été retrouvé. Ce qui montre une nouvelle fois combien chaque Cêpane était différent.

Neuf lâche le volant et joint les mains comme s'il priait. « S'il te plaît, je te le demande à genoux. Redis-moi à quoi elle ressemble. Après des heures et des heures à regarder défiler des céréales, je donnerais n'importe quoi pour avoir quelque chose de mignon à quoi penser. »

Je me tourne de nouveau vers les champs, les lèvres serrées. « Pas question.

— Allez, quoi, mec. On ne dirait pas qu'elle t'a balancé à la police comme un malpropre. Pourquoi tu la protèges comme ça ?

— Je ne suis même pas certain qu'elle m'ait vraiment dénoncé. Je ne sais plus qui croire. De toute façon, si elle l'a fait, elle devait avoir de bonnes raisons. Peut-être qu'on lui a menti, ou qu'on lui a fait du chantage. » J'ai tant de questions qui me tournent dans la tête, la concernant. Si seulement je pouvais la voir, lui parler.

« Ouais, ouais. Oublie tout ça pendant une minute. Dis-moi juste à quoi elle ressemble. Je veux vraiment savoir. Et je promets de ne pas dire un mot. » Je sens bien qu'il ne va pas lâcher comme ça. « Je le jure sur le code loric, si ça existe.

— Bien sûr, que ça existe ! Sandor et toi, vous étiez tellement occupés à vous la couler douce et à faire mumuse avec vos jouets high-tech que vous en avez oublié les fondements même de l'identité loric », je réplique. Aucun de nous ne dit mot pendant plusieurs minutes. « OK, voilà ce que je peux te dire, au sujet de Sarah. Tu sais, quand tu parles avec une fille splendide, et qu'elle ne s'occupe que de toi, et que tout roule super ?

— Ouais.

— Et que tu as l'impression d'être avec la fille la plus canon du pays, peut-être même de cette planète ? Le genre qui t'illumine une pièce dès qu'elle entre. Tout le monde veut être son meilleur ami, ou l'épouser, ou les deux. Tu la visualises, là ? »

Neuf sourit de toutes ses dents. « Ouais. OK, je la visualise.

— Eh bien, c'est Sarah. C'est la fille canon qui illumine la pièce. Elle te traite comme si tu étais la personne la plus importante qu'elle ait rencontrée. Quand elle te sourit, mon vieux, c'est le pied, et plus rien d'autre ne compte. Et, pour couronner le tout, c'est la fille la plus douce, la plus intelligente et la plus créative que je connaisse. Et elle adore les animaux, et une fois…

— Mec. Je m'en balance, qu'elle soit l'amie des bêtes. Donne-moi juste des détails, à quoi elle ressemble, comment elle s'habille. »

Je n'ai jamais vu quelqu'un d'aussi acharné. Je pousse un soupir. « Blonde aux yeux bleus. Grande et mince – et tu la verrais dans ce pull rouge qu'elle a. C'est injuste tellement elle est belle, là-dedans. »

Neuf se met à hurler à la mort et, sur la banquette arrière, Bernie Kosar se réveille en sursaut. Je pointe le doigt vers lui d'un air rageur. « Hé ! Tu n'es pas censé dire quoi que ce soit, je te rappelle ! Sur le code loric !

— OK, OK, OK. Merci pour ce petit intermède. Elle a l'air carrément extra. Maintenant, parle-moi de Six. » Rien qu'à y penser, il se frotte les mains avec un rictus ravi.

« Pas question !

— Allez, quoi, Johnny. »

Je ne peux pas m'empêcher de rire. C'est impossible de ne pas vouloir parler de Six.

« D'accord. Six. Voyons voir. Pour commencer, c'est la personne la plus forte que je connaisse. »

Il lâche un petit rire railleur. « Arrête tes salades. Je suis sûr que je peux lui mettre la pâtée.

— Je ne sais pas, vieux. Attends de la rencontrer.

— Hum, j'ai hâte, répond-il en se recoiffant dans le rétroviseur.

— Et elle a de longs cheveux noirs, et elle a toujours l'air en colère…

— Tu ne trouves pas que ça a quelque chose d'excitant, quand une fille est tout le temps furieuse contre toi ? » Il a vraiment l'air d'y réfléchir sérieusement.

Soudain, je me sens coupable. Jamais je ne devrais parler comme ça, encore moins avec Neuf. Et surtout, je ne devrais pas comparer Six et Sarah de cette manière, comme si elles étaient en compétition – d'autant plus qu'elles se haïssent. Sarah déteste Six à cause de tout ce que j'ai dit sur Six la nuit où elle m'a dénoncé, et Six déteste Sarah parce que j'ai risqué nos vies juste pour aller la retrouver alors qu'elle-même avait besoin de mon aide. Et aussi parce que Sarah nous a trahis. « Je n'aime pas parler de Six. Je vais te laisser te faire une idée par toi-même, quand tu la rencontreras. »

Neuf secoue la tête. « Quelle mauviette tu fais, mec. »

Nous poursuivons notre route en silence pendant un moment. Les panneaux nous aident à nous repérer. Je fais de nouveau le point avec la tablette. Grâce au matériel de geek de Neuf et de Sandor, j'ai pu la brancher sur l'ordinateur de bord de la voiture. Je vois que les deux points qui nous représentent sont actuellement dans la partie est de l'Oklahoma. Il en reste toujours un au Nouveau-Mexique, et un quatrième qui se déplace rapidement au-dessus de l'Atlantique. Les trois qui manquaient sont réapparus en Angleterre, mais je ne sais toujours pas comment ils ont pu y arriver si vite, en partant d'Inde. Je décide de m'autoriser une petite vérification dans cinq ou dix minutes, histoire de m'assurer que plus personne ne disparaît.

À travers la vitre, je relève les distances sur les panneaux. Nous sommes à plus de la moitié du trajet jusqu'au Nouveau-Mexique, lorsque je remarque que la jauge à essence s'approche dangereusement du signal « VIDE ». Je la montre à Neuf et il se gare devant un restaurant de routiers. Il me demande d'ouvrir la boîte à gants, et il en tombe deux rouleaux de billets de cent dollars sur mes genoux.

« Bon sang, je commente en les ramassant.

— Passe-m'en un, tu veux ? »

Je libère un billet de l'élastique et le lui tends. Il ouvre le réservoir et sort de la voiture. Je glisse quelques billets

273

dans ma poche et range le reste là où je l'ai trouvé. Épuisé, je fais basculer mon siège en arrière et je ferme les yeux. Bernie Kosar se penche pour me lécher la joue et je ne peux pas m'empêcher de rigoler. Je suis éreinté, mais je lutte contre le sommeil qui essaie de m'emporter. Je ne veux plus prendre le risque de m'endormir. Je suis fatigué d'affronter Setrákus Ra en rêve.

Je laisse mon esprit vagabonder vers Sarah et Six ; j'espère qu'elles vont toutes les deux bien. Puis je pense à Sam. Je n'arrive toujours pas à me pardonner d'avoir abandonné mon meilleur ami. Je me répète que je n'avais pas le choix. Le champ magnétique bleu m'avait tellement affaibli qu'y retourner aurait été du suicide pur et simple. Malgré toutes les excuses que je trouve, je ne peux pas m'empêcher de me sentir mal.

Le choc métallique du clapet de la pompe me tire de ma rêverie et m'annonce que le plein est fait. Les paupières toujours closes, j'inspire profondément pour profiter de chaque seconde de silence avant que Neuf ne revienne dans la voiture. Sauf que le silence dure. Neuf ne remonte pas et ne se remet pas à bavasser. J'ouvre les yeux et regarde en direction de la pompe, mais il n'est plus là. Je ne le vois nulle part dans la station. Immédiatement, je sens l'inquiétude monter. Je descends de voiture, Bernie Kosar sur mes talons, et je verrouille les portières.

Je commence par rentrer dans la station-service, et je ne le trouve pas. Je me dirige ensuite vers le parking, rempli de semi-remorques. Grâce à mon ouïe surdéveloppée, je repère la voix de Neuf, et je perçois tout de suite qu'il va bien, mais qu'il est très contrarié. Avec Bernie Kosar, nous courons dans sa direction, slalomons entre des caravanes et finissons par le trouver planté entre deux jeunes gars avec du sang sur leurs T-shirts. Face à Neuf se tiennent trois gros routiers, qui sont tous en train de lui hurler à la figure.

« Répète un peu ce que tu viens de dire ? » braille celui du milieu à l'intention de Neuf. Il porte une casquette jaune et une barbe rousse broussailleuse.

« Vous êtes sourd, ou quoi ? réplique Neuf en articulant exagérément, comme s'il s'adressait à un demeuré. J'ai dit : vous avez des bras de fillette. Non mais sans blague, regardez-moi ces petits poignets. » Pourquoi est-ce qu'il faut toujours qu'il fasse tout pour s'attirer des ennuis ?

« Euh, qu'est-ce qui se passe ? » je demande en approchant.

Le routier de droite, un grand type avec des lunettes de soleil de sport, se tourne vers moi et pointe son doigt sous mon nez en se mettant à beugler. « Mêle-toi de tes oignons, connard ! » Pour faire bonne mesure, celui de gauche crache un long jet de salive brune à mes pieds.

« D'après ce que j'ai compris, m'explique Neuf en pivotant vers moi, ces gros lards sont en colère contre ces petits gars. Les petits gars faisaient du stop et ils sont montés dans le camion de l'un de ceux-là en lui promettant de l'argent qu'ils n'avaient pas. Alors maintenant, les gros lards essaient de tabasser les petits gars avec leurs bras de fillettes. »

Je me tourne vers les « gros lards » pour tenter de calmer le jeu. « Eh bien, on dirait que tout ça ne nous regarde pas, et on doit reprendre la route. Alors les gars, veuillez excuser mon ami, il ne sait pas s'occuper de ses affaires.

— Ouais, grogne le routier barbu. Tire-toi d'ici, petit merdeux, et laisse-nous régler leur compte à ces voyous. »

Je prends une seconde pour bien regarder les autostoppeurs. À l'odeur, ils sont sur la route depuis un bail.

Ils n'ont visiblement pas plus de dix-huit ans – sans doute moins. Quand les routiers s'avancent vers eux d'un air menaçant, ils échangent un regard de pure panique. Je n'ai pas eu le temps de le retenir que Neuf s'interpose. « Je me fiche de savoir qui a promis quoi à qui. Si vous levez encore la main sur ces gosses, je vous casse les bras un par un. »

Je me glisse entre Neuf et les trois routiers désormais furieux, et je les tiens tous à distance. Bernie Kosar se met à aboyer de manière intimidante. « OK, OK, on se calme, je lance à Neuf en le forçant à m'écouter. On ne peut pas faire ça maintenant. On a quelque chose de *très important* qui nous attend. *Immédiatement.* » Je plonge la main dans ma poche et me tourne vers les routiers. « Écoutez, combien ces gars vous ont dit qu'ils vous donneraient ?

— Cent dollars, répond celui aux lunettes sport.

— Très bien », j'annonce en sortant un des billets de ma poche. Je vois le chauffeur écarquiller les yeux devant une si grosse somme, et je comprends une seconde trop tard que j'ai fait le mauvais choix.

« Pourquoi tu veux donner *quoi que ce soit* à ces types, Johnny ? » me demande Neuf.

Je sens la main épaisse d'un des routiers se poser sur mon épaule. En serrant un peu fort, il rectifie. « J'ai dit cent ? Je voulais dire mille. *Johnny.*

— C'est dingue ! s'écrie un des auto-stoppeurs. On ne vous a jamais promis d'argent ! »

Je fais volte-face vers les chauffeurs en agitant le billet comme un drapeau. « Cent dollars, les gars. À prendre ou à laisser. Disons que c'est un pourboire pour service rendu, ou bien un règlement à l'amiable de votre différend. Appelez ça comme vous voudrez, mais prenez-le !

— J'ai dit mille, répète le type sur la gauche en crachant de nouveau, cette fois pile sur ma chaussure. T'es sourd ? » Un long grondement émane de la gorge de Bernie Kosar.

Neuf s'avance d'un pas, mais je l'arrête et lui fais face. « Non ! Ça n'en vaut pas la peine, mec ! » J'approche mon visage à quelques centimètres du sien, pour bien lui faire comprendre que je ne plaisante pas. Il est hors de question que je le laisse agir. « S'il te plaît. Réfléchis à ce que Sandor voudrait que tu fasses. Il te dirait de partir. *Moi* j'ai besoin que tu partes, je chuchote.

— Vous aurez *que dalle* ! » hurle Neuf par-dessus mon épaule, à l'intention des routiers.

Je le repousse en arrière en direction de la voiture, et fais volte-face juste à temps pour voir le barbu sortir un couteau de sa poche. « Votre fric. Et vite. » Les deux autres s'avancent pour m'encadrer.

« Écoutez, je réponds en baissant la voix pour tenter de maîtriser la situation. Vous allez prendre ces cent dollars, et ensuite vous partirez. Sinon, je ne retiendrai pas mon ami. Et croyez-moi, ce n'est pas le bon choix pour vous. Vous n'avez pas idée de ce qu'il peut faire. Et vous n'avez pas envie de savoir. »

Je ne suis pas très surpris quand un des gars répond par un coup de poing. Je le sens venir de la droite et l'esquive sans mal. J'attrape le type par le poignet et je le flanque par terre. BK se plante au-dessus de lui en grognant et le routier se ratatine sur lui-même.

« À moi ! » s'exclame Neuf, tout guilleret, en m'écartant de son chemin.

Le barbu agite son couteau dans tous les sens, et Neuf sautille hors de portée chaque fois. Puis il plonge sous la lame et harponne le gars sous l'aisselle, avant de l'étaler par terre. D'un coup de pied, il le désarme, et l'arme glisse sous un camion. « Mec, tu devrais écouter les sages conseils de mon ami. *Sérieusement*, tu ferais mieux de ne pas t'attirer d'ennuis avec nous.

— Très bien, on a terminé, j'annonce en posant la main sur l'épaule de Neuf. Et maintenant, on va *tous* retourner à nos affaires. On y va. »

J'entends cliqueter le chien d'un fusil. Nous nous immobilisons. Du coin de l'œil je vois que le chauffeur aux lunettes de sport secoue un Desert Eagle de calibre 50 dans notre direction. Je ne suis pas expert en armes à feu, mais je sais que celle-ci fait de très gros trous. Le gars a l'air plutôt sérieux quand il demande : « Lequel d'entre vous veut mourir en premier ? »

Bien entendu, Neuf s'avance immédiatement et croise les bras sur sa poitrine. « Moi. »

Le type lève l'arme vers le visage de Neuf et éclate de rire devant ce qu'il prend pour un coup de bravade. « Ne me tente pas, merdeux. Te tuer serait le rayon de soleil de ma journée.

— Eh bien, tire, dans ce cas. Pourquoi te refuser ce plaisir ? Vu ta tronche, tu ne dois pas en prendre si souvent. » Je pousse un soupir, certain que tout ça va mal finir. Et attirer sur nous une attention malvenue.

Ensuite, tout se passe très vite. Une explosion en provenance d'un camion non loin fait sursauter le type armé, qui tire. Neuf arrête la balle avec son esprit, à quelques centimètres de son nez. Puis, en penchant la tête sur le côté et en souriant jusqu'aux oreilles, il fait tournoyer la balle en l'air et la renvoie à pleine vitesse à l'expéditeur. En voyant le projectile lui foncer droit dessus, le type tourne les talons et s'enfuit à toutes jambes.

Je me tourne vers Neuf. Il s'amuse *beaucoup trop* à mon goût. Je devine ses intentions et sais déjà que c'est une très mauvaise idée. « Non, Neuf. Ne fais pas ça. » Je secoue la tête, car c'est peine perdue.

Neuf éclate de rire en feignant l'innocence. « Faire quoi ? Ça ? »

Nous nous tournons tous deux vers la balle, qui flotte toujours là où Neuf l'a immobilisée, juste devant le routier. Il lâche un petit gloussement et l'envoie au train du fuyard, et elle va se planter droit dans ses fesses. Le type tombe en hurlant comme un fou. Neuf fait face aux deux autres, dont celui que Bernie Kosar a laissé se relever. Ils sont tellement morts de trouille qu'ils ont l'air sur le point de mouiller leur pantalon. Neuf leur sourit et je sais qu'il n'en a pas fini avec eux. « Vous savez quoi ? Il me semble que tous les deux, vous devriez payer pour l'impolitesse de votre copain. Alors voilà ce qu'on va faire. Vous allez mettre la main à votre poche, *très lentement*, et vous allez en sortir vos portefeuilles. Ensuite, vous allez donner tout ce qu'ils contiennent, jusqu'au dernier dollar, à ces deux gentils messieurs ici présents. En compensation des désagréments qu'ils ont subis, vous voyez, annonce-t-il en désignant les auto-stoppeurs. Ne me forcez pas à vous raconter ce que je vous ferai, si vous refusez de coopérer. Allez, on se grouille. » Les deux autres hochent la tête et s'exécutent.

Les deux jeunes garçons sont totalement hébétés par le spectacle auquel ils viennent d'assister. « Euh, merci, vieux, articule l'un d'entre eux.

— De rien », répond Neuf en vérifiant le bon déroulement de la transaction. Hormis lui et moi, tout le monde a les mains qui tremblent.

« Juste pour que ce soit clair, on n'a jamais promis d'argent à ces types. Ils essayaient de nous arnaquer. On est complètement fauchés, précise l'autre.

— Je vous crois. Et vous n'êtes plus fauchés, maintenant, corrige Neuf avec un sourire. Disons que je sais ce que c'est, d'être sur la route. Ce n'est pas toujours facile, quand on est jeune, de trouver un moyen de se faire du fric. » Il se tourne vers moi pour que je confirme. Je souris poliment, mais adresse un regard noir à Neuf pour lui signifier que je suis de très mauvaise humeur. Il hausse les épaules. « J'espère que vous aurez plus de chance avec le prochain qui vous prendra ! » Puis il s'en va, et BK et moi le suivons.

Une fois à la voiture, nous montons à bord et démarrons sans un mot. Au bout de deux minutes, Neuf se penche pour allumer la radio, et se met à pianoter sur le volant au rythme de la chanson.

« Qu'est-ce qui t'a pris, bordel ? je hurle en lui donnant un coup sur l'épaule. Et ne me ressers pas les salades sur les pauvres petits gars fauchés et les méchants, méchants routiers ! Tout ce que tu voulais, c'était t'amuser un peu et faire le coq ! Et tu sais quoi ? Ça nous met *tous les deux* en danger, sans parler du retard que ça nous fait prendre ! Bon sang, Neuf ! Ressaisis-toi ! »

Neuf serre le volant si fort qu'il en a les jointures blanches, et je vois qu'il contracte la mâchoire à s'en faire trembler les muscles. « Je ne faisais *pas* le coq, et je n'étais pas là pour *m'amuser*. » J'attends qu'il s'explique, mais il n'a pas l'air de vouloir ajouter quoi que ce soit. Je n'arrive pas à croire que ce soit *lui* qui soit en colère, maintenant.

« Alors quoi ? Tu as joué le sauveur pour deux humains qui se faisaient bousculer ? Toi qui prétends que les humains ne méritent pas qu'on leur consacre ni notre temps ni notre énergie ? » Il grimace en m'entendant répéter ses propres paroles.

« Je n'aime pas les brutes. Personne n'a le droit de prendre aux autres ou de faire du mal, sous prétexte qu'il le peut. Je ne voulais pas les laisser faire ça. Et je me suis assuré qu'ils ne recommenceraient pas. » Sa voix est calme et factuelle. Il se tourne vers moi et remarque mon air surpris, puis se concentre de nouveau sur la route. « Je ne vois pas pourquoi tu parais tellement éberlué. J'ai l'âme d'un humanitaire, mec. »

Je secoue la tête. Chaque fois que je crois avoir cerné Neuf, il fait quelque chose qui me surprend, et je me retrouve à l'en aimer davantage. Je hausse les épaules, me cale sur l'appuie-tête et regarde défiler le paysage par la vitre. Sur l'accoudoir, je tapote de la main en rythme avec la musique. « Je ne savais pas, c'est tout », je finis par dire.

Il se détend dans son siège et sourit d'un air satisfait qui ressemble plus au Neuf que je connais. « Ouais, eh bien maintenant, c'est fait, vieux. Maintenant tu sais. »

CHAPITRE VINGT-SIX

J'ai la tête qui repose sur les genoux de Sarah Hart, la vraie, et elle me caresse les cheveux. Je fixe le plafond d'un regard vide. Je tends la main pour me toucher le cou. L'entaille qui fait tout le tour est profonde. Je veux me redresser, mais mes côtes fêlées et mes genoux meurtris m'en empêchent.

Je suis humiliée de m'être fait aussi facilement surprendre par Setrákus Ra. J'étais si faible, face à son incroyable puissance. J'ai tué tellement de soldats mogadoriens. Je les ai décapités, exterminés avec des armes que je contrôlais par la pensée. Depuis que j'ai reçu mes Dons, j'ai toujours été prête pour le combat, sans peur, peu importe qui je devais affronter. Jusqu'à aujourd'hui. Setrákus Ra m'a baladée au bout de ma chaîne comme une misérable poupée de chiffon. J'étais impuissante, contre lui. Il a même fait disparaître mes Dons. J'avais l'occasion de le tuer, de sauver Lorien et de mettre un terme à cette guerre, et je me suis fait écrabouiller comme une vulgaire blatte.

« Six ? Tu peux me dire si John est toujours en vie ? me demande Sarah d'une voix prudente. Je sais que tu souffres, mais est-ce que tu peux juste me dire ça ?

— Oui. Il est vivant », je murmure, et contre moi je sens son soupir de soulagement.

Elle marque une pause avant d'ajouter : « Ça va ?

— Je n'en sais fichtrement rien. » Je tourne la tête pour apercevoir son regard fatigué. J'essaie de sourire.

Je suis éreintée. J'ai déjà les paupières qui papillotent quand j'ouvre la bouche : « C'était toi, il s'est fait passer pour toi, ce monstre. »

Sarah ne semble pas particulièrement surprise. Elle secoue la tête et détourne le regard. « Je sais. Il m'a montré. Il y a deux jours à peu près, il est venu dans ma cellule. Je pensais qu'il était là pour m'emmener dans la salle où... » Elle se tait pendant une minute, puis se racle la gorge et se redresse. « Cette salle avec toutes les machines et les lumières saccadées. Quand je suis là-dedans, j'ai l'impression d'être folle, et j'ai mal partout. C'est difficile à expliquer. Mais il n'était pas venu pour ça. Il se tenait là, sans dire un mot. Ensuite il s'est mis à tressauter, comme s'il avait une attaque. Et puis il a rapetissé et bam ! J'ai cru me voir dans un miroir. Quand il a fini par parler, ce n'était plus avec sa voix, mais avec la mienne ! J'ai essayé de le frapper, de lui arracher les yeux, mais il m'a tabassée avec une telle violence que... eh bien, je n'ai pu me relever que pour te rattraper quand ils t'ont amenée ici.

— Je suis flattée. » Mon rire reste bloqué dans ma gorge. « Non, sérieusement, merci.

— Eh bien, je t'en prie. » Elle me sourit, et je mesure combien elle a dû être terrifiée. Moi-même j'étais morte de peur, et pourtant j'ai été élevée pour affronter les situations de ce genre. C'est ma vie. Pas celle de Sarah, loin de là.

« Il y a une chose que je ne pige pas. Comment il en savait autant, à ton sujet ? Comment il a pu me leurrer pendant si longtemps ?

— Ils savent tout, Six », répond-elle d'une voix grave.

Je roule doucement sur le côté et pousse sur mes mains pour me relever. Je fais taire mes côtes qui me supplient de rester allongée. « Comment ça, tout ? Sur

283

qui ? Et *toi*, qu'est-ce que tu sais ? De toute cette histoire ? »

Elle détourne le regard. « Le peu que je sache, je le leur ai dit. Je n'ai rien pu faire. Ils n'arrêtaient pas de m'emmener dans cette salle, ils m'attachaient et ils m'injectaient des produits. Ils me posaient sans cesse les mêmes questions. Au bout d'un moment, j'avais les lèvres qui bougeaient toutes seules, alors que j'essayais de me taire. C'était tout simplement impossible. » Sarah se couvre le visage de ses mains et se met à sangloter. « Je leur ai tout dit, j'ai répété des conversations entières, mot pour mot. »

Je m'assieds contre le mur et laisse la douleur submerger mon corps. « Si John voit Setrákus Ra en croyant que c'est toi, je ne sais pas ce qui arrivera. »

Soudain, Sarah semble hystérique. « Il faut qu'on sorte d'ici ! On doit l'arrêter ! Est-ce qu'il y a un moyen de prévenir John ?

— Je ne sais pas si je suis en état de m'évader.

— Quoi ? Pourquoi ? », s'écrie-t-elle, sous le choc.

Je me lève en titubant et m'étreins les côtes. « Maintenant que j'ai rencontré Setrákus Ra, je veux une seconde chance. Il m'a laissée en vie, et à présent, je vais le tuer. » J'aurais l'air plus crédible si je n'étais pas en train de vaciller sur mes jambes ; néanmoins, ma détermination est bien réelle.

Sarah se redresse à son tour et je l'observe vraiment pour la première fois. Elle a le visage couvert de crasse et d'ecchymoses, ses cheveux blonds lui pendent mollement aux épaules, pourtant elle reste belle. Le bas de son pull rouge est déchiré et elle est pieds nus. Elle aussi tangue un peu. Elle me dévisage, l'air incrédule. « Regarde-toi, Six. Tu es blessée. *Vraiment* blessée. Tu te rends compte de ce que tu dis ? Ce serait du suicide de

284

l'affronter toute seule. John va venir. Attends-le. Je t'en prie. Il viendra, et il nous sauvera, et Sam, aussi. Je sais qu'il le fera.

— Sam est ici ? Tu en es sûre ? Tu l'as vu de tes yeux ? »

Sarah serre la mâchoire. « Une fois, ils l'ont jeté dans la cellule, avec moi. Il était inconscient, couvert de bleus et de coupures. Comme moi. » Brusquement, elle se retrouve sans énergie et sa voix faiblit. « Mais je ne sais plus ce que je dois croire, je ne fais plus confiance à ce que je vois ou entends. »

L'image de Sam, ensanglanté, dans cette cellule même me tord le ventre de rage. Que s'est-il passé, dans cette grotte mog ? Je donne un coup de poing dans le mur en ciment, et je constate avec surprise qu'il s'écaille sous l'impact. Je retrouve mes forces. Je n'ai pas mal. Mes Dons sont de retour. Je regarde Sarah droit dans les yeux. « Sarah ? Est-ce que tu as dénoncé John, ce soir-là, sur le terrain de jeux ? Il faut que tu me le dises.

— Jamais de la vie, répond-elle sans hésiter une seconde. Je l'aime. Oui, j'étais perdue à cause de… de tout ce qui se passait, ça faisait beaucoup d'un coup. Mais jamais je ne trahirais l'un d'entre vous. Surtout pas John. »

Aux larmes qu'elle retient, je sais qu'elle dit la vérité. « Même si c'est un extraterrestre ? Tu l'aimes quand même ? Tu t'en fiches ?

— Je suis incapable de l'expliquer, répond-elle avec un sourire. Je ne peux pas décrire l'effet que me fait cet amour, sa manière de me remplir tout entière et de m'aider à avancer, mais je sais qu'il est fort, et beau, et c'est ce que je ressens pour John. Je l'aime, et je l'aimerai toujours. » Le simple fait de prononcer ces paroles à voix haute l'aide à se tenir plus droite. Elle paraît plus forte, plus déterminée.

Elle est tellement convaincue que j'en suis touchée. Je repense à ce qui s'est passé entre Quatre et moi, au baiser, à tout ça. Je ne l'aime pas comme Sarah l'aime. Il est évident qu'elle croit que John est son seul amour, dans tout l'univers.

« J'ai des flash-back, tu sais, des images de notre voyage jusqu'à la Terre. Lui et moi, on n'arrêtait pas de se battre, je dis d'une voix douce.

— C'est vrai ? » Elle est visiblement curieuse de tout ce que je pourrai lui raconter.

« Enfin, on ne peut pas dire qu'on se battait. C'est plutôt moi qui le bousculais, qui lui volais ses jouets. »

Nous rions et elle me prend la main. Je suis désolée qu'elle se retrouve ici à cause de nous. Je ne la laisserai pas tomber. Je lis sur son visage qu'elle a une foi immense en ce que nous faisons. « Je vais te sortir de là, d'accord ? Je vais te ramener à John.

— J'espère, déclare-t-elle avec douceur.

— Et puis on trouvera Sam et on le tirera de là, lui aussi. Ensuite on rejoindra Sept, Huit et Dix, on cherchera Cinq et on décidera d'un plan, en équipe. » Sentir sa main dans la mienne me redonne plus de force, plus de certitude que jamais.

« Attends un peu. Numéro Dix ? Je croyais que vous n'étiez que neuf.

— Il y a un tas de choses que tu ignores, et que nous-mêmes n'avons apprises que récemment. » Machinalement, je passe la main sur l'entaille autour de mon cou. Elle me fait toujours souffrir, j'ai pourtant l'impression qu'elle commence déjà à guérir. Je me demande vaguement si je suis en train de développer un nouveau Don.

Sarah me serre contre elle ; ce moment de partage est de courte durée. La porte s'ouvre subitement, et une dizaine de soldats mogadoriens pénètrent dans la pièce, leurs canons pointés sur ma poitrine.

« Rends-toi invisible, me chuchote Sarah. Vas-y. »

Je me tâte les côtes et m'étire le cou. Je me sens déjà mieux qu'il y a cinq minutes. Il va falloir s'en contenter. « Non. Fini de fuir. »

La femme rousse que j'ai aperçue dans la serre entre à son tour, en boitant. En voyant son bras en écharpe et le pansement sur sa joue, je ne peux pas m'empêcher de regretter que ce ne soit pas moi qui lui aie infligé ces blessures. Quiconque est capable de s'allier aux Mogs et de torturer des gosses dans un bunker secret mérite ce traitement, et bien pire. Sait-elle qui sont réellement les Mogs ? Et quelles sont leurs intentions ? La femme pince ses lèvres pâles et me lance un regard noir. « Alors. C'est toi qui veux affronter Setrákus Ra ? »

Je m'avance d'un pas. « Oui. Et toi, tu es qui ?

— Qui je suis, moi ? » Elle est visiblement choquée que j'ose même poser la question. J'imagine qu'elle n'a pas l'habitude qu'on conteste son droit d'aller où bon lui semble, ou qu'on exige qu'elle décline son identité.

« Ouais, *toi*, connasse. » Elle a sans doute cru que je me laisserais impressionner par sa *position*. « Je t'ai posé une question. Qui es-tu, et qu'est-ce qui t'a pris de collaborer avec *eux* ? Tu as la moindre idée de ce que les Mogadoriens vont faire ? De leurs projets ? Ils vont détruire la Terre, mais uniquement quand ils auront obtenu ce qu'ils voudront. Et non seulement tu les y aides, mais en plus tu leur donnes gentiment les clefs de la maison ! Ils t'ont dit pourquoi ils étaient ici ? Est-ce que tu leur as même posé la question ? » La fureur et le désespoir me submergent. Il faut que cette femme m'écoute, qu'elle comprenne l'enjeu de ce qui se passe ici.

Son visage demeure impassible. « Je sais tout ce que j'ai besoin de savoir. S'ils sont *ici*, c'est parce qu'ils vous cherchent, toi et tes amis. En échange de notre aide, ils vont nous aider *nous* sur des sujets vitaux pour notre sécurité. Et je vais te livrer un petit secret. J'ai hâte de retrouver ce Numéro Quatre, et son taré de copain alien. J'ai priorité pour les descendre, et je compte bien m'en servir à la première occasion. »

Avec Sarah, nous échangeons un regard. Son copain alien ? De qui parle-t-elle ? John a-t-il retrouvé un autre Gardane ?

« Et sur quels *sujets* les Mogadoriens vont-ils vous aider ?

— Eh bien, pour commencer, on a ça, dit-elle en désignant le fusil du Mog. Des milliers et des milliers d'armes extraterrestres dotées de capacités impossibles à reproduire sur Terre, et auxquelles aucun de nos ennemis n'a accès. Grâce à leur technologie, le Pentagone aura des années-lumière d'avance sur n'importe quelle autre armée sur Terre. Nous serons invincibles. » Je fais en sorte que mon dégoût soit bien visible. « Setrákus Ra nous a également fourni de l'iridium, un élément chimique incroyablement rare sur Terre, et grâce auquel nous avons fait des découvertes scientifiques qui rapporteront des milliards de dollars à notre pays. Et puis, le gouvernement des États-Unis est très désireux d'en savoir plus sur les planètes où la vie serait possible, et les Mogadoriens nous ont déjà révélé des informations, à ce sujet. » Elle se tait, puis se met à se balancer d'avant en arrière en essayant de croiser les bras d'un air de défi, malgré son écharpe.

288

« Et ils vous ont raconté ce qu'ils en font, des planètes pouvant accueillir la vie, quand ils en trouvent ? Je vais te le dire, moi. Ils les détruisent, je lui hurle au visage. Vous vous êtes tous plantés de camp, cette fois-ci. Mes amis et moi, on essaie de les arrêter.

— Ça suffit. Setrákus Ra exige ta présence. Par ici. Immédiatement. » La femme s'écarte pour me laisser passer.

Je sais que je pourrais la battre, elle et tous ses copains mogadoriens, mais ça ne ferait que me retarder dans ce que je veux vraiment – vaincre Setrákus Ra. J'arbore mon air le plus méprisant. « Si tentant que ça puisse être de vous tuer sur-le-champ, je pense que je vais vous garder au chaud pour Numéro Quatre et son taré de copain alien. Si Setrákus Ra veut qu'on en finisse maintenant, allons-y. » Je la bouscule pour sortir de la cellule.

« Six ! me lance Sarah. Sois prudente, je t'en prie ! »

Escortée par mon ennemie, je longe le couloir. Nous en empruntons d'autres, franchissons plusieurs portes et, quelques minutes plus tard, je me retrouve à l'entrée d'une salle immense. Elle est assez vaste pour contenir toute une armée de chars d'assaut. Assez grande aussi pour accueillir le combat du siècle.

La porte claque derrière moi et j'entends le verrou tourner. Il fait si sombre que j'y vois à peine à un mètre, et encore moins jusqu'au bout de la pièce. Je marche en direction du centre, et vérifie au passage que j'ai retrouvé la télékinésie en gravitant au-dessus du sol. Quand j'ai le sentiment d'être arrivée au milieu de la salle, je ferme les paupières et tourne lentement sur moi-même pour ressentir mon environnement. Je perçois qu'une dizaine de créatures environ pénètrent silencieusement dans les lieux. À ma grande déception : moi qui espérais un combat à un contre un.

Lorsque je rouvre les yeux, ils se sont presque acclimatés à l'obscurité. Je regrette de ne pas avoir le Don de Marina et de ne pas être capable de voir dans le noir. Mais ça suffira pour l'instant. Des soldats mog sont alignés contre le mur du fond. Ils portent des imperméables noirs en lambeaux et des bottes noires, et ils décrivent des moulinets avec leurs épées. Ils sont plus massifs que la plupart des Mogadoriens que j'ai rencontrés jusqu'ici, je sais cependant que ça ne m'empêchera pas de les tuer aussi. Une porte s'ouvre derrière moi, et une dizaine de soldats supplémentaires apparaissent.

« Hé ! Qu'est-ce que c'est que ça ? Setrákus Ra ! » je hurle en direction du plafond, en pivotant pour être sûre que tous les Mogs me voient bien, et qu'ils sachent qu'ils ne sont pas en présence d'un humain terrorisé. « Je croyais que tu voulais m'affronter ! »

Au fond de la salle, un pan de mur explose, et le chef mogadorien apparaît. Les trois pendentifs loric se balancent à son cou grotesque. J'ai bien l'intention de tous les récupérer. Setrákus Ra ouvre grand les bras et beugle : « Tu dois d'abord en gagner le droit ! »

J'imagine que c'est le signal de l'assaut car, brusquement, les soldats lancent un cri de bataille, avant de se ruer sur moi. Je commence par la droite et les extermine, un par un.

CHAPITRE VINGT-SEPT

Le vent, le sable brûlant et une chaleur insupportable m'accueillent sur notre nouveau lieu de téléportation, le tout accompagné d'une migraine effroyable. Allongée sur le dos à attendre d'être capable de bouger, j'essaie de me protéger les yeux du soleil aveuglant. Bienvenue au Nouveau-Mexique.

« Oh ouais, grogne Huit avec une pointe de satisfaction dans la voix. On y est arrivés. »

Je souris sans bouger d'un poil, pour laisser à ma tête le temps de se remettre avant de tenter le moindre mouvement.

« Ella ?

— Je suis juste à côté, Marina, répond-elle. Regarde où on est ! Au Nouveau-Mexique !

— Enfin. Est-ce que tu peux réessayer de communiquer avec Six ?

— C'est déjà fait. Sans succès, pour l'instant. »

Je me relève très doucement. Huit est à quatre pattes en bas de la dune, à tenter de se hisser debout. La téléportation semble l'avoir affecté plus durement que les autres fois. Ella se tient près de lui, la main posée sur sa nuque. Les deux coffres gisent à côté. Je fais un tour complet sur moi-même, et je ne vois à perte de vue que du sable, encore du sable, toujours du sable. Et un cactus de temps en temps. « Vers où doit-on aller ? »

Ella et Huit gravissent la dune pour me rejoindre. Au bout d'une minute, Ella pointe le doigt vers le nord. « Regardez ! Six a parlé d'un désert avec des montagnes ! »

En plissant les yeux, je distingue à mon tour dans l'onde de chaleur le contour flou d'une chaîne montagneuse.

« Dans ce cas, c'est là qu'on va, annonce Huit. On pourra couvrir la distance par petits bonds, une fois que mon Don reviendra. Pour l'instant, on doit marcher. »

Nous ramassons les coffres et prenons la direction du nord. « Ella, il faut que tu continues à essayer de joindre Six. Si tu n'y arrives pas, tu peux peut-être tenter avec Quatre, ou même un des autres, Cinq ou Neuf. » Nous avons perdu tant de temps, pour venir ici. Peut-être Ella apprendra-t-elle quelque chose qui nous en fera gagner maintenant.

*

Neuf examine la carte qu'il a fait s'afficher sur l'écran au centre du volant. Il contemple le désert interminable qui nous entoure de toutes parts. Le GPS de la voiture a repéré un tunnel souterrain, dans les environs ; il nous reste seulement à en trouver l'entrée. Lorsque j'appuie sur le triangle vert de la tablette, il m'indique que nous ne sommes plus qu'à deux ou trois kilomètres du vaisseau. Je touche le cercle bleu, et je ne peux retenir un cri. « Neuf ! Ils sont ici !

— Qui ça ? demande-t-il en scrutant l'horizon.

— Les trois points bleus qui n'arrêtaient pas de bouger. Ils sont ici, au Nouveau-Mexique, en ce moment ! »

Neuf m'arrache la tablette des mains et pousse une sorte de cri de bête. « Nom de Dieu ! Tu m'étonnes, qu'on est au bon endroit ! Où que mène ce tunnel – et peu importe qui se trouve à l'intérieur –, tout ça va bientôt s'écrouler. » Nous échangeons un regard, et il a les yeux brillants.

« Ouais, on y est. Le début de la fin. » Je me rends seulement compte que ça va être le combat de notre vie.

« Ce qui nous attend là, c'est la révolte finale. Tu vas te battre comme jamais tu ne l'as fait, Quatre. Tu seras une véritable bête sauvage. Et moi ? Je vais trouver Setrákus Ra et lui arracher la tête, ensuite je vais l'emballer et la renvoyer sur Mogadore avec un gros nœud rouge autour. Et alors Lorien renaîtra de ses cendres. »

Il a la voix qui tremble d'émotion, et aussi de la rage et de la combativité contenues depuis si longtemps.

Sur la banquette arrière, Bernie Kosar pousse un jappement et Neuf se retourne en souriant. « Toi aussi, BK. Toi, mon ami, tu vas en démolir plus d'un. »

Je m'imagine les retrouvailles avec tous les autres Gardanes, une pensée à laquelle je ne m'étais plus laissé aller depuis longtemps. Je scrute l'horizon à mon tour. J'ai l'esprit clair, ouvert à tous les possibles. C'est une sensation agréable. C'est alors que j'entends une voix de fille résonner faiblement à l'intérieur de ma tête. Une voix douce et entrecoupée, comme une radio brouillée, puis elle devient plus claire.

Quatre ? Numéro Quatre ? Tu m'entends ?

« Oui, oui ! Je t'entends ! je m'exclame à voix haute en tournant la tête dans tous les sens. Qui est-ce ? Où es-tu ? »

Neuf me dévisage d'un air perplexe. « Euh, mec. J'espère bien, que tu m'entends. Je suis juste à côté.

— Pas toi. J'ai entendu une fille. Il y avait une fille qui me parlait, là, à l'instant. »

293

Numéro Quatre ? C'est Numéro Dix. Tu m'entends ? C'est peut-être sans espoir. Je ne sais même pas si je m'adresse vraiment à quelqu'un. Peut-être que je ne peux pas y arriver, sans Crayton.

« Ça y est, ça recommence. » Je suis surexcité. Neuf me regarde comme si j'avais complètement perdu la tête. « Neuf ! Elle vient de dire autre chose ! Tu n'as rien entendu ? Elle dit qu'elle est Numéro Dix ! Je crois bien qu'elle est dans ma tête, je ne sais pas comment !

— Numéro Dix ? Le bébé dans l'autre vaisseau ? Ne reste pas là à me regarder bêtement ! Réponds-lui, tête de nœud ! »

C'est facile à dire, pour lui. J'imagine que c'est un nouveau Don qui se déclare – pour nous deux. Il faut de l'entraînement, pour arriver à maîtriser un pouvoir et le faire fonctionner quand et comme on veut. Je sais que je n'ai pas de temps à perdre à trop réfléchir. J'inspire profondément et m'isole au mieux de tout bruit extérieur pour me concentrer. Je tente de recréer le sentiment que j'avais, il y a quelques minutes, juste avant que la voix se mette à me parler. Je me sens calme, ouvert, et bizarrement... connecté.

Je t'entends, j'essaie de dire dans ma tête. Rien. J'attends quelques secondes et fais une nouvelle tentative. *Numéro Dix ?*

Numéro Quatre ! Tu m'entends ?

« Elle m'a entendu ! » Je ris tout seul à haute voix et lance un regard triomphant à Neuf.

« Dis-lui que la cavalerie est sur le point de débarquer et qu'on va déchirer ! ordonne Neuf. Dis-lui que, où qu'elle soit, on fera un saut pour venir la chercher en repartant sur Lorien. »

Où es-tu ? dit la voix dans ma tête. *Je suis avec Sept et Huit dans le désert, au Nouveau-Mexique. On essaie de trouver Numéro Six pour aller à son secours.*

« Qu'est-ce qu'elle dit ? » hurle Neuf. Je vois bien que ça le rend fou de ne pas pouvoir suivre notre conversation, pourtant je ne peux pas lui faire un rapport pour l'instant. Je dois me concentrer sur la voix de Dix, et lui répondre.

Qu'est-ce que tu veux dire ? Où est Six ? On est au Nouveau-Mexique, nous aussi. Je suis avec Neuf dans le désert, et on cherche une base souterraine.

Je regarde en direction des montagnes. « Il faut qu'on trouve ce tunnel. Et vite, je dis à Neuf.

— Est-ce qu'elle a dit où ils étaient ?

— Elle vient de m'annoncer qu'ils étaient dans ce désert, avec Sept et Huit, et qu'ils essayaient d'aller sauver Six. Ça doit être eux qu'on a vus apparaître sur la carte, tout à l'heure. » Je sais que je ne devrais pas me tracasser – si quelqu'un est capable de s'en tirer tout seul, c'est bien Six. Et pourtant, je m'inquiète.

« Elle doit être à l'intérieur de Dulce. Allons la chercher. » Les doigts de Neuf glissent d'un bout à l'autre de l'écran. La carte change de couleur et semble scanner la zone, puis zoome sur un gros cactus à cinq bras, à environ quatre cents mètres de notre position actuelle. En dessous, j'aperçois le contour d'un tunnel souterrain. « Ah, bien essayé, bande de salopards ! Dis à Numéro Dix de ramener ses fesses par ici ! »

Peux-tu me dire où tu es, Dix ? On a trouvé un tunnel pour entrer dans la base où on pense que Six est retenue prisonnière. On est dans une voiture marron, garés sur une petite route secondaire.

Après une pause, elle répond : *On peut se téléporter jusqu'à vous. Comment on peut vous trouver ?*

« Ils ne savent pas comment nous repérer.

— Peut-être qu'on pourrait envoyer une sorte de signal, suggère Neuf. Bon sang ! On aurait dû prendre le lance-roquettes ! » Du plat de la main, il frappe le volant et fixe le sable devant lui en secouant la tête.

« On n'a pas besoin d'un lance-roquettes. » Je bondis hors de la voiture. J'oriente mes paumes vers le ciel bleu, j'active le Lumen, et je fais osciller les faisceaux d'avant en arrière. Puis je communique mes instructions à Dix.

Guettez les rayons de lumière dans le ciel. Pendant une minute, je n'entends plus rien, au point que je crains d'avoir perdu la connexion. *Dix ? Cherchez les rayons de lumière.*

Ça y est ! On les voit ! finit-elle par s'écrier.

« Ils arrivent », je braille par la vitre de la voiture, sans cesser d'agiter les mains en direction du ciel. Je veux leur donner un maximum de temps pour nous repérer avec précision. « On n'a plus qu'à les attendre tranquillement.

— Je vais essayer, répond Neuf en fixant de nouveau l'écran sur le volant, mais je vois bien qu'il ne tient pas en place. Mec, je n'arrive pas à croire qu'on les ait retrouvés ! »

Je finis par éteindre le Lumen et remonte en voiture.

Soudain, nous entendons le bruit reconnaissable d'un hélicoptère.

« Euh, Johnny ? Ils n'ont pas dit qu'ils nous rejoignaient en hélico, par hasard ?

— Merde. » Bernie Kosar saute sur mes genoux et pose les pattes avant contre la vitre pour regarder dehors. Dans la brume de chaleur à l'horizon, nous voyons plusieurs hélicoptères monter dans le ciel. Le groupe se rapproche et s'immobilise juste au-dessus de nous. J'utilise la téléki-nésie pour renvoyer le plus proche là d'où il vient, et il recule à toute allure en dessinant des spirales frénétiques. Puis je le plaque au sol, avec assez de violence pour être bien sûr qu'il ne redécollera pas de sitôt.

« Ça doit être les Fédéraux ! Ils me tapent presque autant sur les nerfs que les Mogadoriens. Ils devaient être en train de nous chercher, et ils ont vu la lumière ! » hurle Neuf. La tourelle de tir surgit du capot et il ne perd pas une seconde : il vise et balance une rafale de sommation à droite des engins, puis à gauche. Dès que les tirs s'interrompent, ils descendent plus près de nous. Je suis sur le point d'en liquider un autre lorsque Neuf pousse un cri.

« Regarde sur la route ! » À ma gauche, j'aperçois un énorme nuage de poussière, soulevé par une longue file de véhicules noirs. Bernie Kosar se met à aboyer et à gratter à la portière. Je le laisse sortir et il se métamorphose en un gigantesque aigle royal, puis s'envole. Je cours jusqu'au coffre et l'ouvre d'un coup de poing. Dans l'un des sacs de paquetage, je prends quatre fusils automatiques, et en dépose deux devant la portière de Neuf. J'entends déjà les salves en provenance des véhicules en mouvement. Je grimpe tant bien que mal sur le toit de la voiture et ajuste la cible, tandis que Neuf tire une pluie de balles sur les hélicos à l'approche. Du coin de l'œil, je distingue Bernie Kosar qui se glisse par l'ouverture latérale d'un des engins. Il attrape les épaules du pilote entre ses serres. Il tire un grand coup, et se sert de son bec puissant pour arracher la ceinture de sécurité qui ligote l'homme à son siège. Une fois qu'il l'a libéré, il le lâche sur le sable. L'hélicoptère pique en vrille et explose à l'impact. La caravane motorisée fait une embardée pour éviter la carcasse en flammes et j'appuie sur la détente de mes deux fusils, faisant éclater les pneus avant des deux voitures de tête. Le convoi ne s'arrête pas pour autant, mais au moins je l'ai un peu ralenti.

Les hélicoptères restants se dispersent dans le ciel, avant de prendre des angles différents pour revenir à l'attaque. Tout autour de nous, le sable crépite comme si de petits ballons explosaient. Un hélico passe juste au-dessus de nous, et je roule sur le côté pour sortir de sa ligne de mire.

Je tente de retrouver mes esprits. Je mobilise tous mes efforts pour me replier à l'intérieur de ma tête et entrer en communication avec Dix. Je respire à fond et fais le vide dans mon esprit. *Numéro Dix ? Où êtes-vous ? Nous sommes attaqués.*

Oui, on les entend, confirme Dix. *On arrive.* Sa voix est calme, teintée d'une pointe d'inquiétude. Qu'elle réponde me fait un bien fou, parce que ça signifie que les renforts sont en route.

Je change de position et vois deux hélicoptères virer à gauche et se diriger dans la direction opposée. Soudain, des missiles fusent en rafale, pointés sur une nouvelle cible. C'est forcément eux ! Je réussis à faire dévier trois des fusées, et quelqu'un d'autre se charge du reste.

« Dix et les autres sont tout près ! », je crie à Neuf par la vitre côté conducteur. Dans la seconde qui suit, la tourelle explose et les éclats de métal brûlants volent au-dessus de ma tête. Je saute du toit de justesse avant qu'une rafale le coupe en deux.

Neuf bondit de la voiture et saisit les deux fusils que j'ai posés pour lui dans le sable. « On dirait que les choses sérieuses commencent. Dire que j'ai attendu ce moment *toute ma vie.* »

Deux appareils se replient au-dessus de la file à l'approche, formant un front uni. Neuf lève ses paumes et le camion en queue de convoi est brusquement arraché au sol et s'envole comme une navette dans l'espace. Neuf retourne la main et le camion retombe. Même d'aussi loin, on entend les braillements à l'intérieur. Le véhicule s'immobilise juste avant de percuter le sol, puis s'écrase dans une gerbe de sable. Des hommes en sortent en titubant et cherchent désespérément par où s'enfuir. Au son de l'impact, Bernie Kosar, toujours en aigle, atterrit juste derrière eux et se change en bête féroce. La file se disperse dans le désert pour l'éviter, et certains véhicules font un tour sur eux-mêmes. Bernie Kosar pousse un rugissement assourdissant.

Neuf se baisse derrière la banquette arrière de la Ford et balance nos coffres dans le sable. Puis il ouvre le sien et en sort le chapelet de pierres vertes et la tige argentée, et, tout en filant vers la mêlée, il hurle dans ma direction : « Attends les autres ! BK et moi, on revient tout de suite !

— N'aie pas l'air de trop t'amuser, je lui crie en réponse. Et fais gaffe de ne pas atomiser l'entrée du tunnel ! » Un hélicoptère surgit à ma droite et, à l'instant où je l'attrape par la télékinésie, quelque chose me transperce la jambe gauche. Aveuglé par la douleur, je tombe tête la première dans le sable. Je ne reconnais que trop bien ce qui m'arrive, et je me mets à hurler à pleins poumons. Ma cheville est en train de se marquer d'une nouvelle cicatrice au fer rouge. Un autre Gardane vient de mourir.

Tout s'arrête. L'idée qu'un des nôtres soit mort me paralyse des pieds à la tête et le chagrin est tel que j'ai l'impression de sombrer dans le sable. Il y a un soldat de moins pour reconquérir Lorien, un de moins pour sauver la Terre et chaque être vivant qu'elle abrite. Deux missiles percutent notre voiture et la pulvérisent instantanément.

Une rafale de balles s'abat sur moi, et mon bracelet se transforme en bouclier juste à temps. Savoir que mon Héritage me protège des dangers qui me frappent m'apporte un peu de réconfort – même si je ne comprends pas pourquoi il ne m'a pas mis à l'abri dès les premiers tirs. Les balles pleuvent sans discontinuer. Lorsque je me baisse enfin pour examiner la nouvelle cicatrice autour de ma cheville, je suis sidéré de trouver à la place deux orifices béants. Jamais je n'ai été aussi heureux d'être blessé. Je suis tellement soulagé que je me moque d'avoir les mains couvertes de sang. Je fais pression pour arrêter l'hémorragie, et mon bracelet se rétracte.

Je réussis à me retourner et lève les yeux vers le ciel. Au-dessus de moi se tiennent trois adolescents. Le garçon est grand, au teint mat, avec des cheveux noirs et bouclés, et les deux filles portent des coffres loric. Lui, je le reconnais immédiatement, c'est lui que j'ai vu dans mes visions. Il hoche la tête en souriant. « Ravi de te revoir, Numéro Quatre. Je suis Huit. » Avant que j'aie pu répondre, il disparaît.

La première fille est petite, avec une chevelure auburn et des traits minuscules. Je devine qu'il doit s'agir de Numéro Dix, la Gardane qui se trouvait dans le second vaisseau. Elle lâche son coffre pour s'agenouiller à mes côtés. L'autre Gardane, une grande fille aux cheveux bruns qui lui tombent aux épaules, pose son coffre à son tour et s'accroupit près de moi elle aussi. Puis elle applique les deux mains sur mes blessures. Une onde glacée me traverse, et mon corps est secoué de convulsions. Au moment où je sens que je vais m'évanouir de douleur, tout s'arrête sou-

300

dainement. En baissant les yeux vers ma jambe, je constate que les plaies sont totalement cicatrisées. Incroyable. La fille se relève, me tend la main et me hisse sur pied.

« C'est un sacré Don, que tu as là, je réussis à articuler.

— John Smith. » Elle me dévisage, comme éblouie. « Après tout ce temps, je n'arrive pas à croire que tu sois vraiment là, en face de moi. »

Je n'ai pas le temps de lui répondre, car j'aperçois par-dessus mon épaule un missile qui fonce droit sur nous. Je plaque les deux filles au sol et m'aplatis sur elles. Derrière nous, une dune explose comme un volcan en éruption, faisant voler un nuage de sable au-dessus de nos têtes. Lorsqu'il se dissipe, Huit réapparaît près de nous.

« Tout va bien, par ici ? Tout le monde est prêt à se battre ? demande-t-il.

— Ouais, on est parés », répond la plus grande des deux filles en désignant ma jambe d'un mouvement de la tête. Dix disait être avec Sept et Huit, j'en déduis donc que c'est Numéro Sept. Je m'apprête à me présenter dans les formes, quand Huit disparaît de nouveau.

« Il peut se téléporter », m'informe Dix en souriant de mon air hébété. J'ai du mal à imaginer que nous soyons si nombreux, réunis. Je lui rends son sourire.

Je vois Huit au loin, en train de prêter main-forte à Neuf et à Bernie Kosar. Ils font des ravages sur les véhicules qui approchent, mettent tous les équipements militaires hors d'état de nuire, aussi facilement que s'il s'agissait de jouets en plastique. La lance rougeoyante de Neuf éventre un appareil qui vole bas. Huit se téléporte à proximité d'un Humvee noir et le retourne d'un geste des mains. Deux hélicoptères oscillent à basse altitude et se percutent dans une boule de feu.

Un nouveau sentiment d'urgence m'envahit, celle de retrouver Six sans plus tarder. « J'imagine que vous êtes Sept et Dix. Qu'est-ce que vous savez faire ? » je demande en déterrant nos fusils et en leur en tendant un à chacune.

« Tu peux m'appeler Marina, suggère la grande brune. Je sais respirer sous l'eau et voir dans le noir, et je guéris les malades et les blessés. Et j'ai la télékinésie. »

Moi, c'est Ella. Une nouvelle fois, j'entends la voix de Dix dans ma tête. *À part la télépathie, je peux changer d'âge.*

« Génial. Je suis Quatre, ce fou furieux aux cheveux longs, c'est Neuf, et la bête féroce, c'est mon Chimæra, Bernie Kosar.

— Tu as un Chimæra ? s'émerveille Ella.

— Je ne sais pas ce que je ferais sans lui. » Ce qu'il reste de la brigade finit par se séparer, et une dizaine de véhicules foncent droit sur nous trois en bondissant sur les bosses de sable. Un panache de fumée noire s'échappe du capot de l'un d'eux et, par la télékinésie, je fais pivoter la roquette qu'il vient juste de tirer dans notre direction, pour la faire échouer dans une dune. Les autres Jeep et fourgons continuent de foncer tout droit.

Je ramasse les débris de la voiture de Neuf et les lance à pleine puissance contre le convoi en marche — les pneus, les portières, et même un siège déchiré. Marina m'imite, et nous réussissons à arrêter net trois ou quatre véhicules. Il en reste toujours une demi-douzaine à éliminer.

Soudain, Huit, Neuf et BK apparaissent sous notre nez. Huit lâche la main de Neuf et se penche pour serrer la mienne. « Numéro Quatre.

— Tu n'as pas idée de la joie que c'est de vous voir tous ici. »

Neuf serre la main de Dix et de Sept en se présentant. « Mesdames. Je suis Numéro Neuf.

— Salut, répond Dix. Tu peux m'appeler Ella.

— Je suis Numéro Sept, mais je préfère Marina. »

Je regrette de manquer de temps pour parler à ces semblables que j'attends de rencontrer depuis si longtemps, pour entendre leur histoire, où ils se sont cachés, quels Dons ils maîtrisent et ce qu'ils ont dans leurs coffres. Mais d'autres hélicos ne vont pas tarder à débarquer.

« On ne peut pas rester ici à défendre ce bout de désert indéfiniment, je fais remarquer. Il faut qu'on récupère Six !

— Débarrassons-nous de ces sales types, suggère Neuf en désignant le nuage vrombissant. Et ensuite on pourra aller chercher Six et régler tout ça. »

Nous pivotons tous pour les regarder approcher. Plusieurs hélicoptères supplémentaires ont rejoint les autres. Je me tourne vers les premiers Gardanes, qui semblent tous prêts à se battre. Jamais nous n'avions été aussi nombreux au même endroit au même moment. Jamais la victoire ne m'avait paru possible à ce point. Après tout ça, nous ne serons plus jamais séparés.

« Il en viendra encore d'autres. On devrait aller la chercher maintenant.

— OK, Johnny. Le tunnel est par là, acquiesce Neuf en indiquant un point derrière lui. Je vais fermer la marche et veiller à ce que tout aille bien à l'arrière. Briser quelques cous, secouer un peu ces gars, tu vois, quoi. »

Ceux d'entre nous qui ont leur coffre avec eux le ramassent et je prends la tête. Sur mes gardes, au cas où l'entrée serait piégée, j'emmène notre groupe jusqu'au cactus à cinq bras. Sept et Huit me suivent de près, et Dix et BK viennent juste derrière. Dans notre dos, les tirs ne faiblissent

303

pas. Neuf a l'air de s'éclater totalement, et pousse des braillements et des cris de bête. Il est bien le seul à s'amuser autant de la situation.

Nous pressons l'allure jusqu'au cactus. Tandis que Neuf fait feu sans discontinuer, Huit et moi nous débattons avec la plante hérissée de piquants, seul obstacle entre Six et nous. Sur la carte, le tunnel paraissait se situer exactement sur l'emplacement du cactus. Nous finissons par le réduire en pièces par la télékinésie et découvrons sous le pied une grosse porte marron avec une roue métallique en son centre. Planté là à fixer l'entrée avec les autres Gardanes à mes côtés, j'entends les paroles de Neuf me revenir en mémoire : « J'ai attendu ce moment toute ma vie. » Tous, nous avons attendu ce moment — celui où nous nous retrouverions, où tous les neuf nous nous révolterions pour défendre l'héritage de Lorien contre les Mogadoriens. Finalement, les neuf ne s'en sont pas tirés, mais je sais qu'à nous six, ceux qui restent, et Dix qui nous a rejoints, nous ferons tout ce qu'il faudra pour survivre à ce qui nous attend.

CHAPITRE VINGT-HUIT

Un Mog gigantesque charge en balançant son épée étincelante. J'esquive la lame et le frappe à la gorge. Manquant d'air, il lâche prise. Dès que j'entends le choc métallique par terre, je m'empare de son arme et le décapite. Un nuage de cendre s'enroule autour de moi au moment où les trois suivants passent à l'attaque, et me cache à leur vue. Je m'accroupis et leur fauche les jambes à hauteur des genoux. Je me relève, et un autre géant essaie de m'égorger par-derrière. J'effectue un salto arrière au-dessus de lui et lui enfonce ma lame dans le ventre dès que mes pieds touchent terre. Je traverse son nuage et découvre une dizaine d'ennemis de l'autre côté. Aucune trace de Setrákus Ra.

Je me rends invisible. Après avoir massacré une autre série de Mogs, je cherche de nouveau leur chef des yeux, et finis par l'apercevoir au fond de la salle. Sans hésiter, je fonce droit sur lui. D'autres Mogs apparaissent de partout, si nombreux que je renonce à les compter. À leur tour, je les réduis en cendres. Alors que je ne suis plus qu'à dix mètres de Setrákus Ra, il brandit le poing et le tend dans ma direction, comme s'il pouvait me voir. Une onde électrique bleue jaillit de sa main et crépite le long du plafond, et je sens que je redeviens visible. Une fois encore, il m'a retiré mes Dons. Je savais que ça se produirait, mais je n'en ressens pas moins un coup au cœur. Pourtant, je reste prête à l'affronter.

Je continue à avancer sur Setrákus Ra, malgré les soldats mog qui me tombent dessus de tous les côtés. L'un d'eux me barre le chemin, et je lui tranche la carotide sans ciller. Un autre m'attrape par-derrière et je l'ampute d'un bras. Le troisième accourt vers moi en hurlant, et je lui plante la lame dans l'estomac. Je suis tellement concentrée sur l'endroit exact du cou de Setrákus Ra où je vais frapper que je remarque à peine le carnage que je laisse sur mon passage.

Soudain, il est à quelques centimètres de moi et il me saisit à la gorge. D'une main, il me soulève du sol et je sens mes pieds battre dans le vide. Une nouvelle fois, nos visages se touchent presque.

« Tu te débrouilles bien, petite fille, me souffle-t-il, et la puanteur me fait grimacer.

— Rends-moi mes Dons, et tu verras à quel point, je riposte d'une voix étranglée.

— Si tu étais aussi forte que tu le crois, je ne serais pas capable de te les retirer.

— Remballe tes discours, espèce de lâche ! Si tu es tellement convaincu de pouvoir me vaincre, pourquoi tu ne te bats pas à la loyale ? Montre-moi comme tu es grand et fort. Rends-moi mes Dons et bats-toi comme un homme !

— Sers-toi de tes pouvoirs, je me servirai des miens ! » hurle-t-il, et l'écho monstrueux de sa voix fait trembler les murs de la salle.

Il me propulse au milieu de la pièce, mais je remarque à peine la douleur en percutant le sol. Mon épée chute et glisse hors de portée. Un soldat lance la sienne, qui me fonce dessus en tournoyant. Mon premier instinct est d'essayer de l'arrêter par la télékinésie – or je n'ai pas recouvré mes Dons. Heureusement, ma force et mes réflexes sont toujours là, et bien là. Je vais tuer Setrákus

Ra, avec ou sans mes pouvoirs. Je tends les deux mains et emprisonne la lame entre mes deux paumes, à quelques centimètres de mon menton. Je sens qu'on m'attrape par la taille et, tout en basculant en arrière, je fais pivoter la lame entre mes mains et la plante dans le corps de mon assaillant. Je tombe à terre et suis instantanément recouverte d'une couche de cendre. Il en arrive d'autres. Je les extermine avec leurs armes, et il y a là-dedans une justice qui me rend euphorique. À chaque victime, je me sens plus forte. Et aussi plus furieuse. Si je dois anéantir tous les Mogs sur Terre pour atteindre Setrákus Ra, rien ne m'arrêtera.

Il se tient là, à savourer le spectacle. Il rit si fort que je sens mes os vibrer. Mes années d'entraînement m'ont menée à cet instant précis. Si je me sens puissante, je sais que je le serais encore plus avec le reste des Gardanes à mes côtés. C'est ensemble que nous devrions l'affronter. Je décide d'arrêter de m'apitoyer. C'est au nom de nous tous que je le réduirai à néant.

Une fois que j'ai tué le dernier soldat, Setrákus Ra s'approche du centre de la salle. Il tend la main dans son dos et je vois apparaître un énorme fouet à deux lanières, qu'il fait claquer au sol, et qui s'illumine de flammes orange.

Je ne bronche pas. À présent, il ne peut plus rien faire pour m'effrayer ou m'arrêter. Je bondis en avant en hurlant : « Pour Lorien ! »

Il fait onduler le fouet au-dessus de ma tête, projetant une épaisse nuée de flammes vers moi. Je plonge dessous et roule en visant ses pieds. Au moment où je bute contre ses bottes qui martèlent le sol, je remarque plusieurs cicatrices autour de sa cheville. Je n'ai pas le temps de me demander si elles ont un rapport avec les miennes. Je frappe avec mon épée au-dessus de la plus haute et lui entaille le mollet gauche, puis je bondis sur mes pieds. La marque de mon coup se solidifie instantanément pour dessiner une cicatrice supplémentaire. La blessure le laisse totalement de marbre, il ne boite pas même une seconde.

Il fait de nouveau claquer son fouet et j'essaie de trancher une des lanières ; dès que les flammes touchent mon épée, la lame se met à fondre. Je lui lance les restes à la figure ; il lève la main et les immobilise en plein vol. Les débris métalliques se mettent à tourner et à rougeoyer et, lorsqu'il ouvre les doigts, la lame se reconstitue comme par magie, avant de se ressouder au manche. Le sourire aux lèvres, il laisse l'arme étincelante choir au sol.

Je plonge pour m'en saisir mais, alors que je la tiens presque, le fouet vient frapper le dos de ma main droite. Des bulles apparaissent sous la peau qui se fendille et, au lieu de sang, c'est une substance noire et épaisse qui se met à sourdre de la coupure. Médusée par cette vision, je sais que je devrais me tordre de douleur. Je suis au contraire comme anesthésiée. Je rampe et finis par m'emparer de l'épée. Je me redresse pour faire face au monstre. Il arrive alors une chose horrible à ma main droite – elle refuse de bouger.

Setrákus Ra brandit son fouet et je fais un saut de côté pour esquiver le coup, qui laisse une traînée de flammes dans son sillage. Lorsqu'il lève de nouveau le bras pour frapper, je vois une ouverture et bondis. Tout en tenant fermement le glaive de ma main gauche, je me rue sur lui et le lui plante dans la cage thoracique. D'un coup sec, je le fais descendre et déchire la peau cireuse jusqu'à ce que la lame soit logée bien profond, en bas de son abdomen. Je tombe en arrière et lève les yeux vers lui dans l'espoir fou de lui avoir asséné le coup fatal qui mettra fin à cette guerre.

Mais l'espoir est de courte durée. Pour la première fois, je vois Setrákus Ra grimacer ; cependant, au lieu de s'effondrer dans un nuage de poussière, il attrape le manche de l'épée et l'extirpe tranquillement de son corps. Il examine son sang noir et épais qui en dégouline, puis il se glisse la lame dans la bouche et, d'un coup de mâchoire, la brise net en deux, avant de la lâcher par terre. Il joue avec moi comme un chat avec une souris. Je me relève en essayant d'inventer une tactique. D'abord, éviter ses coups assez longtemps pour trouver une idée. Plus que jamais, je regrette l'absence de mes camarades Gardanes.

Ella ? Tu m'entends ?

Rien.

Je continue de reculer, dans le but de mettre un maximum de distance entre nous et de me donner une chance dans le combat. C'est alors que je remarque les fourmillements dans ma main droite. Je baisse les yeux et constate qu'autour de la plaie, la chair a viré au noir. Sous mes yeux, l'ombre s'étend à mes jointures, puis à mes ongles. En quelques secondes, ma main tout entière est noire jusqu'au poignet. Les fourmillements disparaissent. J'ai la main incroyablement lourde, comme si elle s'était changée en plomb.

Je lève les yeux vers Setrákus Ra. Autour de son cou, la cicatrice violette se met à palpiter et s'illumine. « Es-tu prête à mourir ? » vocifère-t-il.

Ella ? Si vous voulez venir, c'est maintenant. En fait, c'est maintenant ou jamais.

Je rêve tellement d'entendre sa voix dans ma tête, qui me dit qu'elle et les autres sont juste devant la porte. Nous devrions être ensemble, à combattre Setrákus Ra avec nos Dons jusqu'à ce qu'il ne reste plus de lui qu'un tas de cendre misérable et impuissant. Au lieu de quoi, je suis seule, sans défense, la main morte. Setrákus Ra se tient en face de moi, son fouet enflammé à la main, et il joue avec moi. Que se passe-t-il ?

*

Je jette un dernier coup d'œil au désert, puis attrape la poignée ronde et la fais pivoter. Au bout d'une rotation sans résultat, je décide d'accélérer le mouvement et arrache la porte de ses gonds. En dessous, une échelle métallique descend dans un trou sombre.

Marina se porte volontaire. « Je vois dans le noir. J'y vais la première. » Je m'écarte pour la laisser passer.

Elle pénètre dans l'obscurité et disparaît rapidement de notre vue. Huit fait glisser son coffre derrière elle.

« Ça descend sur environ six mètres, annonce Marina. Et ensuite on dirait un long tunnel. La voie est libre, il n'y a personne. »

Neuf se tourne vers Ella et moi. « Honneur aux dames. » Ella s'engage à son tour sur l'échelle et, une fois qu'elle a disparu elle aussi, Neuf m'adresse un sourire narquois. « Ouais, OK, mais en fait je faisais référence à toi, Quatre. »

Impuissant, je secoue la tête. Voilà un gars qui a de la suite dans les idées. Il me fait signe d'y aller. « Tu sais que je t'aime, vieux. Rentre là-dedans. »

En me servant de la télékinésie, je fais descendre Bernie Kosar d'abord, sous sa forme de beagle, puis je prends mon coffre sous le bras et me glisse le long de l'échelle en me tenant d'une seule main. Dans le tunnel, l'air est froid et sent le moisi. Devant moi, j'entends les pas d'Ella et de Marina, et les griffes de BK qui cliquettent sur le ciment. J'allume le Lumen dans ma main libre et balaie

310

le passage pendant quelques secondes, pour me repérer. J'éclaire la distance qui nous sépare d'un tournant abrupt, puis éteins ma paume. « Marina, tu y vois assez pour nous guider, pas vrai ? » Entre-temps, Huit et Neuf nous ont rejoints.

« Oui. » Nous la suivons tous dans l'obscurité. Nous n'avons parcouru que quelques mètres lorsque je bouscule Ella, qui s'est immobilisée net.

« Oh non ! J'ai enfin réussi à entrer en contact avec Six. Elle a besoin de nous ! Elle dit que c'est maintenant ou jamais !

— On presse le pas, tout le monde ! » ordonne Neuf à l'arrière.

Nous nous mettons à courir aussi vite que nous le pouvons, dans le noir. Toutes les dix secondes environ, j'allume brièvement le Lumen pour éviter que nous ne nous rentrions dedans. Nous prenons un virage serré puis j'illumine de nouveau le tunnel pour visualiser ce qui nous attend. Sur quelques centaines de mètres, le sol est en pente, jusqu'à une porte en béton, tout au bout. Je fais glisser mon coffre devant moi jusqu'à ce qu'il la percute. Sans ralentir, j'illumine mes deux paumes pour nous guider.

Neuf ouvre son coffre à la volée et en sort la boule jaune couverte de petites bosses. Comme un magicien, il la tient entre ses doigts, puis la lance contre la porte. Elle rebondit sur quelques centimètres puis grossit tout en virant au noir. De longues pointes affûtées comme des lames de rasoir fusent en tous sens et, sous l'impact, la porte est soufflée vers l'intérieur. Les projectiles se rétractent aussitôt jusqu'à ce qu'il ne reste au sol qu'une balle jaune parfaitement innocente. Neuf la ramasse et la jette dans son coffre, puis le referme dans un claquement sonore. « C'était l'effet que j'espérais », commente-t-il d'un air satisfait.

Nous nous précipitons tous et franchissons la porte. Des gyrophares rouges et des sirènes hurlantes nous accueillent, nous mettant les nerfs à vif. Au bout de quelques mètres, nous débouchons sur une autre porte. Celle-ci se soulève à notre approche, révélant des dizaines de soldats mogadoriens gigantesques, armés de fusils et d'épées et prêts à attaquer.

« Des Mogs ? Qu'est-ce qu'ils font ici ? s'exclame Huit, incrédule.

— Ouais. Mauvaise nouvelle. Le gouvernement et les Mogadoriens ont fait ami-ami, je confirme.

— C'est du gâteau », commente Huit. Neuf me donne un coup de coude et approuve d'un geste théâtral la remarque de notre nouveau coéquipier.

Je sens une montée d'adrénaline telle que je n'en ai connu que dans mes visions. Brusquement, je sais quoi faire. Je me tourne vers les autres.

« Suivez-moi ! » je hurle. Ils acquiescent tous. Je lâche mon coffre, allume le Lumen dans mes deux paumes et fonce droit devant. Du coin de l'œil, j'aperçois Ella qui ramasse mon coffre.

Exactement comme dans mon rêve, tout en courant je dirige le Lumen vers mes pieds et ils prennent feu. Les flammes remontent le long de mes jambes et m'englobent tout le corps au moment où j'atteins le premier soldat. Je ne suis plus qu'une boule de feu et, d'un bond, je le traverse. Il retombe en cendres et je poursuis ma course.

Les Mogs que je dépasse pivotent à cent quatre-vingts degrés pour me tirer dessus, mais les flammes m'offrent une protection parfaite. Je baisse la tête et cours, les bras en croix, ce qui a pour effet de tenir tous les soldats à distance. Marina, Huit et Ella assaillent les soldats par-derrière tandis que je fonce en tête. Neuf court au plafond et les massacre par au-dessus. J'envoie des boules de feu aux Mogs les plus proches et, en quelques secondes, ils se retrouvent calcinés, tas fumants gisant à terre. Une fois le dernier exterminé, je ralentis l'allure. Lorsque nous atteignons le fond de la salle, je lance une grosse boule qui fait exploser la porte. Je prends une seconde pour admirer notre réussite – même BK a eu sa part de Mogs. Ce n'est pourtant ni le lieu ni le moment de céder à l'autosatisfaction. Peut-être Neuf déteint-il sur moi. Nous nous retournons tous pour faire face à ce qui nous attend derrière cette porte.

*

Setrákus Ra m'a fait quelque chose. Je ne peux plus bouger et suis clouée sur place. Je commence par me demander si c'est l'épuisement de la bataille, ou bien l'effet de mon étrange blessure à la main. Puis je comprends qu'il se passe quelque chose de grave, qui m'empêche totalement de remuer. Je me force à relever le menton pour observer Setrákus Ra qui se dresse au-dessus de moi. Il a sorti une canne en or surmontée d'un œil noir. Il la brandit devant lui et l'œil se met à cligner, à rouler à droite puis à gauche, jusqu'à ce qu'il me trouve. La paupière se referme lentement, puis se rouvre brutalement. Une lumière rouge vif aveuglante balaie mon corps inerte et me fait bourdonner la peau. Il faut absolument que je me protège de cette lumière maléfique et de ce qu'elle est en train de m'infliger, mais je suis paralysée. Ma main pèse une tonne. Je suis vulnérable et je veux reprendre le contrôle – de la situation, et de mon corps. J'en suis toutefois incapable.

La lumière qui émane de l'œil passe du rouge au mauve et glisse sur mon visage. En m'humectant les lèvres, je sens la chair brûlée. Setrákus Ra se rapproche à un mètre de moi. Je ferme les yeux et serre la mâchoire, et je pense à John et à Katarina, à Sam, à Marina et à Ella. Je vois Huit, et aussi Henri et Crayton, et même Bernie Kosar. Je ne laisserai pas à Setrákus Ra l'honneur et le plaisir de voir mon regard pendant qu'il me tuera. Quelque chose de mou et de chaud me touche le front, comme un souffle d'air. Je m'arme de courage pour affronter mon destin, et le supplice qui m'attend. Constatant qu'il ne se passe rien, je rouvre les paupières. Setrákus Ra se tient là, et des rayons de lumière rouges et mauves jaillissent de l'extrémité de sa canne pour venir s'enrouler autour de son corps massif.

Setrákus Ra se met à trembler violemment et une fine ligne blanche se dessine autour de ses épaules et de ses bras. Il tombe à genoux, secoué de spasmes, et sa tête énorme tressaute d'avant en arrière. Puis, sur ses os et ses muscles, sa peau cireuse devient flasque. Lorsqu'elle se rétracte de nouveau sur son corps, elle prend une teinte olivâtre. De longs cheveux blonds se mettent à pousser sur son crâne. Lorsqu'il lève les yeux vers moi, je brûle plus que jamais de lui sauter à la gorge, mais je ne peux toujours pas bouger. Je suis face à moi-même – les mêmes yeux gris, les pommettes saillantes et les cheveux teints en blond.

« Pour que je prenne ton apparence, tu dois rester en vie, m'annonce-t-il avec ma voix. Ce n'est que provisoire. » Il lève la paume et, comme s'il y avait un aimant dans la voûte et un autre dans ma main devenue noire, je décolle du sol et me retrouve plaquée contre la roche, à quinze mètres au-dessus du sol. Je sens un bourdonnement douloureux dans mon cerveau. J'essaie une dernière fois d'appeler Ella, mais je n'entends même plus mes propres pensées. Lorsque de ma main libre je touche l'autre collée au plafond, la première vire elle aussi au noir. Peu à peu, la raideur gagne tout mon corps et je ne peux plus bouger que les yeux. Des pieds à la tête, je ne suis plus qu'un morceau de roche noire.

CHAPITRE VINGT-NEUF

Une fois encore, je prends la tête, Marina me suit et Bernie Kosar court à côté d'elle, sans cesser de gronder. Ella a toujours mon coffre, et Huit et Neuf la suivent de près. Le feu me rend invincible, et consume instantanément tous les soldats mogadoriens qui chargent. Les flammes ont gagné non seulement mon corps, mais aussi mon esprit. Jamais je ne me suis senti aussi confiant, aussi déterminé, aussi prêt à vaincre nos ennemis.

« Six ne m'a toujours pas répondu ! me crie Ella alors que nous pénétrons dans un nouveau couloir, au milieu des sirènes hurlantes et des flashs de lumière rouge. Je ne sais même pas si elle entend ce que je lui dis.

— En tout cas, elle n'est pas encore morte, parce qu'on n'a pas de nouvelle cicatrice », fait remarquer Neuf.

Autour de moi, le feu gagne en puissance et en volume, venant lécher les murs et le plafond sur mon passage. Mon énergie est indescriptible, je peux à peine la contenir, comme si elle allait exploser. Je suis prêt à affronter Setrákus Ra, et je sais que les autres ressentent la même chose. Neuf et Huit ressemblent à des boulets de démolition lancés à pleine puissance, ils propulsent les soldats comme de vulgaires quilles ; quant à Marina, elle se bat sans peur et utilise tous les moyens possibles pour exterminer les Mogs qui lui barrent le chemin. Avec ses pouvoirs moins développés, Ella nous regarde avec une pointe d'envie balayer les ennemis les uns après les autres. J'aimerais pouvoir prendre le temps de lui dire combien elle nous est vitale à tous, et aussi le rôle essentiel qu'ont joué ses facultés télépathiques dans nos retrouvailles. Et qu'en tant que plus jeune Loric encore en vie, elle incarne notre longévité et la puissance de tous les Gardanes. Nous sommes parés à reprendre Lorien et ce n'est possible que grâce à ce que chacun d'entre nous apporte dans la bataille. Nous débouchons sur une bifurcation et nous devons rapidement choisir la direction à prendre. Plus question désormais de nous séparer.

« OK, Feu Follet, quel côté ? » demande Neuf.

Marina s'avance et tend le bras. « Par ici. » Sa capacité à voir dans le noir est plus efficace que la visibilité limitée qu'offre mon Lumen ; j'éteins mon brasier et nous la suivons tous à gauche.

Devant l'entrée d'une grande salle quadrillée d'énormes colonnes marron, elle ne marque pas une seconde d'hésitation, et nous avançons comme un seul homme. Nous nous tenons les armes à la main lorsque nous entendons des bruits de bottes tout au fond de la pièce. J'effleure le bras de Marina. « Hé. Tu vois qui c'est ?

— Ouais. Des soldats du gouvernement, j'imagine. Ce qui est sûr, c'est que ce ne sont pas des Mogs. Ils sont nombreux, je dirais vingt ou trente. Peut-être même plus. » Elle pivote et se dirige vers eux, et nous faisons de même. Nous les maîtrisons sans mal, en pliant le canon de leurs fusils par la télékinésie. Nous traversons la salle à vive allure et bifurquons à gauche, où un groupe de soldats armés et vêtus de noir montent la garde devant une porte métallique. En nous apercevant, ils se mettent en formation pour bloquer totalement l'accès et font feu. Comme s'ils s'étaient donné le mot, Marina et Huit lèvent tous les deux les mains, interceptant les balles au bout de quelques centimètres. Neuf se joint aussitôt à l'action et arrache leurs armes aux soldats par la pensée. Puis il soulève les hommes en l'air, et les maintient contre le plafond voûté, les bras et les jambes ballants. Nous nous emparons chacun d'un fusil.

Neuf glisse l'extrémité de sa lance dans l'encadrement de la porte et la sort de ses gonds.

Derrière s'ouvre un énième couloir, mais jalonné de portes, des deux côtés. Neuf prend les devants, va coller brièvement l'oreille contre chacun des panneaux, et nous informe de l'absence de mouvement à l'intérieur. Plus loin, nous tombons sur ce qui ressemble à des cellules de prison vides. Je me demande si nous approchons de l'endroit où est retenue Six — elle pourrait se trouver derrière n'importe laquelle de ces portes. Sur le pas de l'une d'elles, je remarque une traînée de sang. À trois mètres de distance, je l'arrache littéralement du chambranle. À l'intérieur, il fait noir comme dans un four. Avant même que j'aie pu déclencher le Lumen, Marina s'y précipite en me bousculant : « Il y a quelqu'un, là-dedans ! »

Du fond de la pièce, nous entendons monter un gémissement. Gisant là, sale et effrayée, je reconnais celle que je croyais ne jamais devoir revoir. Sarah. Je tombe à genoux et allume doucement les paumes. J'essaie de parler, mais seul un bruit étranglé sort de ma bouche. J'insiste et réussis à articuler son prénom. « Sarah. » Je n'arrive pas à croire qu'elle soit là, assise en face de moi. Je ne peux pas croire que nous l'ayons trouvée.

Sarah lève furtivement les yeux vers moi, puis serre ses jambes contre elle d'un air affolé. Elle a peur de moi. Elle enfouit la tête entre ses genoux et se met à sangloter. « Je vous en prie, ne me faites pas ça, je vous en supplie, arrêtez de me piéger. Pas comme ça. Je ne le supporte pas. Je n'en peux plus. » Elle secoue la tête d'un air perdu. Je ne crois pas qu'elle ait même remarqué que je n'étais pas seul. Je sens la présence de tous les autres derrière moi, debout dans le noir.

« Sarah, je murmure. C'est moi, John. Nous sommes là pour te ramener à la maison. »

Neuf reste en arrière, mais je l'entends dire aux autres : « Alors c'est la fameuse Sarah ? Elle est mignonne, même sale. »

Sarah serre ses jambes encore plus fort et jette un œil par-dessus ses genoux. Elle a l'air si vulnérable, si effrayée. Je n'ai qu'une envie, c'est de la soulever dans mes bras. Je me limite pourtant à des mouvements lents, prêt à tout. Il se peut que ce soit un piège. Je ne suis pas arrivé si loin pour me mettre à agir de manière irréfléchie. Lorsque je lui touche l'épaule, elle pousse un cri de panique. Derrière moi, je sens les autres sursauter en entendant la terreur dans sa voix.

Elle recule contre le mur, et ses cheveux restent collés au ciment brut. Puis elle lève le visage vers le plafond et se met à hurler : « Arrêtez de me piéger ! Je vous ai tout dit. Arrêtez ça, je vous en supplie ! »

Marina me rejoint et me secoue le bras, puis me fait me lever. « John, on ne peut pas rester ici. On doit bouger. Et on doit emmener Sarah ! »

Sarah finit par apercevoir les autres, qui se sont avancés d'un pas. Je la regarde observer Marina, puis ses yeux s'écarquillent et elle les dévisage tous un par un. Des larmes dégoulinent sur ses joues, laissant une traînée

319

blanche sur la crasse qui lui recouvre le visage. « Qu'est-ce qui se passe ? Tu es vraiment là ? Vous êtes tous vraiment là ? »

Je m'agenouille près d'elle. « C'est moi. C'est nous. Je te le promets. Regarde, même Bernie Kosar veut te dire bonjour. » Il s'approche en trottinant et lui lèche la main en agitant la queue. Je pose les mains sur elle, et en voyant les bleus autour de ses poignets, je sens mes yeux s'embuer. Je porte ses doigts à mes lèvres. « Sarah, écoute-moi. Je sais que je t'ai abandonnée. Je te promets que ça n'arrivera plus. Plus jamais, tu m'entends ? Je ne te quitterai plus *jamais*. »

Elle me fixe comme si j'allais disparaître d'une seconde à l'autre, ou me transformer en dragon cracheur de feu.

Mille souvenirs qui me hantent depuis si longtemps se bousculent dans mon esprit, et je cherche désespérément quelque chose à dire. Je me remémore notre dernière conversation, au terrain de jeux, juste avant que la police ne m'emmène. « Hé, Sarah. Tu te rappelles, quand je t'ai dit que je pensais à toi tous les jours ? Tu t'en souviens ? » Elle hoche la tête. « Eh bien, c'était vrai, et ça l'est toujours. » Elle laisse échapper un timide sourire. « Est-ce que tu me crois, maintenant ? Tu vois que c'est bien moi ? » Elle acquiesce de nouveau. « Sarah Hart, je t'aime. Je n'aime que toi. Tu m'entends ? »

Elle a l'air si soulagée que j'ai envie de la prendre dans mes bras, de lui dire que tout est fini et que je la protégerai. Toujours. Elle m'embrasse, les deux mains posées sur mes joues.

« Quatre, viens ! Il faut y aller ! » s'écrie Huit. Ils se sont tous rapprochés de la porte et font le guet d'un air anxieux.

Soudain, une explosion secoue le couloir et Huit se rue dehors pour voir ce qui se passe, suivi d'Ella et Marina. « Bon sang, mais qu'est-ce que tu fiches, mec ? me hurle Neuf en agitant frénétiquement les bras vers la porte. Mets-la debout et filons ! Sarah Hart, je suis *enchanté* de te rencontrer, mais il faut *vraiment* que tu te bouges ! Maintenant ! »

Neuf se précipite vers nous, m'aide à la relever et l'étreint brièvement. Elle semble surprise par son accueil chaleureux, et je suis quelque peu déstabilisé par le clin d'œil qu'il m'adresse par-dessus la tête de Sarah. « Bon sang, Sarah Hart ! Est-ce que tu sais seulement que ce taré ne parle que de toi ? » Je lui souris à elle, puis à lui.

« Non, répond-elle avec un petit rire en se blottissant contre moi et en glissant sa main dans la mienne.

— OK, OK. Amenez-vous, tous les deux », dit-il en prenant la direction de la sortie.

Je plante le regard dans les yeux bleus de Sarah. « Avant qu'on parte, il y a une chose que je dois te demander. Et il faut que tu comprennes qu'il est essentiel que je sache. Tu ne travailles pas pour eux, n'est-ce pas ? Pour le gouvernement, et les Mogs ? »

Sarah secoue la tête. « Qu'est-ce que vous avez tous, à me poser cette question ? Jamais je ne trahirais aucun d'entre vous.

— Attends. Comment ça, tous ? Qui d'autre a cherché à le savoir ?

— Six. » Ses yeux bleus s'élargissent brusquement. « Tu ne l'as pas trouvée ?

— Tu as vu Six ? s'exclame Marina, surexcitée, depuis le couloir. Où ? Quand ?

— Elle affronte Setrákus Ra, lance Sarah, de nouveau prise de panique. Ils l'ont emmenée, il y a un bon moment.

— Setrákus Ra est ici ? » Je savais qu'il fallait s'y attendre, mais cette confirmation ne fait que décupler mes forces.

« Quoi ? Pas question ! c'est *mon* combat ! s'indigne Neuf.

— Ne t'inquiète pas, mon vieux, si on se dépêche, peut-être que tu pourras avoir ta part. » Je me penche dans le couloir et vois Huit, Marina et Ella revenir vers nous en courant.

« Par ici ! » hurle Marina.

J'attrape la main de Sarah et l'entraîne à ma suite. Nous descendons tous le passage à tombeau ouvert, et rejoignons Bernie Kosar qui aboie frénétiquement devant une porte métallique de la taille d'une entrée de hangar.

« Il se passe quelque chose là-dedans, dit Huit. Je vais me téléporter à l'intérieur en éclaireur.

— Attends une seconde, Huit, j'objecte en levant la main. Pas d'éclaireur. On y va. Tous ensemble. »

Huit me dévisage quelques secondes avant de répondre. « Tu as raison. C'est à nous tous. »

Nous nous réunissons à la porte, et je passe en revue l'enfilade de visages pleins de détermination. Même Sarah. En un clin d'œil, la victime sanglotante s'est métamorphosée en impitoyable guerrière. Impressionnant. Bien sûr, elle n'a pas la moindre idée de ce qui nous attend, et que nous pressentons tous – une bataille sans merci, si ce n'est la bataille ultime. Je sens dans mes tripes que tout m'a conduit à cet instant précis. Ce pour quoi nous avons tant travaillé.

« Quoi qu'on trouve à l'intérieur, quoi qu'il arrive, j'annonce en allumant le Lumen, nous tuerons Setrákus

Ra, coûte que coûte. » Ce n'est pas pour eux que je parle, c'est pour moi.

« On est tous d'accord, mec », confirme Neuf.

Je tends la paume vers la porte et, au moment où je m'apprête à la faire exploser, une femme à la chevelure rousse et au bras en écharpe sort en clopinant d'une pièce à l'autre bout du couloir. Nos regards se croisent furtivement, et elle s'empresse de faire demi-tour pour retourner d'où elle vient.

« Attendez ! Agent Walker ! je hurle.

— Walker ? Tu plaisantes ? s'exclame Neuf d'un air incrédule. La nana qui a essayé de nous enfermer ? » Les autres nous fixent, interdits, et Huit intervient.

« Je vais vous la chercher », dit-il avant de disparaître. Lorsqu'il se matérialise devant nous quelques instants plus tard, il la tient, les bras derrière le dos. La première chose que je fais, c'est d'arracher le badge doré sur sa chemise.

Neuf me prend l'insigne des mains et l'observe attentivement, en en faisant des tonnes. « Voyez-vous ça, qu'est-ce qu'on a là ? L'agent spécial Walker ? commente-t-il en riant. Ma grande, tu as une mine épouvantable ! » Il me rend précipitamment le badge, comme s'il grouillait de vermine.

« Vous savez combien vous êtes pitoyable ? je braille. À fricoter avec les Mogs, à faire leur sale boulot, et pour quoi ? Ils vont tous vous *détruire* !

— Je ne fais que mon travail », répond-elle d'un ton raide. Huit la tient fermement par les poignets. « Nous faisons ce qui est le mieux pour ce pays. » Elle me jette un regard de défi, mais je sais que nous lui donnerons vite de bonnes raisons de nous craindre.

« Je vous ai déjà vue, dit Sarah en la montrant du doigt. John, elle était là quand ils ont emmené Six. »

Neuf attrape l'agent Walker par le revers de sa chemise comme dans un film de gangsters, tandis que Huit resserre son emprise sur ses bras. Neuf colle son visage à deux centimètres de celui de la femme. « Celle-là, je me la garde. C'est moi qui la tuerai. »

Walker se met à se débattre frénétiquement pour se libérer. « Attendez ! Je sais où est votre vaisseau ! supplie-t-elle. Vous voulez le récupérer, et vous n'y arriverez jamais sans moi.

— Notre vaisseau est ici ? s'étonne Marina, ne sachant visiblement pas si elle peut faire confiance à l'inconnue.

— Je vous montrerai l'emplacement, si vous me laissez partir, répond l'agent fédéral en plissant les yeux.

— Quatre, qu'est-ce que tu en penses ? » demande Neuf.

Sarah m'agrippe le bras. « John ? Qu'est-ce qu'il se passera, quand vous retrouverez votre vaisseau ?

— Nous n'avons pas le temps d'en discuter ! s'exclame Marina. Je sais que Six est derrière cette porte. Le fait que cette femme soit prête à n'importe quoi pour nous empêcher d'entrer prouve clairement que j'ai raison ! Oubliez-la ! On se moque de savoir où est notre vaisseau, tant qu'on n'a pas Six !

— Je m'occupe d'elle », suggère Neuf. Le visage écarlate de fureur, Walker se met à flotter dans l'air et Neuf accroche la boucle de sa ceinture au plafonnier au-dessus de nos têtes. Puis il nous adresse un clin d'œil et fait claquer ses doigts derrière son dos. La porte s'ouvre à la volée. « Marina a raison. Six et Setrákus Ra passent en premier. On y va ? D'après ce que j'ai entendu de la bouche de notre

Johnny ici présent, tu déchires pas mal, lance-t-il à Sarah avec un sourire, tout en lui tendant le canon mog. Tu penses pouvoir t'occuper d'elle ? »

Sarah s'empare de l'arme sans ciller. « Si elle bouge de ce plafonnier, je l'atomise. Et avec joie. »

Je me tourne vers le reste des Gardanes. « Il est temps d'y aller. »

Nous bondissons à l'intérieur. Nous n'avons même pas à nous demander qui doit faire quoi : ça s'impose tout seul. Dans la salle obscure et silencieuse règne une puanteur infecte. Je n'arrive pas à chasser de mon esprit l'image de l'arène apparue dans mes visions. Est-ce qu'on y est ? J'essaie de distinguer quelque chose autour de moi. Le centre de la salle est faiblement éclairé. Neuf se rue dans le cercle de lumière en hurlant : « Ton heure est venue, Setrákus Ra, espèce de merde !

— Où est Six ? » s'inquiète Marina en rejoignant Neuf, et suivie par Huit. Après avoir déposé leurs coffres, ils inspectent les alentours.

« Hé ! Il y a quelque chose au plafond ! » s'écrie Ella, et sa voix se répercute dans l'immensité de la pièce. Je lève les yeux et aperçois une petite formation rocheuse. Je dirige le Lumen dessus : baignée de lumière, la chose ressemble presque à une statue. « Ça ne va pas. Je ne sais pas pourquoi, mais il y a quelque chose qui cloche, ici », je dis à voix basse.

Tandis que nous scrutons l'ombre à l'affût du moindre mouvement, Neuf se sert de l'anti-gravité pour monter au plafond examiner l'excroissance rocheuse. Alors qu'il est tout près, j'entends une voix familière s'écrier : « Stop ! »

Je fais volte-face et aperçois Six debout dans l'embrasure de la porte. Elle est seule. Une corde épaisse pend autour

325

de ses hanches et elle tient une épée bleue ébréchée à la main. Elle a l'air indemne. C'est bien la Six que je connais : forte et sûre d'elle. Est-ce qu'elle l'a fait ? Est-il possible qu'à elle toute seule, Six ait tué Setrákus Ra ?

« Six ! Oh, mon Dieu, c'est toi ! explose Marina. Tu es saine et sauve !

— C'est terminé, annonce Six. Setrákus Ra est mort. Cette masse au plafond, c'est du poison mogadorien. Ne vous en approchez pas. »

Notre soulagement à tous est palpable. Huit se téléporte aux côtés de Six et l'entoure de ses bras.

Depuis toujours, Six est la plus forte d'entre nous, elle nous battrait même Neuf et moi. Elle vient de sauver Lorien, la Terre, et sans doute l'univers tout entier. Je n'ai qu'une envie, c'est de la soulever dans l'air, et de la porter en triomphe sur mes épaules jusqu'à Lorien.

Je m'avance vers elle, quand Ella me retient vivement par le poignet. J'entends sa voix dans ma tête. *John. Quelque chose ne tourne pas rond.*

Les secondes qui suivent semblent se dérouler au ralenti. Six lève son épée et frappe. Glacé d'horreur, je regarde Huit se raidir, puis la pointe de l'épée se casser entre ses deux épaules. Il s'effondre en avant. Six repousse son corps et il tombe au sol, inerte.

« Non ! » hurle Marina derrière moi en se précipitant vers lui.

Je suis paralysé par le choc, mais bientôt mon instinct de lutte reprend le dessus. En baissant les yeux vers mes mains, je constate qu'une énorme boule de feu s'est formée au creux de ma paume droite. Toute confusion disparaît brusquement et je sais précisément ce que j'ai à faire. Ce n'est pas Six. Et, qui que ce soit, je dois le tuer.

« Six, je lance en faisant rouler la boule de feu au bout de mes doigts. Qu'est-ce qu'ils t'ont fait ? »

Elle éclate de rire et brandit le poing. Des éclairs bleus fusent entre ses doigts et une onde crépitante se répand le long du plafond. Et soudain, les flammes dans ma main disparaissent.

« Quatre ! » J'ai juste le temps de voir Neuf tomber en chute libre – son anti-gravité a aussi dû l'abandonner. Je réussis à le rattraper tant bien que mal avant qu'il percute le sol, et l'aide à se relever.

Marina se tient au-dessus de Huit comme un bouclier, avec les fusils parés. Huit gît toujours à terre, et je n'arrive pas à mesurer la profondeur de sa blessure. Je sais simplement qu'il est encore vivant, car aucune nouvelle cicatrice n'est apparue autour de ma cheville. Marina lâche une salve, mais les balles s'immobilisent net à quelques centimètres du visage de Six et retombent mollement sur le béton. J'essaie de nouveau d'activer le Lumen pour prendre feu, en vain.

Six brandit toujours son épée bien haut, lorsque son corps est soudainement secoué de convulsions. Sa silhouette s'auréole de blanc et devient floue. Elle se met à grandir et ses longs cheveux blonds se rétractent en une touffe courte au sommet d'un large crâne. Son visage s'allonge et se métamorphose et, avant même que la cicatrice violette et boursouflée n'apparaisse autour de son cou, je sais déjà qu'elle se transforme en Setrákus Ra. Deux bataillons de soldats mog émergent silencieusement des portes latérales et viennent l'entourer. Sans un mot, Neuf, Marina, Ella et moi nous rapprochons les uns des autres, faisant écran devant Huit, pour bien signifier au monstre que nous l'affronterons tous ensemble.

« Vous trouver tous réunis au même endroit, comme c'est pratique pour moi. J'espère que vous êtes prêts à mourir, rugit-il.

— C'est là que tu te trompes, je réponds.

— C'est aussi ce que croyait Numéro Six. Mais c'est *elle* qui avait tort. Gravement tort. » Il sourit et ses dents difformes et tachées scintillent dans la semi-pénombre.

Neuf me lance un regard et se frotte les mains, savourant déjà ce qui va suivre. « Johnny, mon grand, est-ce que toi et moi on a déjà discuté hygiène bucco-dentaire ? » Il se tourne vers Setrákus Ra. « Mec, va te laver les dents, avant d'oser m'adresser la parole ! » Il déploie sa lance rougeoyante, met le cap sur l'ennemi, et charge. Par chance, nous avons encore l'usage de notre Héritage.

CHAPITRE TRENTE

Du coin de l'œil, je vois Neuf charger Setrákus Ra. Je me penche vers Huit, pour voir si je peux le soigner. Je garde les mains sur sa poitrine, à attendre que mon Don se manifeste à nouveau. Rien ne se passe. Je supplie Huit de tenir bon, de se battre malgré la douleur, mais ses yeux marron se révulsent et sa respiration se fait de plus en plus laborieuse. Prise de panique, je me remémore la fresque dans la grotte loric, et le dessin représentant Huit se faisant empaler par une épée. Celle de Setrákus Ra. La prédiction est-elle en train de se réaliser ? Désespérée, j'appuie les mains de toutes mes forces sur le torse de Huit.

« Marina ! me crie John. Il faut qu'on vous sorte de cette pièce, Huit et toi, maintenant ! J'ai le sentiment que si on s'éloigne de Setrákus Ra, nos Dons se remettront à fonctionner. Si j'ai raison, tu peux encore sauver Huit. Il est trop grièvement blessé pour une pierre guérisseuse.

— Il est presque parti, je lâche en hoquetant. Il est peut-être déjà trop tard, quoi qu'on fasse. » Je n'arrive pas à lui parler de la fresque. Je me demande si Huit est en état de réfléchir à tout ça, de se rappeler cet épisode, s'il sait que ce moment est peut-être le dernier. J'espère de tout cœur que non.

« Alors il faut se dépêcher, insiste John en me tendant un canon mog et en soulevant Huit du sol. Tire sur tout ce qui bouge qui n'est pas dans notre camp. »

Tout en gardant un œil sur les autres qui se battent toujours farouchement, nous couvrons aussi vite que possible les quelque cent mètres qui nous séparent de la porte. À chaque Mog réduit en cendres sur notre passage, je me sens plus forte. J'essaie de ne pas penser à l'endroit où se trouve Six – la vraie Six –, ou bien à ce qui a pu lui arriver. Je *savais* que ce n'était pas elle. Si seulement j'avais tué cette chose, avant qu'elle se dévoile. Je balaie la salle du regard. Neuf affronte Setrákus Ra, de sa lance il frappe l'épée du monstre, et il est clair qu'il fait du surplace. Neuf a beau être très puissant, on dirait presque que Setrákus Ra s'amuse avec lui, et qu'il attend seulement le moment opportun pour porter le coup fatal.

Toute l'assurance que je ressentais il y a quelques instants disparaît subitement. Ils sont trop nombreux et nous, pas assez. Et nous avons perdu nos Dons, ce qui signifie que nous ne sommes rien de plus que des *gosses*. Des gosses qui se battent contre une armée extraterrestre organisée. Je déteste devoir quitter les autres, mais je sais que John a raison. Il faut que je sorte d'ici, si je veux avoir le moindre espoir de guérir Huit. Et le sauver est la priorité absolue.

Nous sommes presque arrivés à la porte lorsque au moins vingt-cinq Mogs nous foncent droit dessus. Certains sont armés de fusils, d'autres d'épées, et ils ont tous l'air terrifiants, et invincibles. Je tente de les éliminer, mais les salves que je leur envoie ne semblent même pas entamer la première ligne. Ils sont trop nombreux. John réussit à déposer Huit par terre juste de l'autre côté de la porte, puis il me rejoint, brandit son épée et charge les Mogs. Je combats à ses côtés. Pas question de l'abandonner, si désespérée que soit la situation. Lorsque nous faiblissons, nous nous protégeons et tirons de la force l'un de l'autre. C'est pourquoi nous avons survécu aussi longtemps, c'est pourquoi nous allons gagner. Unis, nous sommes plus forts.

John extermine les Mogs, un par un, avec méthode et rapidité. Je fais feu sans faiblir tout en manœuvrant pour bloquer la porte et protéger Huit. À un moment, je me glisse par l'ouverture pour vérifier son état. Je sens son pouls – il est faible, et je constate que mon Don n'est pas revenu. Je pose les mains sur lui. « Tu ne peux pas mourir, Huit, je lui ordonne avec force. Tu m'entends ? Je vais te soigner. Mon Don va revenir et je vais te guérir. »

Je me rends alors compte que les Mogs qui nous attaquaient ont disparu – tous réduits à néant – et le silence soudain m'oppresse.

« Il faut se dépêcher. Il va en venir d'autres », me prévient John avec urgence.

Nous entendons un cri assourdissant – par la porte entrouverte, je vois que Bernie Kosar s'est changé en bête gigantesque, et qu'il est cerné de Mogs qui essaient de le taillader ; il parvient toutefois à les esquiver en bondissant toujours hors de portée. Les Mogs ne parviennent pas à l'atteindre, mais il ne cause pas de dégâts non plus dans leurs rangs. Nous retournons dans la salle au moment où Setrákus Ra dégaine un fouet, dont l'extrémité s'enflamme. Il frappe Neuf au bras. Instantanément, la plaie vire au noir. John se tourne vers moi pour me dire quelque chose quand j'entends un coup de feu. Abasourdie, je vois son corps se convulser, puis s'écrouler à terre.

*

Je suis aimantée au plafond, emmurée vivante dans la pierre noire. J'observe, impuissante, le reste des Gardanes se battre pour survivre ; je ne sens même plus mon propre corps – et je n'ai aucun moyen de leur faire savoir que je suis là-haut. Je suis totalement démunie et ça me tue. Je me suis entraînée toute ma vie pour apprendre à ne *pas* être démunie. Setrákus Ra n'est pas un grand guerrier. Il n'a le dessus sur nous que parce qu'il a le pouvoir de nous priver des nôtres. Tout ce que je veux, c'est descendre de là et brandir sa tête bien haut pour que tous les Mogs la voient. Je m'assurerais qu'ils ne perdent pas une miette de la destruction de leur chef, et ensuite je les réduirais tous à un gros tas de cendres.

Est-ce que je suis en train de regarder mourir le rêve de Lorien ? On se croyait si forts, si malins et si bien préparés. On était persuadés qu'on allait mettre fin à cette guerre et rentrer en héros à la maison. On n'était que des crétins arrogants. On connaissait l'existence de Setrákus Ra, le grand et terrible chef mogadorien, mais on ignorait tout de sa manière de se battre, des pouvoirs dont il ferait usage. Rétrospectivement, il paraît évident qu'il aurait celui d'annihiler nos Dons.

J'aimerais tellement pouvoir communiquer avec mes semblables – de là où je me trouve, je pourrais leur donner des conseils stratégiques. Pour commencer, ce qui me paraît limpide vu d'ici, c'est que, malgré leur force physique prodigieuse, les Mogs n'ont pratiquement pas recours à la technique mentale. Ils sont aussi primaires que la roche dans laquelle je suis emprisonnée. Ils révèlent leurs mouvements avant même d'agir. Leur plan d'attaque est facile à deviner, tout simplement parce qu'ils n'en ont pas. Ils comptent uniquement sur le nombre et la force brute, et ce genre d'ennemi peut se vaincre, à condition de s'en rendre compte. Mais du cœur de la bataille, c'est impossible. J'aimerais pouvoir dire aux Gardanes de concentrer toute leur énergie sur Setrákus Ra. Dans le cas contraire, je crains que le combat ne soit de courte durée, et que les Mogs n'aient toutes les chances de l'emporter.

Sous mes yeux, Bernie Kosar se fait entailler le flanc. Il s'est transformé en bête énorme, comme à Paradise. Son corps est trapu et musclé, ses dents et ses griffes acérées, et deux cornes enroulées ont poussé sur sa tête. Je vois Setrákus Ra frapper Neuf de son fouet et le bras de Neuf devenir noir, ce qui signifie vraisemblablement qu'il sera bientôt dans le même état que moi. John a reçu une balle et se tord de douleur par terre. Marina ramasse son fusil et se met à tirer sur les Mogs qui avancent.

Ella s'éclipse de la pièce. Est-ce qu'elle aurait un plan ?

Je suis soudain distraite par le cri de douleur de Bernie Kosar. Je vois qu'il est tombé à genoux. Il continue à se battre, à tuer des Mogs, bien qu'il saigne abondamment. Le voir ainsi souffrir, se faire lentement détruire, est une torture.

*

Je me vide de mon sang. Je sens mes forces s'échapper de mon corps et je ne peux rien y faire.

Les Mogs arrivent par vagues, il en vient toujours plus. Je suis incapable de dire combien nous en avons tué jusqu'ici, mais on dirait que ça ne fait aucune différence. Sans nos Dons, autant essayer d'arrêter un tsunami avec un parapluie.

Marina est derrière moi, à faire feu sur les soldats. Je jette un regard en direction de Bernie Kosar et constate que les Mogs ont réussi à lui passer des cordes autour des cornes et le tirent hors du recoin où il s'est replié.

« Lâche ! Espèce de lâche ! Tu es obligé de nous paralyser pour avoir une chance de nous battre ! » hurle Neuf. Il est au centre de la pièce, et l'un de ses bras est noir et pend, inerte et inutile, contre son flanc. Setrákus Ra brandit de nouveau son arme.

Le monstre sourit. « Traite-moi de tous les noms si tu veux. Ça ne changera rien au fait que tu vas mourir. » Il fait claquer le fouet. Neuf essaie de bloquer la pointe enflammée avec sa lance, mais d'un seul bras, c'est peine perdue. L'une des lanières lui heurte la main, et l'autre, le visage. Il pousse un hurlement de douleur et les points d'impact commencent tous deux à noircir. Setrákus Ra s'avance vers lui. Je dois mobiliser toutes les forces qui me restent pour agir avant d'être totalement impuissant, ou mort, alors je fais feu sur Setrákus Ra avec mon canon, depuis le sol. Au mieux, je ferai diversion ; je suis prêt à tout tenter. Il intercepte en plein vol chacune des balles que je tire et les repousse sans effort.

Soudain, j'entends des coups de feu en provenance de la porte. Je me retourne et vois Sarah pénétrer dans la pièce en tirant sur les Mogs. Ella la suit. Sarah. Elle n'a reçu aucun entraînement. Jamais elle ne pourra survivre à une bataille contre Setrákus Ra et son armée. Je me mets à hurler. « Sarah ! Tu dois sortir d'ici ! Ce combat n'est pas le tien ! »

Elle ne me prête pas la moindre attention et continue à avancer dans la pièce. Neuf tente d'échapper à Setrákus Ra, mais il est plombé par le poids de ses bras, qui sont maintenant complètement noirs. Bientôt, son visage subit le même sort. Setrákus Ra le frappe encore, et cette fois-ci, il l'atteint au milieu de l'abdomen, avec les deux lanières. Neuf pousse un cri, et Setrákus Ra lui répond en rugissant. « J'avais entendu dire que c'était toi qui me donnerais le plus de mal, mais regarde-toi, tu n'es *rien* ! »

Alors que le monstre brandit de nouveau son fouet pour porter le coup fatal à Neuf, Ella surgit de derrière Sarah et lance un petit projectile rouge et flou. Il touche Setrákus Ra au bras et il baisse les yeux, sous le choc, avant de laisser échapper un rugissement assourdissant.

Je sens alors un changement en moi. L'effet est immédiat et d'une puissance inimaginable, comme si l'on venait de me rebrancher à une source d'énergie. Je me concentre sur mes mains et essaie une énième fois d'activer le Lumen. À ma grande surprise, ça fonctionne. Nos Dons sont de retour !

Derrière moi, j'entends Marina pousser un cri. Sans perdre une seconde, elle se rue vers Huit, toujours étendu derrière la porte. Je la vois passer frénétiquement les mains sur la poitrine de Huit pour réparer ses blessures. Accroupie là, elle m'interroge du regard. « Qu'est-ce qui s'est passé ? »

Je secoue la tête. « Je n'en ai aucune idée, mais maintenant nous allons pouvoir nous battre à la loyale. »

Les paumes illuminées, je me tourne vers le centre de la salle. Setrákus Ra se tient le bras en essayant d'en extirper le petit objet rouge qu'Ella lui a planté dans la chair. Il finit par en venir à bout et fait volte-face, le fouet à la main. Sarah est toujours en train de tirer. Ella et elle n'ont pas le temps de s'écarter, et les lanières les frappent violemment. Elles s'écroulent toutes les deux.

*

Dès que la fléchette atteint Setrákus Ra, je sens le changement s'opérer. Mes Dons sont revenus. Mes forces sont en train de se reconstituer. J'entrevois soudain une chance de sortir de là pour aller aider les autres.

Je me débats dans le coffrage noir et sens que j'arrive à bouger légèrement, pas assez pour me libérer.

Sans interrompre mes efforts, j'observe l'affrontement, en dessous. John a rejoint Sarah et Ella, qui gisent toutes deux au sol, inconscientes. Il a laissé une traînée de sang derrière lui, ainsi que des monticules de cendres. Marina s'est précipitée auprès de Huit. Bernie Kosar est toujours dans un coin de la salle, mais à présent il déchiquette les Mogs qui, il y a un instant encore, le traînaient vers l'abattoir. Au centre de la pièce, Neuf fait face à Setrákus Ra. Il a réussi à dégager les mains et le visage de la roche noire qui engloutissait peu à peu son corps.

Ce spectacle me laisse espérer que je peux en faire autant, et je continue à m'agiter dans mon carcan, jusqu'à ce que je sente la pierre céder. Je serai bientôt dehors. Je n'ai plus qu'une obsession, c'est de sortir de là, et je me tords frénétiquement en tous sens. Tout ce qui m'importe maintenant, c'est de montrer à Setrákus Ra l'effet que ça fait, d'affronter un ennemi digne de ce nom.

*

Alors que j'allais abandonner tout espoir de pouvoir aider Huit, je récupère mon Don. J'applique les paumes sur la plaie béante à sa poitrine, et le miracle se produit. Son cœur bat plus fort de seconde en seconde. Je n'ai jamais rien ressenti d'aussi merveilleux de toute ma vie que ce *boum boum boum*. Si je n'étais pas au milieu du combat qui va décider de nos vies et de notre avenir, je crois que je me mettrais à pleurer de joie. Cependant, je reste forte et maîtrise mes émotions.

Soudain, je vois les paupières de Huit papilloter, et il lève les yeux vers moi. « Il faut que tu saches... Six a essayé de... » Je l'interromps au milieu de sa phrase.

« Ce n'était pas Six. C'était Setrákus Ra. Je ne sais pas comment c'est possible, mais c'était bien lui.

— Mais... ? » La confusion que je lis dans ses yeux me déchire le cœur.

« Huit, je ne peux pas tout t'expliquer pour l'instant. Comment te sens-tu ? Tu es capable de te lever ? Il faut qu'on retourne là-dedans prêter main-forte aux autres. Tu es paré à te battre ? Il faut que j'aille soigner John, et j'ai besoin que tu fasses diversion. Tu comprends ? »

Il hoche la tête et je m'apprête à me relever ; il me reste toutefois une chose à faire avant qu'il soit trop tard. Je plonge le regard dans ses yeux, ses beaux yeux marron, j'inspire profondément et je l'embrasse. Lorsque nos lèvres se séparent, il a l'air sous le choc. Je hausse les épaules avec un sourire. « Hé, il ne faut jamais remettre à plus tard, pas vrai ? » Sans lui laisser le temps de dire ou de faire quoi que ce soit, je me précipite pour retrouver John. Je dois le guérir, et vite. Pour me protéger, il a reçu trois balles de canon mog. Si je ne m'occupe pas de lui sur-le-champ, il va mourir.

J'aperçois un sillage écarlate là où il a rampé au sol, et Huit et moi le suivons. Un épais nuage de fumée émanant des fusils flotte dans l'air. Lorsque nous rejoignons John, il est à genoux et lance des boules de feu à un escadron de Mogs qui essaient de s'en prendre à Ella et Sarah. Les monstres nous aperçoivent et nous prennent pour cibles. À présent que j'ai retrouvé la télékinésie, je peux faire dévier les tirs, et Huit se met lui aussi à riposter. Je fonce aux côtés de John et pose les mains sur ses blessures. Il respire mal et est très pâle. Il a perdu tellement de sang.

« John ! Il faut que tu t'arrêtes une minute, pour que je puisse te soigner ! » Au milieu de ce chaos, je dois crier pour me faire entendre. Je lui attrape le menton pour le forcer à me regarder.

Il secoue la tête pour essayer de se libérer. « Si je m'arrête, les Mogs tueront Sarah et Ella.

— Si tu ne t'arrêtes pas, c'est *toi* qui vas mourir. Huit est rétabli – il peut nous couvrir pendant que je m'occupe de toi. Je t'en prie ! John ! On a besoin de toi ! »

Il cesse brusquement de se débattre.

J'inspecte minutieusement les plaies qu'il a aux jambes. Elles sont semblables et il saigne énormément des deux côtés. Je m'attaque à la droite en premier, et je sens immédiatement que l'os de la cuisse est cassé. Alors qu'il se reconstitue, John ne peut s'empêcher de hurler de douleur, mais ses cris sont absorbés par le vacarme ambiant. Il serre les poings et je continue.

L'autre jambe est un peu moins mal en point et je la répare plus rapidement. John respire déjà mieux. Je lui saisis le bras et me penche pour lui crier à l'oreille : « Tu as déjà bien meilleure mine ! »

Je me concentre ensuite sur son bras et sens que les muscles, biceps et triceps, ont été sectionnés. Il va me falloir une minute ou deux pour les remettre en état. Huit continue à tirer à feu nourri sur les Mogs qui déboulent sans cesse, trop vite pour qu'il réussisse à les contenir.

Je finis par sentir les muscles de John se ressouder sous mes doigts. Nous échangeons un regard et il hoche la tête. Il bondit sur ses pieds et, sans perdre une seconde, va seconder Huit pour protéger Ella et Sarah, qui sont toujours étendues sans bouger.

*

Je me sens fort. C'est parfait. Sarah et Ella ont fait une chose miraculeuse qui nous a rendu nos Dons et notre capacité à combattre, mais elles se retrouvent toutes les deux blessées. Je vais atomiser tous les Mogs jusqu'au dernier, pour avoir fait souffrir ceux que j'aime.

Je me précipite vers elles en arrosant l'ennemi de boules de feu. Je sais qu'il ne faudrait jamais se réjouir de tuer une créature vivante, mais en cet instant, la sensation est géniale. À présent que je suis remis, Huit se téléporte aux quatre coins de la pièce, apparaissant et disparaissant sous le nez des Mogs et les découpant en morceaux à l'épée. Neuf est toujours avec Setrákus Ra, mais leurs mouvements sont si rapides que tout est flou. Il faut que je rentre dans la mêlée, mais Sarah et Ella ont aussi besoin de moi à leurs côtés.

Soudain, l'un des Mogs qui avance droit sur moi change de direction. Ce n'est plus moi qu'il vise avec son canon, mais Sarah et Ella, qui n'ont pas repris conscience. Il tire et leurs deux corps se cambrent, secoués de spasmes. Dans le tumulte, je n'entends plus que mes propres hurlements.

*

Horrifiée, je vois le tir mog atteindre les corps inertes de Sarah et d'Ella. John arrive à leur hauteur et je me rue à ses côtés. Il s'agenouille près d'elles et leur prend les mains, tandis que leurs squelettes tressautent violemment. Nous arrivons trop tard.

Après tout ça, après avoir survécu si longtemps et nous être retrouvés, il semble qu'on soit sur le point de perdre un nouveau Gardane. Et Sarah. John vient juste de la rejoindre, et déjà on la lui arrache. Je ferme moi aussi les yeux et m'arme de courage en attendant de sentir une nouvelle cicatrice me brûler la cheville. La cicatrice d'Ella. Je sais que c'est celle qui me fera le plus souffrir.

Pourtant, rien ne se passe. Y a-t-il quelque chose de différent pour Ella, qui ferait que sa mort ne causerait pas de cicatrice ? C'est impossible. En ouvrant les paupières, je vois que John se tient courbé au-dessus de Sarah et d'Ella et leur serre toujours les mains très fort.

Je me penche vers les filles pour mieux les distinguer, et je n'en crois pas mes yeux. Leurs blessures – les trous béants dans leur chair et ces brûlures atroces au visage – sont en train de cicatriser. « Qu'est-ce qui se passe ? Comment est-ce que *toi*, tu arrives à faire ça ? » Je dévisage John, abasourdie.

« Je n'en sais rien, répond-il en secouant la tête. J'ignorais que j'en étais capable. En voyant Sarah à terre, je n'ai pas supporté de la regarder mourir. Ni Ella. Pas encore un Gardane. Je ne laisserai pas ça se produire, surtout maintenant que nous sommes réunis. Je leur ai pris la main et je n'avais qu'une obsession, que leurs blessures guérissent, que je puisse les soigner... et soudain, c'est ce qui s'est passé.

— Tu es en train de développer un nouveau Don ! je m'écrie en lui serrant l'épaule.

— Ou bien je l'ai voulu tellement fort qu'il s'est produit un miracle. Quoi qu'il en soit, elles sont en train de guérir. » Il laisse échapper un rire d'épuisement et de soulagement. Il porte le regard vers le centre de la salle, où Neuf se bat toujours. « Marina, ce n'est pas cette fois-ci que nous réussirons à vaincre Setrákus Ra. Même en ayant récupéré nos Dons, je ne pense pas qu'on soit encore prêts à le battre, et je ne veux pas prendre le risque de perdre un Gardane de plus. Il faut qu'on retrouve Six. Ensuite on réfléchira au moyen de se tirer d'ici, on se regroupera et on mettra un plan sur pied. On le tuera ensemble, ou bien on mourra ensemble. Mais on le fera selon *nos* règles, quand *nous*, on se sentira prêts. »

Nous entendons un gémissement en dessous de nous. Sarah et Ella ont ouvert les yeux et reprennent doucement des couleurs. John se penche pour embrasser Sarah.

*

Le coffrage cède enfin. Je plie les bras et donne des coups de pied, et je me sens chuter au moment où les derniers morceaux se détachent. Je me sers de la télékinésie pour descendre doucement jusqu'au sol.

Je reste là une seconde, à essayer de reprendre mon souffle. Il y a tant de fumée que j'en ai les yeux qui pleurent. Tout à coup, une gigantesque explosion secoue la salle. Une alarme se déclenche, et des flashs de lumière rouge se mettent à clignoter en cadence avec les hurlements perçants des sirènes. J'aperçois le Lumen de John et je me dirige vers lui à travers la fumée. Ella, Marina et Sarah sont debout près de lui, et alors que je m'approche, je vois Huit apparaître à côté de Marina. Bernie Kosar a repris sa forme de beagle et rejoint John en boitillant.

En me voyant, Ella pousse un cri et se jette à mon cou. Je la serre contre moi et cherche le regard de John. Revoir son visage est comme un rêve qui se réalise. Il me touche le bras. « Tu vas bien ? »

Je hoche la tête. « Et vous ? » En entendant ma voix, je mesure combien je suis épuisée et rompue.

« On a tous survécu, jusqu'ici. Mais où est Neuf ? » Nous nous rendons soudain compte que le vacarme de la bataille s'est tu. Nous nous précipitons au centre de la salle, là où il y a quelques secondes encore Neuf tentait de contenir Setrákus Ra. Il est allongé par terre, inanimé, et Setrákus Ra a disparu. Marina tombe à genoux et fait courir ses mains partout sur lui, pendant que je cherche frénétiquement où notre ennemi juré a pu se cacher, guettant le bon moment pour nous capturer et nous tuer. Hormis la sonnerie stridente des alarmes, la pièce est plongée dans un silence inquiétant. Plus un Mogadorien en vue.

« Il est vivant ! s'écrie Marina. Il est seulement assommé. » Neuf se redresse sur les coudes en secouant la tête d'un air hébété.

« Qu'est-ce qui s'est passé ? demande-t-il.

— J'allais te poser la même question, répond Huit. On a entendu une explosion, et tout le monde à part nous sept a disparu.

— Je ne sais pas – je n'ai pas vu où il était parti. J'étais en train d'essayer de tenir bon et de le repousser, et tout à coup je me suis retrouvé étalé par terre.

— Et maintenant, qu'est-ce qu'on fait ? demande Sarah.

— Il faut filer d'ici, ordonne John. Setrákus Ra pourrait réapparaître à tout instant, et c'est peut-être un piège. On a beau être dans une base du gouvernement, la sécurité laisse clairement à désirer.

— Quelqu'un connaît le chemin de la sortie ? » je demande. Ils se dévisagent tous d'un air sombre.

« Dans ce cas, il faut repartir par où on est arrivés, suggère Huit. La téléportation ne fonctionnera pas, on est trop nombreux.

— D'accord, acquiesce John. On ne sait pas ce qu'on trouvera en route, et il faudra peut-être affronter encore des Mogadoriens ou des soldats humains, mais désormais, il faut rester unis. On ne se séparera plus jamais. »

Neuf vient se planter à côté de moi, puis me jauge des pieds à la tête. « Je ne crois pas qu'on ait été présentés. Heureux de te rencontrer officiellement, beauté. Je suis Neuf », annonce-t-il en m'adressant un clin d'œil. Je lève les yeux au ciel et John lâche un petit ricanement.

Je prends un instant pour regarder autour de moi. C'est un miracle que nous soyons tous ensemble, et encore en vie. À l'exception d'un seul, tous les Lorics présents sur Terre se tiennent à quelques mètres à peine les uns des autres.

Nous sommes vivants, nous nous battons, et c'est pour ça que nous avons encore une chance. Nous reverrons Setrákus Ra, très bientôt. Et cette fois-ci, il ne nous échappera pas.